Ymadroddion Môn

CASGLIAD
John Gwilym Jones
LLANNERCH-Y-MEDD

GOLYGYDDION
Philip Lowies a Gareth Morris

Argraffiad cyntaf: 2022

ⓗ testun: Philip Lowies a Gareth Morris

Rhif Llyfr Safonol Rhyngwladol:
978-1-84527-867-0   elyfr: 978-1-84524-468-2

CYNGOR LLYFRAU CYMRU

Cyhoeddwyd gyda chymorth Cyngor Llyfrau Cymru

Cynllun clawr: Eleri Owen

Cyhoeddwyd gan Wasg Carreg Gwalch,
12 Iard yr Orsaf, Llanrwst, Dyffryn Conwy, Cymru LL26 0EH.
Ffôn: 01492 642031   Ffacs: 01492 642502
e-bost: llyfrau@carreg-gwalch.cymru
lle ar y we: www.carreg-gwalch.cymru

Argraffwyd a chyhoeddwyd yng Nghymru

Diolchiadau

Diolch yn fawr i Wasg Carreg Gwalch am ymgymryd â'r gwaith o gyhoeddi'r gyfrol hon. Diolch i Twm Elias am ei awgrymiadau gwerthfawr yn ystod y cyfnod o baratoi'r gyfrol. Hoffem ddiolch hefyd i Dr Robin Gwyndaf, Caerdydd, am ei rodd hael tuag at gyhoeddi'r gyfrol, ac i Ann Jones, merch John Gwilym, am ei gwybodaeth gefndirol am y teulu.

Bydd breindal y gyfrol hon yn cael
ei dalu i goffrau YesCymru

Cyflwyniad

Trysor mwya unrhyw genedl yw ei hiaith ac os am weld cyfoeth a gogoniant ein hiaith ni o ran ei geirfa a'i hymadroddion bachog, yn diferyd o ddoethineb llafar cefn gwlad, 'does dim lle gwell i gychwyn na'r gyfrol hon.

Iaith rymus Môn geir yma, ar ffurf casgliad o ddywediadau, rhigymau a geiriau, oll at bwrpas, wedi eu casglu dros gyfnod o ddeugain mlynedd gan John Gwilym, Llanerch-y-medd. Llafur cariad am iddo wirioni'n llwyr pan yn ifanc iawn ar wreiddioldeb hwyliog a dawn dweud y gymdeithas werinol a gwledig y'i magwyd ynddi. Treuliodd lawer o'i amser yn blentyn ar aelwyd ei daid a'i nain yn Llannerch-y-medd ynghanol cymuned hŷn, ffraeth y fro, oedd yn llawn cymeriadau, a Chymraeg drwyddi draw.

Cymerodd John at gofnodi y straeon a'r doethinebau a glywsai a'u cadw'n ofalus, gan lwyddo i gasglu bocseidiau o nodiadau ac, yn y diwedd, i olygu a chael trefn ar y cyfan. Golyga hyn bod cefndir pob ymadrodd o ran pwy, pryd, ple a pham ar gael. Dyma gymwynas enfawr – oni feddylioch ar adegau wrth frith gofio yr hyn glywsoch flynyddoedd yn ôl gan y genhedlaeth a fu: "Biti na fuaswn wedi dal mwy o sylw", neu: "Biti na fydda' rywun wedi ei recordio"?

Rhaid cyfaddef bod ambell recordiad ar gael o hen gymeriadau, yn saff bellach ym mherfeddion hir a phell Sain Ffagan a cheir atgofion difyr a gwerthfawr mewn ambell gyfrol o hanes bro, fel hefyd yn y papurau bro. Ond yng ngwaith John Gwilym fe gewch lu o ymadroddion bachog a chofiadwy cymuned o gymeriadau, pob un wedi ei seilio ar hir sylwi, ei hogi ar leferydd gwerin gwlad a phob un yn taro'r hoelen ar ei phen.

'Doedd yr hen bobl, heblaw ambell i fardd a phregethwr, ddim yn rhai i ramantu a 'sgaru geiriau gwag a cheir bod pob eitem fel y'i cyflwynir gan John Gwilym yn fachyn i hongian stori arno. A'r stori, wrth gwrs, yn gorwedd ym mhriodoldeb yr ymadrodd yn ei le a'i amser a dawn y dywedwr i bortreadu yn lliwgar a chofiadwy yr hyn a fynn ei gyfleu.

Dyma ddal doethineb llafar ar ei orau fydd yn agor neu ail-agor cil y ddor i ffordd o fyw sydd, yn nhreigl yr oes, wedi mynd yn o brin erbyn heddiw. Serch hynny gwneir popeth yn hollol ddealladwy hydnoed i genhedlaeth ddi-faw-ar-ddwylo yr oes ddigidol drwy rym ac eglurdeb yr hyn a gyflwynir. Dyma agor y llen mewn modd hwyliog a dadlennol ar fywyd fel a fu. Gallwch ddisgwyl sawl fflach o weledigaeth wrth i ystyr ambell air ac ymadrodd ddisgyn i'w le ac yn sicr fe gyfyd sawl gwên.

Roedd John ei hun yn gymeriad a hanner. Creadur mawr o gorff a phlaen ei dafod na allai ddioddef ffyliaid. Ymhyfrydai yn ei bobl a threuliodd ei oes yn cywain y perlau o ddoethineb yn y gyfrol hon – wedi eu crisialu o hir brofiadau bywyd ac oddi ar leferydd sawl cenhedlaeth o wladwyr gwâr Môn.

Twm Elias
Hydref 2021

7

Rhagair

Anodd rhoi geiriau ar bapur wrth ysgrifennu'r rhagair hwn am waith fy nhad. Fel ambell i deulu arall o Fôn i Fynwy, nid oes dim gwahanol efallai yn ein teulu ni. Cenedlaethau o amaethwyr, gyda balchder ein cyn-deidiau yn y traddodiadau sydd wedi eu trosglwyddo o genhedlaeth i genhedlaeth.

Mae'r balchder hwn a'r cariad tuag at amaeth a chefn gwlad i'w weld drwy'r gyfrol hon. Roedd gan fy nhad y ddawn o adrodd stori, fel ambell i aelod arall o'r teulu. Magwyd fy nhad gyda'i rieni Herbert a Netta Jones a'i chwaer Ann Elizabeth yn Fferm Highgate, Llannerch-y-medd (neu i ni bobl yr ardal, Llan'achmedd) Roedd fy nhaid Herbert Jones yn amaethwr ac yn borthmon. Roedd teulu fy nhaid yn dod o deulu o borthmyn gwartheg, ac roedd fy hen daid yn dod o deulu o borthmyn defaid. Mae cyfoeth amaeth a bywyd cefn gwlad wedi dylanwadu ac yn dal i ddylanwadu ar genedlaethau o'n teulu ni. Roedd y ddau deulu yn hoff iawn o ferlod, a bu merlod yn rhan fawr o'n teulu ni. Roedd chwaer fy nhaid Herbert Jones, Mrs Winnie Evans, Tan Lan, Bodorgan, yn fyd-enwog am fagu merlod mynydd Cymreig.

Roedd cartref genedigol fy nain yn Nhan-y-Foel ac yn gyffiniol â Highgate. Yn wahanol i deulu fy nhaid Herbert, roedd yno gyfoeth gwahanol iawn. Roedd fy hen daid yn saer ac yn ymgymerwr angladdau yn y pentref. Dyluniodd gadair i ambell i eisteddfod ac aeth un gadair mor bell â Llydaw (yn ôl hefo Sioni Winwns). Roedd chwaer hynaf fy nain, Kitty Williams, yn delynores, wedi dysgu nifer ac yn adnabyddus fel Telynores y Foel. Ar ôl ei marwolaeth daeth yn Delynores Môn. Ei brawd hynaf oedd John Owen, un yn hoff o farddoni ac yn aelod o Orsedd Beirdd Ynys Môn, ac enillodd ambell i gadair. Mae un o'r cadeiriau yma adref gennyf i heddiw, sef "Cadair Eisteddfod y Plant

Llanerchymedd 1927" Roedd brawd arall fy nain, Albert Owen, yn dilyn yn ôl troed ei dad fel saer ac ymgymerwr, ond hefyd roedd yn actor ac yn gynghorydd sir.

Symudodd teulu fy nhaid Herbert i Sir Fôn ar ddechrau'r ganrif ddiwethaf i borthmona. Erbyn hyn, mae chwe chenhedlaeth o deulu ar ochr fy nain Netta wedi ymgartrefu yma yn Llan'achmedd a sawl aelod o deulu fy nhaid wedi ymgartrefu ym Môn. Dywedodd fy nhad sawl tro fod teulu tad fy nain (William Owen, Tan-y-Foel) yn hanu o oes y Normaniaid ar Ynys Môn, ond anodd iawn fuasai profi hynny. Mae hanes teuluol ac olrhain achau yn dangos fod teulu William Owen yn dod yn wreiddiol o ardal Carreg-lefn a Llanfechell ym Môn. Roedd taid William Owen ar ochr ei dad yn ffarmio Cefn Roger, Carreg-lefn.

Dywedodd fy nhad sawl tro fod ambell aelod o'r teulu wedi dylanwadu arno, ac enwyd y rhain eisoes. Ond roedd gan fy nhad barch mawr tuag at Mrs Lilly Maud Roberts, Bodsuran, Trefor, Ynys Môn (chwaer fy nhaid) a Mrs Keshia Owen, Llannerch-y-medd (chwaer fy nain). Fel ambell i deulu arall ar draws Gymru, mae enwau teuluol wedi cario o genhedlaeth i genhedlaeth ac mae Herbert, William, Albert, Elizabeth, Gwen, John, Thomas, Catherine (Cadi, Keshia, Kitty) a Henry (Harri) yn dal yn y teulu hyd heddiw.

Amaeth oedd cariad cyntaf fy nhad a dywedodd ei fod wedi disgyn mewn cariad ag amaethyddiaeth yn 13eg oed. Ond dywedodd hefyd, "Erbyn heddiw, mae'n 'difar iawn gen i na es i 'mlaen â fy addysg ac anelu am radd Prifysgol yn y Gymraeg."

Mae'r cariad a'r balchder tuag at amaeth, diwylliant Môn, y Llan a'r ardal wedi eu nodi yn nhudalennau'r gyfrol hon. Llwyddodd fy nhad, fel ambell i gymeriad ffraeth arall o gefn gwlad, i ddysgu inni fel ei ddisgynyddion ambell i chwedl neu ymadroddiad o lên gwerin i'w drosglwyddo i'r genhedlaeth nesaf,

I grynhoi, hoffwn ddiolch i Dr Philip Lowies a Dr Gareth Morris am eu gwaith diflino yn paratoi'r deunydd ar gyfer y gyfrol hon ar gyfer ei chyhoeddi.

Dymunaf i chwi i gyd oriau o fwynhad o ddarllen y gyfrol.

Ann Jones - merch y diweddar John Gwilym Jones
Llan'achmedd
Ebrill 2022

Rhagymadrodd gan y Golygyddion

Mae sawl agwedd ar fywyd a phersonoliaeth John Gwilym Jones, ond rydym am gyfyngu'r ychydig eiriau hyn i'r John roeddem ni'n dau yn ei adnabod. Deudwr rhugl a ffraeth – cawr o ddyn mewn sawl ystyr – bob amser yn llawn bwrlwm a diddordeb byw yn ei iaith a'i wlad, yn enwedig iaith Môn a hanesion cefn gwlad ei gynefin. Roedd yn hynod graff, gyda deallusrwydd anghyffredin a meddwl chwim, bob amser gyda hiwmor. Roedd yn gymeriad unigryw.

Treuliodd John ei flynyddoedd cynnar ar fferm Four Crosses yn Rhos-goch. Roedd yn fab i Herbert Jones (1910-71) a Netta Jones (née Owen) (1919-1977), a chanddo un chwaer, Ann. Prin yw atgofion John Gwilym am ei gyfnod cynnar a byr yn Ysgol Gynradd Carreg-lefn cyn iddo symud oddeutu'r pump oed i Ysgol Gynradd Llannerch-y-medd. Tua 1952-3, mudodd y teulu i fyw i Highgate (Bragdy gynt), Stryd Fawr, Llannerch-y-medd, yn nes at rieni Netta, William Owen (1883-1952) a Kate Owen (1883-1962) (née Jones), Tan-y-foel.

Ychydig iawn sydd ganddo i'w ddweud am ei addysg. Dim gair am ysgol Llannerch-y-medd, ond y mae'n fawr ei barch i brifathro'r ysgol, Idwal Roberts, hanesydd lleol brwd a'i wybodaeth am hanes a bywyd y pentref yn ddihafal. Ni cheir gwir atgofion am ei gyfnod byr yn Ysgol Gyfun Syr Thomas Jones Amlwch. Ni chafodd ei sbarduno yn y lle, felly ffarweliodd â'r addysg Seisnig honno pan oedd tua'r pymtheg oed i dreulio, yn ei eiriau ef, y '*mwyafrif o'm dwy flynedd gyntaf ar y tir yn gweithio ar ben fy hun mewn caeau unig ac anghysbell yn nhawelwch Llanbabo a Llantrisant*'.

Hon oedd ardal ei dad a'i daid, John Jones (1879-1949) Pen Padrig, Carreg-lefn. Aeth y tad i weithio at y taid yn syth o'r ysgol yn dair ar ddeg oed a dechrau '*nôl gwartheg a brynwyd gan fy nhaid, gyda dim math o gymorth ond y cŵn*'. Yn

1913, mudodd John Jones o Nyffryn, Dinas, Boduan i Fôn, gan ddod â geiriau Llŷn ac Eifionydd yn ei sgil ac ymhen cenhedlaeth daeth y rhain yn rhan o iaith John Gwilym Jones, yr ŵyr.

Yn ei gyflwyniad i'w gyfrol gyntaf, *Dywediadau Gwlad y Medra* (Llanrwst, 1999) sonia John Gwilym am ddylanwad mawr ei nain ar ei fywyd. Wedi iddo symud yn blentyn o Ros-goch i'r Llan, cafodd gwmpeini beunyddiol ei nain ac iddi hi y priodolir llu mawr o'r geiriau, dywediadau ac ambell i stori. Arferai John dreulio cyfnodau hir yn nhŷ ei nain yn Nhan y Foel, a pherthyn i'r lle hwn y mae'r stori ddramatig am y Sasiwn Bregethu yng Nghapel Jerusalem M.C. y Llan, o dan y gair **carlamwr**. Clywn hefyd am weithdy ei daid, a oedd yn saer medrus. Tua diwedd ei oes, byddai John yn myfyrio am yr hen le, gan deimlo'r awyrgylch:

> *Pan yn blentyn ac yn cysgu yn llofft gefn Tan-y-foel, Llannerch-y-medd, sef y llofft ar ben y grisiau yn arwain o'r gegin gefn lle'r ymgynullai'r henoed lawer noson i sgwrsio yng ngolau'r tân, clywais lawer o sôn ...*

Cofiai orchmynion ei nain, pethau fel '... *dos i nôl mwy o lo i ni gael **holwyth** o dân i fyny'r simdda'*. Pan ddychwelai John Gwilym i'r tŷ ar ôl bod yn chwarae, gofynnai iddo '*wyt ti wedi creu rhyw fath o **fistri manars**'*. Dywed John mai '*iaith lafar a chynaniadau Llŷn/Eifionydd oedd gan fy nhad, ac etifeddodd fy mam yr un ffordd o siarad oddi wrth ei nain Catherine Jones (c1857-1938), Pencefn Bach, Llannerch-y-medd a'i mam Kate Owen oedd yn parhau'n gryf dan ddylanwad Llŷn/Eifionydd'*. Felly, dywed fod '*darganfod cynaniadau hen iaith yr ynys yn ddieithr ac yn ddiddorol i mi'*.

Yn Nhan-y-foel, yn blentyn bach cafodd John Gwilym gyfle i wrando ar William Owen ei daid yn '*adrodd hen* straeon o ardal ei febyd, Cefn Roger, Carreg-lefn lle 'roedd ei dad yn dyddynnwr a phorthmon ...' Bu'n rhaid i'r taid 'fynd at sowldiwrs' yn y Rhyfel Mawr ac er iddo fyw tan 1952, ildiodd yn drigain oed i lid yr ymennydd 'yn deillio o nwy gwenwynig pan yn ffosydd Ffrainc'. Ar yr aelwyd yn Nhan-y-foel, ac ar aelwyd brawd ei nain, Jac Fawr Pencefn Bach yn Nhŷ Capel Peniel y Llan y clywodd John am brofiadau Jac a William, ac eraill, a dynnwyd i gyflafan erchyll y Rhyfel Byd Cyntaf.

Un tro, dywedodd ewythr John wrtho y tyfai ryw ddydd yn fwy o ddyn na Jac Fawr, ond ymhen rhai blynyddoedd, gwyddai John Gwilym bod Gruffydd Owen yn ei methu hi '... rwyf yn 6'2", tua 2 i 3 modfedd yn llai na'r hen Jac'. Pan oedd Jac mewn oed mawr, arferai ddifyrru John Gwilym efo storïau rhyfel – yn eu plith ac yn flaenllaw hanes y frwydr enfawr yn Mametz Wood 1916 a'i herchyllterau. Cyfoedion i Jac Fawr oedd Jac Sachins, Dic Pen-rhyd, Now Gongl Rhedyn a Jim Morris – oll yn ddynion caled. Gallai Jac Sachins ddweud o brofiad llygad-dyst am Jac Fawr ei fod yn waliwr tan gamp ac roedd yr 'hen ewythr annwyl' wedi dwyn sylw John Gwilym yn blentyn 'at waliau yr oedd wedi eu codi yn ei amser, ac sydd hyd heddiw ar eu traed yn gadarn ac yn ddiddiwedd'. Hanesyn arall am y crefftwr cefn gwlad hwn yw'r codi cilbostiau yn Hafod y Meirch ac o safon a blesiodd y meistr cymaint 'fe roddodd o hanner coron dros ben i mi efo'r pris'.

Merch i Kate Owen oedd Kitty Erw'r Delyn (m. 1994 yn 89 oed), y Llan – dynes adnabyddus yn ei dydd wrth yr enw eisteddfodol 'Telynores y Foel' a chyfeirir ati dan lawer gair neu ddywediad. Ei gŵr oedd John Williams – cyfeirir ato yn y gwaith hwn fel JW neu JW y Llan. Dyma ewythr y mae John yn cydnabod dau beth yn ei gylch – yn sicr y traddodiad storïol, ond hefyd ddysg a diwylliant JW ym myd llenyddiaeth Gymraeg. Yn anghyffredin yn ei gyfnod, ac o gofio, bob amser, gefndir gwladaidd y llu o bobl y cyfeirir atynt, roedd gan JW lyfrgell helaeth yn ei gartref. Fel Kitty ei wraig, roedd yntau'n delynor ond gallai gynganeddu hefyd. Dipyn o gamp a gaiff yn briodol iawn ei dathlu gan ei nai. Gwyddom amdano yn penderfynu peidio anfon cywydd i Eisteddfod Talwrn am ei fod *'am **ddal dêr** ar hon tan Eisteddfod Môn'*. Roedd ef a'i briod yn eisteddfodwyr balch a gweithgar.

Sonia John Gwilym am ddisgrifiad doniol a roddwyd iddo gan JW am arferion y ffermwyr a'r gweision a thrigolion cyffiniau Rhos-goch, yn *'ymgynnull ar ryw groesffordd neu fan canolog yng nghefn gwlad i hel straeon a chael sgwrs a dadl ...'* Dan y gair **sychdagu**, dygir i gof JW *'... yn defnyddio'r gair laweroedd o weithiau yn ei chwedlau gyda'r nos am hen fywyd gweini ffarmwrs ac ymrysonau hogia'r llofft stabal'*. Stori'n perthyn i'w gyfnod cynnar yn was yn Fferam Gyd, Llanbabo yw honno pryd yr oedd yn gweithio'n y caeau gyda'i dad pan gododd ffrae enbyd rhwng y brodyr gwyllt, Harri a Siôn Hale. Pan adroddai JW y stori hon gwnâi hynny *'i gyfeiliant chwerthiniad iach ac uchel oedd yn heintus'*. Dan y drafodaeth hir ar **gweirglodd** ceir eglurhad manwl, a'r ystyr oedd *'yr unig beth y gwnaeth JW a Llew Llwydiarth gytuno arno erioed'*. Jac Sachins a JW roes i John oleuni ar ystyr **traen ceiliog a iâr** ar achlysur hynod pan oedd y tri yn ddwys drafod sut beth oedd y fath draen, a Jac yn gwneud cynllun ohono efo sialc ar wal y beudy. Trwy'r holl waith, dyma un o'r disgrifiadau mwyaf manwl.

Yn y gwaith hwn, un o'r cyfeiriadau cynnar at JW yw hwnnw yn y rhan sylweddol sy'n ymwneud ag enwau lleoedd. Noda John Gwilym gyda pheth boddhad bod ei ewythr *'yn anghytuno'n ffyrnig'* â'r *Geiriadur Mawr* a'r cofnod bod **rhos** a **morfa** yn gyfystyron. Pan fentrai John, gydag elfen o ansicrwydd, gynnig dehongliad ar enw lle gallai droi at JW am gymorth parod ac eglurhad dwfn. Dyna a wnaeth gyda'r enw **tinw** – gofyn am farn JW (ynghyd â Robat

Williams Crydd a Jac Sachins, hen weision ei dad a hyfforddwyr i John yn laslanc di-briod); cafodd ymateb o'r seiat hon bod ei ddamcaniaeth ef ei hun yn gywir.

Mae yma JW arall yn y nodiadau, sef ffarmwr Ynys Groes ym mhlwyf Coedana, lle ceir nifer o ffermydd gydag enwau hardd a thebyg. Murddun yw Ynys Groes bellach. Mae ambell un o'r ardal, rhai yn eu saithdegau, yn cofio hynodrwydd cyffredinol JW Ynys Groes ac yn cofio'n dda ei ardd ddigyffelyb o lysiau a phêr lysiau. Yn ei lyfrgell roedd gan JW y Llan drysorfa o *'esboniadau o hen lyfrau am ystyron enwau lleoedd a ffermydd'* ac yn eu plith ceir cynnig da ar ystyr **ynys** fel elfen yn yr enwau ffermydd, sef *'ynys o dir uwch a sych yng nghanol corsydd oedd bryd hynny yn llawer gwlypach a thonenog na heddiw'.*

Arferai JW Ynys Groes dreulio diwrnod neu ddau *'yn crwydro corsydd rhwng Ynys Groes a Stad Tresysgawen a draw at Gors Erddreiniog yn chwilio am arwyddion o'r gwanwyn cyn penderfynu pryd i ddechrau aredig neu godi rhesi tatws'.* Dan **uwch greddf na meddwl**, ceir edmygedd a gwerthfawrogiad John Gwilym o un a edrychai ar ôl y tir a'i anifeiliaid mewn ffordd ofalus a chraff. Drigain mlynedd yn ôl, ystyrid JW Ynys Groes yn ffarmwr hen ffasiwn o'r radd flaenaf, yn feddyliwr mawr yn *'ei bethau ei hun'* a bob amser y tu allan i gylch dylanwad yr eglwys a'r capel. Dyn wrth fodd calon John Gwilym, a dyma ddyfynnu ei fyfyrdod arno:

Rhaid cofio bod John Williams yn gymeriad dyfn iawn a hynod o reddfol, i'r graddau o fod yn gyfriniol yn ei fedrau, yn gallu greddfu salwch mewn anifail ymhell cyn i symptomau ymddangos, yn anhygoel o ddawnus wrth farnu cymeriad arall ar unwaith ac yn berchen ar ddealltwriaeth eang, nid yn unig o amaethu, ond hefyd o fyd natur a'r amgylchfyd.

Yn yr un modd gallai Herbert, tad John, synhwyro'n syth pan oedd anifail yn sâl a châi Kate, ei nain, argoelion o ddigwyddiadau gofidus 'o hirbell'. Yn y chwedegau cynnar, roedd John yn cael llu o sgyrsiau â JW Ynys Groes ar y stryd yn y Llan ac wrth alw yn y ffarm. Arhosodd un ymweliad yn ei gof ac mae'n ail-greu yr awyrgylch fel hyn:

> *Rwy'n cofio eistedd wrth fwrdd mawr y gegin gyda John Williams a'i wraig yn Ynys Groes, y Llan gyda'r nos ar ôl darfod cneifio'r defaid Llŷn ... Ac yno yng ngolau'r lamp baraffin a churiad y cloc mawr, yn setlo'i lawr i gael gwledd o fwyd cartref, a minnau ychydig yn swil wrth fwrdd diarth yn cael gorchymyn tadol,* **tyd was, byta lond dy fol nôl yr hen drefn.**

Yn ei atgofion, mae John yn dangos bod ganddo ddoniau, heblaw cofio geiriau, i greu awyrgylch ei brofiadau. Nid disgrifiad o JW Ynys Groes sydd yma, mae'n ddisgrifiad cyffredinol o weithwyr amaethyddol a thyddynwyr cefn gwlad, ond gall fod yn un ohonynt:

> *mae arogl yn dod i nghof wrth feddwl am ambell hen gymeriad gwerinol, sef surni hen chwys, oglau tail, ac arogl sudd baco ... a oedd mewn gwirionedd yn hynod o gysurus a chartrefol. Dyma oedd rhan o 'aura' cegin tŷ fferm hen ffasiwn.*

Tri unigolyn o bwys y bu John dan brentisiaeth ffarmio â nhw oedd gweision ei dad a chânt eu dyfynnu'n aml. Yr un y sonnir amdano amlaf o bawb yw John Lewis Jones, (Jac Sachins) Pen-graig y Llan a fu farw yn 89 oed yn 1972. Ar ôl gadael yr ysgol yn bymtheg oed, dechreuodd John weithio efo Jac Sachins, Jim Francis a Robat Williams Crydd, y tri yn grefftwyr medrus a ddysgodd John sut i walio efo cerrig sych, sigo drain, ffensio, wynebu cloddiau â thywyrch a sgwrio ffosydd ac yn y blaen. Hwn yw'r cyfnod pryd yr oedd yn sugno gwybodaeth am grefftau'r tir, a hwn oedd y cyfle iddo wrando a chofio yr hyn a glywodd – y cyfoeth llafar.

Pan fyddai John Gwilym angen cymorth efo tras ac ystyr geiriau, arferai bwyso ar y rhain. Dan y cofnod i **hei lwc**, sef dymuniadau diffuant yn hytrach na dim arwynebol ffwrdd-â-hi, cawn glod i Robat Williams Crydd '... *a oedd y dyn mwyaf strêt a welais erioed, a byth yn mynegi dim ond yr union beth oedd ar ei feddwl, yn cydio a gwasgu fy llaw yn dynn, a dweud* '**Hei lwc i chi frawd**', *wedi genedigaeth fy mhlentyn hynaf*'.

Roedd Jim Francis Hughes (g. 1930 ac yn byw yng Nghaergybi yn 1999) yn was y gallai Herbert, tad John, ddibynnu arno bob amser fel dyn cydwybodol a doeth, a '*dyn sy'n gweld gwaith*'. Cafodd ei ganmol gan John Gwilym: '*Heb amheuaeth, Jim oedd yr arbenigwr mwyaf galluog ar gadw a phorthi pob math o dda byw o'i gyfnod ac ar adegau byddai'n codi cywilydd ar lawer i filfeddyg gyda'i ddiagnosis anhygoel o salwch ar unrhyw dda byw a sut i'w wella*'.

Yn ddyn ifanc, câi ambell gyfle i grwydro y tu draw i'w fro a chroesi Pont y Borth ac ymweld ag arwerthiannau yn Abergele, ym Mryncir, dro arall y mae yn Llanaelhaearn. Yn Abergele, cyfarfu â gŵr yn ei saithdegau hwyr a chael sgwrs efo fo am **gwasarn**. Yn ei gofnod i **dofi'r rhedyn**, datgela mai hen amaethwr ym marchnad da Bryncir a'i goleuodd ar y mater. Mewn sgwrs efo Twm Gruffydd, Moelfre Fawr, Llanaelhaearn yn 1966 y clywodd gyntaf am y dywediad **pry genwair a gwn wnaeth ddyn cyfoethog yn llwm** ond, yn nodweddiadol ohono, aeth ati i ymgynghori'n ei gylch efo Wil Harri Jones a chael cadarnhad bod fersiwn ddigon tebyg ryw oes yng Nghemaes.

Mewn amser, gwelwyd ei dystion yn mynd i oed a phrinhau - roedd Jac Sachins, Siôn Goch Rhos-y-bol, Siôn

William (tad JW y Llan), Gruffydd Owen cefnder Kate Owen a Kate Owen ei hun wedi eu geni yn 80au cynnar y 19eg ganrif, sef y genhedlaeth aeth i *'weini ffarmwrs'* yn 10-11 oed. Am *clantia*, dywed John mai yn anaml y clywai'r gair. Gan Dic Garreg-wen y cafodd o esboniad ar *crysbas*, a hwnnw'n cofio am ei daid yn ei ddweud – felly'n ei olrhain i ganol y bedwaredd ganrif ar bymtheg, ganrif cyn geni John. Ar ôl dyddiau ei dad, chlywodd o fawr neb yn defnyddio *pigsofl*. Ei dad eglurodd iddo ystyr *crishiwr* a phan soniodd am hyn efo'i nain, Kate Owen (m.1962) chwarddodd hi a gwneud y sylw *'nad oedd wedi ei glywed ers blynyddoedd'*. Tua dechrau'r 1970au y clywodd John Gwilym *deintio* gyntaf, er bod ei fodryb Kitty Williams (m. 1994 yn 89 oed) yn ei ddefnyddio hyd ei marwolaeth. Wedyn, yn ei nodiadau, cyfeiria at *'y diweddar Kitty Williams'* yng nghyd-destun *teulu'r godwm* oedd *'ar ddefnydd hyd ei phlentyndod'*.

Yn y gwaith drwyddo draw, y traddodiad llafar sy'n cyfrif. Nid yw'n sôn am droi at *Eiriadur Prifysgol Cymru* na'r *Welsh Vocabulary of the Bangor District*, er bod cyfaill iddo yn daer ynghylch eu pwysigrwydd. Wrth gwrs, mae llyfr O.H.Fynes-Clinton yn bwysig ac arloesol ac mae ynddo ddull yr oedd John yn ei gymeradwyo'n fawr, sef mynd at lygad y ffynnon i holi'r siaradwyr. Er pwysiced y *Geiriadur Mawr*, nid oedd gan John ffydd ynddo. Ceir ganddo bethau fel *'Anghytunaf yn llwyr â'r Geiriadur Mawr (wrth sôn am)* *cribinion; wedyn 'cymanllyd'* ... mae'r *Geiriadur Mawr ymhell ohoni 'ran y defnydd o'r gair ym Môn'*.

Anwastad yw'r cyfeiriadau at gyfrol y diweddar Athro Bedwyr Lewis Jones, *Iaith Sir Fôn* (1983). Ceir canmoliaeth gynnes i'r gyfrol gan John – ar y gair *Bangor*, cafwyd *'esboniad gwych'* meddai. Ond canmoliaeth amodol oedd hon. Credai fod *'yr athro yn anghywir yn ei ddisgrifiad o leoliad **gwaroden'*** a gallai John draethu gydag awdurdod ar ôl bod wrth draed Jac Sachins yn dysgu sut i sigo a phlethu drain trwy'r grodennau. Dan **dal dêr**, mae'n cydnabod yr ystyr a ddyry'r Athro i'r ymadrodd ond *'nid yn y cyd-destun hwn y clywais i o'n cael ei ddefnyddio'*.

Erbyn i *Iaith Sir Fôn* ymddangos yn 1983, roedd yr hen do yn prinhau; ymhen degawd, pan oedd John yn dechrau cofnodi'r gwaith hwn ar ei hen deipiadur Imperial, roeddent wedi diflannu o'r tir. Bu John ei hun farw ym mis Chwefror 2000, ac mae wedi ei gladdu ger bedd ei fam a'i dad ym mynwent Capel Peniel yn Llannerch-y-medd.

Credwn fod John yn sefyll mewn tradoddiad anrhydeddus o gofnodi diwylliant sy'n diflannu, ac mewn sawl ffordd mae'n ein hatgoffa o lenyddiaeth atgofion mewn gwledydd fel Iwerddon. Er enghraifft, gwaith Tomás Ó Crohan yn hel atgofion am ei fywyd ar Ynysoedd y Blasket, oddi ar arfordir de-orllewin Iwerddon. Meddai Ó Crohan:

> Yr wyf wedi ysgrifennu yn fanwl am lawer o'r hyn a wnaethom, oherwydd fy nymuniad oedd cael coffadwriaeth o'r cwbl yn rhywle, ac yr wyf wedi gwneud fy ngorau i osod i lawr gymeriad y bobl o'm cwmpas fel y bydd cofnod ohonom yn parhau - oherwydd ar ein holau ni, ni ddaw neb tebyg fyth eto.[1]

Yn y gwaith hwn, credwn fod John Gwilym wedi llwyddo i roi coffadwriaeth deilwng i'w ardal a'i phobl. Gobeithio y byddwch yn mwynhau darllen cyfoeth y cofnodion oes a nodwyd mor drylwyr ganddo.

Philip Lowies
Gareth Morris
Bryngwran, Ynys Môn

---

[1]Cyfieithiad o'r Gymraeg o ddyfyniad gan Tomás Ó Crohan yn *The Islandman* (1934:244) (golygydd: Robin Flower)

Coeden deulu Pen Padrig

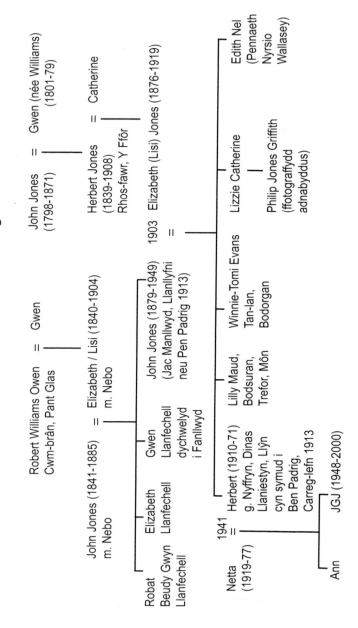

Coeden deulu Tan-y-foel

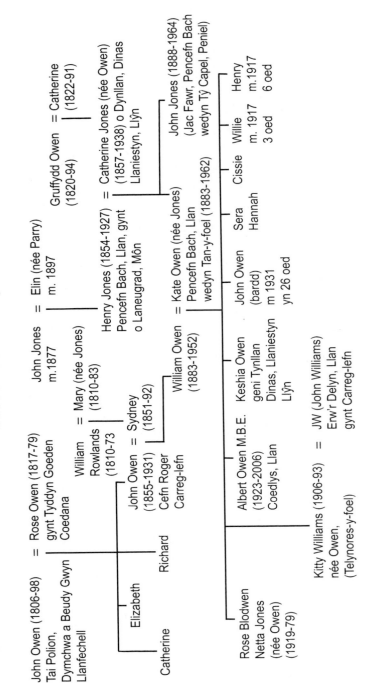

Rhai o ffynonellau John Gwilym Jones:

Teulu Pen Padrig

Herbert Jones (1910-1971) tad JGJ. Yn 1941, priododd â Netta Owen, merch William a Kate Owen, Tan-y-foel, Llannerch-y-medd. Ganwyd JGJ yn 1948.

John Jones (1879-1949) taid tadol JGJ a anwyd ym Manllwyd, Llanllyfni ac a fudodd o Nyffryn, Dinas, Boduan yn 1913 i amaethu Pen Padrig, Carreg-lefn. Amaethwr a phorthmon oedd John Jones ac o dras uniongyrchol yr hen borthmyn Cymreig a yrrai'r gwartheg duon i Gaerlŷr a Smithfield, Llundain.

John Jones (c.1841-85), hen daid tadol JGJ. Bu farw yn Nebo.

Lisi Jones (1840-1904) gwraig John Jones (uchod), a hen nain JGJ.

Robat Jones, Beudy Gwyn, Llanfechell, brawd i daid JGJ.

Tomi Evans, Tan-lan, Bodorgan; roedd Winnie ei wraig yn chwaer i Herbert Jones, tad JGJ. Roedd Tomi yn ffermwr, yn borthmon ac yn fridiwr enwog ar ferlod Cymreig. Ganwyd yn y Trysglwyn, Rhos-y-bol yn 1900. Treuliodd ei blentyndod yn cerdded gwartheg i'w dad, Ifan y Drip, yr anfarwol borthmon, caredig a lliwgar a chawraidd ei faint.

Teulu Tan-y-foel

Netta Jones (**née Owen**) (1919-1977) – mam JGJ. Roedd yn byw gyda'i gŵr Herbert yn Highgate, Llannerch-y-medd, ac yno y magwyd JGJ a'i chwaer Ann.

William Owen (1883-1952) Tan-y-foel, Llannerch-y-medd, tad Netta a thaid JGJ, a fu farw yn 69 mlwydd oed o effaith nwy gwenwynig o'i gyfnod fel milwr yn y Rhyfel Byd Cyntaf. Ganwyd a magwyd ef yng Nghefn Roger, Carreg-lefn.

Kate Owen (1883-1962), gwraig William Owen a merch i Harri Jones (1852-1938), Pencefn Bach, Llannerch-y-medd a Catherine (née Owen) (c.1857 – 1938). Nain JGJ, a ffigwr dylanwadol yn ei fywyd.

Kitty Williams (1906-93), (Telynores y Foel), Erw'r Delyn, Llannerch-y-medd. Merch Kate Owen.

John Williams, (JW) gŵr Kitty uchod. Mab Siôn William, Carreg-lefn ac ewyrth tadol i'r diweddar Brifardd Iwan Llwyd. Roedd JW yn ŵr hynod o ddiwylliedig, yn delynor ac yn fardd yn y mesurau caeth.

Albert Owen (1923-2006), o Coedlys, Llannerch-y-medd. Mab William a Kate Owen. Etifeddodd weithdy a busnes ei dad. Roedd yn drefnydd angladdau ac yn saer. Bu'n Gynghorydd ar hen Gyngor Dosbarth Gwledig Twrcelyn ac ar Gyngor Sir Gwynedd o ddyddiad ei sefydlu yn 1974 hyd at ei ddiddymu yn 1996.

John Jones (1888-1964), Pencefn Bach, Llannerch-y-medd, (Jac Fawr Pencefn Bach) brawd Kate Owen. Gwasanaethodd yn y fyddin yn Ail Fataliwn y Ffiwsilwyr Cymreig yn India o 1906-1913 (ac wedyn ei alw i fyny'n Reservist o 1914-1918).

Huwi Owen, Tŷ Gwyn, Llannerch-y-medd, gŵr i chwaer Netta, mam JGJ.

Siôn Prydderch (c.1860-1929), Tŷ Gwyn, Llannerch-y-
medd, cefnder William Owen Tan-y-foel. Bu farw yn 1929
yn 69 mlwydd oed. Ef oedd yr olaf ym Môn i redeg
waganét (waggonette), sef wagan pedwar ceffyl hefo to
coed ac ochrau canfas, gyda meinciau i lawr bob ochor i
gludo pobol a nwyddau'n ddyddiol o'r Llan i Gaergybi.

Annie Prydderch (c.1876- 1953), Tŷ Gwyn, Llannerch-y-
medd, hen fodryb JGJ.

Gweision i dad John Gwilym Jones

Jim Francis Hughes, gynt o'r Llan, wedyn o Vulcan Street,
Caergybi; hen was fferm tad JGJ, Herbert Jones. Ganwyd
Jim yn 1930 a'r tir oedd ei hoff ddiddordeb a'i alwedigaeth
erioed. Heb amheuaeth, Jim oedd yr arbenigwr mwyaf
galluog ar gadw a phorthi pob math o dda byw o'i gyfnod,
ac ar adegau byddai'n gallu codi cywilydd ar lawer i
filfeddyg (ffariar) gyda'i ddiagnosis anhygoel o salwch ar
unrhyw dda byw a sut i'w wella. Cyfaill agos i JGJ.

Jac Sachins – John Lewis Jones (c.1883-1972) Pen-graig,
Llannerch-y-medd. Cafodd y llysenw o achos ei arfer o
gymryd sachau o ffermydd lle roedd yn gwneud gwaith
cerrig, a gwneud siwtiau tywydd mawr iddo'i hun ohonynt.
Cyfaill agos i JGJ.

Robat Williams (1901-1990), crydd, yr olaf o gryddion
Llannerch-y-medd. Dychwelodd i weithio ar y tir pan
danseiliwyd ei fywoliaeth gan esgidiau rhad o'r ffatrïoedd.
Cyfaill agos i JGJ.

Cyfeillion

Nennin Florence (c.1904-1990) yr olaf o'r hen Sipsiwn Romani pur Gymraeg yng Ngwynedd, a oedd yn rhugl yn y Gymraeg, y Saesneg a Romani ac yn disgrifio ei hun fel *Romani*, nid *traveller* fel y sipsiwn cymysg eu gwaed a welir heddiw sydd ond yn siarad rhai o eiriau'r hen iaith swynol Romani. Mae Nennin wedi ei gladdu ym mynwent Llandygái (mynwent gyhoeddus Bangor).

John L. Griffith (Jac Neuadd) (1920–83) Llaindelyn, Elim, Llanddeusant.

Twm Gruffydd (1896–1971), o Lannerch-y-medd – Twm Traffwll, neu Twm Bach y Blodau, fel y'i gelwid yn Llan. Garddwr proffesiynol gloyw, yn enedigol o Baradwys.

Bob Hughes (c.1905-1971), Pen-sarn, Rhos-goch (Bob Bach y Neuadd) – yn enedigol o Gemaes, Môn.

Dic Huws Pen Werthyr (1895–1974), Rhodogeidio, Llannerch-y-medd

Caradog Jones (c.1901-1997), Cemaes, hen longwr profiadol.

Dafydd Jones, 3 Tai'r Cyngor, Rhos-goch.

Dr Dafydd Alun Jones (1930-2020), Ymgynghorydd Seiciatryddol o Dalwrn, Ynys Môn ond yn enedigol o Benmachno. Bu'n gweithio yn Ysbyty'r Meddwl Dinbych (1964-1995). Erbyn diwedd ei yrfa roedd yn cynorthwyo rhai'n gaeth i alcohol.

Eifion Jones, Bryn Ednyfed, Porth Amlwch (roedd yn 49 oed yn 1997), yn enedigol o Foelfre ac yn gyn-Brif Beiriannydd Morwrol, a'i dad, ei daid a'i hen-daid yn gapteiniaid llongau. Arbenigwr hanes môr.

Gwynfor Jones, 111 Pencraig, Llangefni, yn enedigol o Tŷ'n Rofft, Niwbwrch.

Iris Owen Jones, 79 Pencraig, Llangefni yn enedigol o Parc, Lôn Filltir, Niwbwrch. Bu'n gymar i JGJ am nifer o flynyddoedd.

John Jones (c.1912-82) Pen Padrig, Carreg-lefn neu Jac Felin Wen, Rhos-goch, sef amaethwr, cynghorydd dosbarth caredig o deulu hynod o ffraeth a dawnus. Credai JGJ mai ef oedd 'deudwr' mwyaf Môn.

Robin Jones (c.1905–75), Rhosydd, Parc, Llannerch-y-medd, tyddynnwr a gwas fferm.

Twm Jones y Tyddyn (1905-93). Yn enedigol o Baradwys, dilynodd yrfa fel ceffylwr hyd nes iddo gael tenantiaeth y Tyddyn yn 1955 a mynd ati i amaethu.

Twm Parri Jones(1905-80), Tŷ Pigin, Malltraeth. Wedi madael â'r ysgol yn 13 oed i weithio ar y fferm gyda'i dad. Yn llenor hynod o fedrus er na chafodd fanteision addysg. Enillodd brif wobrau llenyddol yr Eisteddfod Genedlaethol – cadair, coron a'r fedal ryddiaith. Mae ei storiau am fywyd Môn yn dystiolaeth brin i gyfnod a chymdeithas. Mae JGJ yn cyfeirio at *Teisennau Berffro* (1958) ond roedd tair cyfrol arall – *Yn Eisiau Gwraig* (1958), *Traed Moch* (1971) a *Y Felltith* (1977).

Wil Hari Jones (1915-80), Tyn-rallt, Rhos-goch, amaethwr llaeth penigamp a chwedleuwr gyda'r gorau.

Dic Lewis (1895-1979), Garreg Wen, Rhos-y-bol

Dic Owen, Bryn Garth, Llannerch-y-medd, g.1899.

Huw Owen, Rhosengan, Rhos-goch, amaethwr llwyddiannus wedi cychwyn o ddim a chodi ei hun i fyny trwy waith caled iawn a dawn busnes ddoeth. Bu Huw farw yn ei 60au yn 1984 ar ôl oes o droi Rhosengan o fod yn gorstir yn fferm laeth o'r radd uchaf ym Môn.

John Owen (1907-1994), Parc, Lôn Filltir, Niwbwrch, tad Iris Owen Jones (uchod).

Kitty Owen, Llangefni, gynt o Fron Heulog, Bodffordd (g.1912).

Dic Pritchard (1919-1986), Pen-rhyd, Bryn-teg (Dic Bach Pen-rhyd), brenin potsieriaid Môn, arbenigwr ar fywyd gwyllt, a brawd y gantores werin enwog, Magi Pritchard, Bodffordd.

Dic Roberts o 31 Ucheldre, Llangefni a anwyd ac a fagwyd yn Nhŷ'r Felin, Capel Uchaf, Bodorgan.

Huw Roberts (1896-1969), Bank House, Llannerch-y-medd, a oedd wedi gweini am gryn amser yn y Llynges Frenhinol ac a gymerodd ran ym Mrwydr Fôr Jutland ar 31 Mai 1916.

Meri Roberts (1918-87) mam Dic Roberts (uchod).

Owen Roberts (1878-1964), Tŷ Four Crosses, Rhos-goch gynt. Aeth i lofeydd y De yn 15 oed, a heblaw am gyfnod yn y fyddin yn ystod y Rhyfel Byd Cyntaf, bu yn löwr tan ei ymddeoliad, pan ddaeth yn ôl i Fôn.

Tom Roberts (1885–1962), Pyllau, Rhos-goch.

Harri Williams (1910-1975), Tai-mwd, Pen-y-sarn, a fu farw yng Ngharreg-lefn.

John Williams (**John Williams, Ynys Groes**) (1887–1977), Ynys Groes, Llannerch-y-medd.

John Williams (**Jac Tan Four**) (c. 1917-1994) Pyllau, Rhos-goch tyddynnwr a bugail a fyddai'n curo unrhyw filfeddyg am 'dynnu', hynny ydi, cynorthwyo genedigaeth oen bach.

John Williams neu Siôn Wiliam (1879–1968) Ael-y-bryn, Carreg-lefn – tad John Williams (JW) Llannerch-y-medd.

John Williams (**Siôn Goch**) Tŷ Capel, Penmynydd, Rhos-y-bol.

Meri Williams (c.1875–1969) Groeslon, Llanfechell

Richard Williams (1920-96), neu Dic Cipar, 2 Tai'r Cyngor, Rhos-goch, un a fagwyd yn fab i ben cipar Ystâd y Parciau, Bro Goronwy.

Wil Williams (1860–1938) y gof gynt, Refail Pengarnedd, Rhos-goch.

Washi Bach – neu *fel Washi Bach*. Does dim angen egluro i neb o Fôn sydd yn eu 40au a hynach na hynny pwy oedd Washi Bach. Hen gardotyn lliwgar a hynod boblogaidd, a hynod adnabyddus ym mhob plwyf, pentref a fferm trwy'r ynys o ddiwedd y 20au hyd ei farwolaeth yn 1967. Gŵr byr ei daldra, a phob amser wrth gwrs yn flêr a bratiog ei wisg, sef y cerydd – 'Paid â gwisgo'r got yna, rwyt ti **rêl Washi Bach**.' Roedd gan yr hen Washi Gymraeg mor fratiog â'i ddillad a chafodd ei fedyddio'n **Washi Bach** am ei fod yn cyfeirio at a chyfarch pawb fel washi bach, er enghraifft yn gofyn i ŵr tŷ neu ffermwr 'O **washi bach i**, fedri di sbario brechdan (neu banad)?'. Ni ofynnodd i neb erioed am ddimai goch, dim ond am fwyd neu ddillad ac roedd ganddo gymwynaswyr ym mhob man yn barod bob amser i'w ymgeleddu. Cyrhaeddodd y gwasanaethau cymdeithasol gytundeb â nifer o ffermwyr ym Môn, ar ei ran, iddo gael treulio noson o bryd i'w gilydd ar ffermydd penodedig oedd yn darparu pryd o fwyd iddo pan gyrhaeddai a chwt glân gyda swpyn o wair iddo gysgu ynddo, a châi'r ffermwyr swm bychan am ei ymgeleddu gan yr awdurdodau. Fe arferai, cyn cysgu, dynnu amdano yn noethlymun a gorchuddio ei hun mewn gwair i gadw'n gynnes a daeth llawer i ffermwr o hyd iddo adeg godro cynnar y bore yn chwyrnu yn ddiddan yn **bing** y beudy. Llwybr i storio gwair neu loi o flaen **stolion** (stondinau) y buchod ydi **bing**. Y rheswm dros ei boblogrwydd oedd nid yn unig ei gwrteisi a'i natur addfwyn – ni wnâi **Washi** ladrata na chreu helynt – ond hefyd ei dueddiad o fod mor genfigennus a gwarchodol o'i lochesau â cheiliog robin goch dros ei gynefin. Doedd fiw i'r un cardotyn arall fynd yn agos i'w noddfeydd – ac felly roedd yn gwarchod y ffermwyr rhag cardotiaid llai egwyddorol na **Washi**. Bu farw yn ochrau Rhosneigr yng Ngwanwyn 1967.

Tra yn cyffwrdd y gair **bing** fe gofiais y diweddar Ifan

Gruffydd, y Gŵr o Baradwys, yn adrodd ei atgofion i gyfuniad o Glwb Ffermwyr Ieuanc a Chlwb Ieuenctid yn Rhos-y-bol tua 1966/67. Siarsiodd ni i gadw yr hen eiriau am adeiladau amaethyddol i gerdded yr iaith – er bod y rhain, ran fwyaf, yn hysbys i ni yn barod. Disgrifiodd gynllun beudy fel hyn – **bing** (eglurais ystyr **bing** ynghynt), **minsiar** = preseb, **lleusod** = lle y safai a gorweddai'r fuwch, **stôl** (llu. **stolion**) = lle y clymid y ddwy fuwch, **cwter** = tu ôl i'r **stôl** lle y casglai'r tail a'r ysgarthion a'r colch, a **palmant** = rhwng y gwter a'r pared. **Yr eurw** = y gadwyn am wddf y fuwch i'w chadw rhag crwydro.

Llawn o wynt a phiso neu **chwythwr** – unigolyn torsythol a llancaidd heb fath o asgwrn cefn. *Blusterer* yn Saesneg. Pan ofynnais yn blentyn i fy nhad, oedd yn dipyn o arbenigwr ar ddywediadau lliwgar, beth oedd tarddiad hyn, dywedodd wrthyf ei fod yn perthyn i'r byd ceffylau. Pan ogleuith stalwyn gaseg mewn sesn, hynny ydi yn **marchio**, bydd yn cynhyrfu'n rhywiol ac yn tywallt colch amonaidd cryf ac yn rhechan wrth wehyru i ddenu'r fenyw. Byddai stalwyn analluog a di-rym yn rhywiol neu geffyl cel (*gelding*) yn mynd drwy'r un perfformans ond ddim pellach na phiso a rhechan, tra bod y stalwyn gwrol yn medru cyflawni y weithred o *farchio* caseg. Er mai **ceffyl cel** ydi'r cyfieithiad o *gelding* ni chlywyd y term yma erioed ym Môn. Gelwid ef yn syml yn geffyl – enwir ceffylau yn ôl eu hoed a'u rhyw yn **stalwyn** neu **gaseg, merlyn** neu **ferlen, ebol** neu **eboles** a **cheffyl**, nid ceffyl **cel** neu *geldin*.

Bwrw'r Sul – chlywais i erioed neb yn cyfeirio at ddyddiau Sadwrn a Sul fel y *penwythnos* cyn dyddiau darlledu rhaglenni a newyddion Cymraeg. Tydi'r gair *penwythnos* ond rhywbeth sydd newydd ddod ac wedi ei greu gan y cyfryngau yn un o'r geiriau a thermau artiffisial Gymraeg; y Gymraeg yma sydd yn crafu ar glustiau'r rhai sydd yn cofio iaith a thafodiaith naturiol yr hen do. **Bwrw'r Sul** oedd eu hidiom nhw fel *mynd i dŷ'r ferch i fwrw'r Sul*, nid mynd am benwythnos. Tydi *penwythnos* ddim ond cyfieithiad o *weekend* ac yn esiampl dda o effaith Saesneg ar Gymraeg fodern. Os am siarad y Gymraeg yna ei defnyddio mewn modd traddodiadol ac ymarfer idiomau traddodiadol, nid cyfieithu'n syth o'r Saesneg. Teimlaf bod hyn yn mynd i arwain at greu iaith newydd mor annhebyg i'r hen iaith ag ydi Hebraeg Fodern i'r Hen Hebraeg. Er mai Hebraeg Newydd ydi iaith pob dydd cenedl Israel, Hen Hebraeg ydi'r iaith dreftadol sydd ddim ond yn cael ei defnyddio'r dyddiau hyn, yn anffodus, yn y synagogau. Tydi'r fersiwn Gymraeg Newydd yma ddim yn rhan o'n treftadaeth ni a dylid troi at yr hen ffurf.

Boddi'r cynhaeaf – dywediad a thraddodiad sy'n dal yn fyw ac iach heddiw. Wedi darfod cael y gwair a'r ysgub olaf o'r ŷd i'w teisi, a'u toi â brwyn a'u diogelu gyda rhaffau main fe fyddai'r amaethwr yn darparu cinio blasus i'r gweithwyr gyda chyflenwad da o gwrw a brandi. Erbyn hyn ymgynnull mewn tafarn gerllaw wnaiff nifer o amaethwyr **i ddathlu'r boddi**. Hyd heddiw pan ofynnir i amaethwr, 'Wyt ti wedi glanio â'r cynhaeaf?' fe atebir 'Do, ac **wedi ei foddi** o hefyd.'

Pastwm draenen ddu – roedd pastwm (pastwn) draenen ddu neu gelyn ym mhob ffermdy yn yr hen oes meddai'r hen Jac Sachins wrthym yn y 60au. Mae pastwm draenen ddu neu gelyn yn hynod o galed ac enbyd (y ddraenen ddu yw'r drymaf a'r galetaf) a gwaharddai amaethwyr a phorthmyn eu gweision rhag defnyddio'r rhain gan fod eu cleisiau ciaidd yn codi **clwy du** ar wartheg. (Onnen yw ffon wartheg, a chyll yw ffon fugail). Defnyddid pastwm draenen ddu neu gelyn fel arf i amddiffyn rhag lladron mewn oes pryd roedd bron bawb yn cadw arian gartref. Gwaherddid tenantiaid y landlordiaid rhag cadw gynnau yn y cyfnod yna a doedd dim ond pastwm amdani i amddiffyn eich hun. Ynghlwm wrth ddefnydd ymarferol y pastwm draenen ddu oedd yr hen ofergoeliaeth fod pren hon, a phren y celyn, yn beth lwcus ac yn gwahardd melltith, ac yn yr un modd roedd y ddraenen wen, yr ysgawen a'r banadl yn denu anlwc pe caent eu cludo i mewn i'r tŷ. Mae gan y diweddar awdur Robert Graves, yn ei lyfr hynod o ddiddorol, *The White Goddess*, restr gynhwysfawr o goed y byddai'r hen Geltiaid yn eu cyfrif yn sanctaidd a'u pwysigrwydd yn yr hen, hen gerdd, Brwydr y Coed o lyfr Taliesin: rhai ohonynt yn rhy gysegredig i'w llosgi neu i'w cludo i'r aelwyd. Hyd y 6oau, 'mysg yr hen do, roedd hyd yn oed casglu blodau'r ddraenen wen yn hynod o anlwcus, ac roedd priodi adeg godidowgrwydd ei blodau ym mis Mai yn denu anlwc a drwg. Beth bynnag oedd nodweddion hudol y ddraenen ddu a'r gelynnen, yn ôl fy nhad, clywodd gan ei dylwyth porthmonaidd/amaethyddol, am amaethwyr a phorthmyn yn cludo pastwm y ddraenen ddu neu y gelynnen i ffeiriau a marchnadoedd i amddiffyn eu hunain ar y ffordd adref gyda chwd o arian ar ôl gwerthu eu nwyddau, a dim ond y porthmyn eu hunain (sef y trefnwyr a pherchnogion y gyrion gwartheg duon ar eu ffordd i Loegr) oedd â'r hawl i gludo'r arf enbyd yma (onnen oedd defnydd ffon ei weision) ar eu teithiau. Cyfnither y pastwm draenen ddu ydi *shilleleagh* Iwerddon, er bod hwn wedi ei lunio'n wahanol hefo pen o doriant hydredol y gwreiddyn mamog yn ogystal â'r bonyn unionsyth bron â'i wneud yn forthwl. Yn ôl traddodiad Gwyddelig, pan waharddwyd y *kerns* – yr arwyr brodorol – rhag cludo eu cleddyfau mabwysiadwyd y *shilleleagh* yn arf. Hen ddywediad gan Jac Sachins oedd **draenen ddu sy'n feistr ar gythraul**; roedd dau esboniad; ni allai'r ddafad fwyaf barus gael hyd i'w ffordd trwy lwyn y ddraenen ddu. Fel pastwm roedd yn hynod effeithiol i ddofi bwli mwyaf y ffair, yn ogystal â gwarchod tŷ rhag melltith.

Sgidia dal adar – esgidiau isel (*shoes*) meddal oedd yn ddigon tawel i'r potsiar – arbenigwr gyda **thaflen** (*catapult*) – sleifio rhwng dau olau'r bore neu gyda'r nos y gaeaf i saethu ffesant o goeden, neu ei chrogi gyda chroglath yn rhedeg drwy nifer o styffylod ffensio oedd wedi eu gosod ar wialen onnen neu wialen garped (*bamboo*) tua 6-9 troedfedd o hyd. Doedd yr esgidiau hyn ddim yn ddelfrydol bob amser fel modd o agosáu at yr aderyn heb wneud twrw ond er hynny'n llawer tawelach na chlocsiau neu esgidiau hoelion mawr. Aeth y disgrifiad **esgidiau dal adar** yn ddisgrifiad cyffredinol i esgidiau isel drwy bob rhan o Fôn. Gyda llaw, fe glywais yr esboniad gan frenin potsieriaid Môn, Dic Pritchard (Dic Bach Pen-rhyd). **Dyn Caled** oedd Dic gydol ei oes, ac nid yn unig wedi c'neuafu adar a physgod helwriaeth yr ystadau mawrion am flynyddoedd heb unwaith gael ei ddal, ond hefyd yn hynod wybodus am fywyd gwyllt.

Twyllo pry – hen dric oedd yn galluogi Dic Bach Pen-rhyd a'i debyg i ddal **pry** (*ysgyfarnog*) heb fod ganddynt ddim yn eu meddiant fel gwn neu filgi i'w cyhuddo o botsio. Yr unig beth oedd ganddynt wrth law i'r gwaith oedd dwy ffon – un yn hir a'r llall yn hen ffefryn, sef y pastwn draenen ddu – a chôt. Pan 'sbeilid pry ar ei wâl mewn cae fe âi'r potsiar yno a gofalu bod y gwynt yn chwythu i gyfeiriad y pry mawr i gario oglau ato. Yna plannai ffon hir yn y ddaear a rhoi'r gôt drosti, fel math o fwgan brain. Seicoleg pry mawr ydi aros yn llonydd a gwardio yn y borfa tan yr eiliad olaf cyn codi a dianc gan ei fod mor ddibynnol ar wardio yn guddiedig ag ydi o ar ei gyflymdra fel amddiffynfa. Felly fe fyddai'n syllu yn ofalus ar y gôt gan feddwl mai dyn ydoedd yn ôl siâp ac arogl, ac aros i'r perygl fynd heibio. Yn y cyfamser fe gerddai'r potsiar mewn cylchoedd llai a llai o amgylch y cae nes yn y diwedd gyrraedd o fewn hyd braich i'r pry oedd yn parhau i roi ei sylw i'r gôt, ac yna ei daro'n farw ar ei wegil gyda'r pastwn draenen ddu.

Ysgwyddau fel ci corddi – dywediad cymwys tu hwnt am ysgwyddau trwm a chyhyrog, y math sydd gan gi corddi. *Gafaelg*i neu *costowg*i fel arfer (*bull mastiffs*) oedd yn troedio'r felin droed i droi traul y corddwr llaeth; roedd ei ysgwyddau yn hynod o gyhyrog trwy'r ymarfer corfforol cyson. Ar yr ystadau a'r ffermydd mawrion y cedwid **cŵn corddi** ac roedd dau bwrpas iddynt: troi y corddwr llaeth ac amddiffyn y teulu. Llwydiarth Esgob, yn nyddiau'r hen deulu Pritchard, cyndadau teulu presennol Tom Bown, oedd y lle olaf yn Llannerch-y-medd i gadw **cŵn corddi**. Huwi Owen, gŵr fy modryb, oedd yn llawn hanes **cŵn corddi**, gan mai dyma oedd ei gyfrifoldeb cyntaf fel gwas bach 11 mlwydd oed yn 1911 – tendiad y **cŵn corddi** a'u harolygu wrth eu gwaith a'u gollwng yn rhydd gyda'r nos. Roedd hefyd **gŵn corddi** yn Pencefn Mawr, y Llan ac ym Mhlas Bodewryd, Rhos-goch ar yr un pryd. Roedd tendiwr y **cŵn corddi**, yn ôl straeon Huwi Owen, yn dipyn o jarff ymysg gweision bach eraill o achos ei fod yn medru meistroli'r cŵn mawr, cryf yma gyda thueddiad ynddynt i fod yn hynod o ffyrnig a milain.

Paid â chlogi efo fo – dywediad gan yr hen Jac Sachins y Llan, sef paid â **cheiliogi**, hynny ydi, bod rhywun yn uchel ei gloch a chwerylgar fel ceiliog yn paratoi i gwffio. Er gwaethaf y gwaharddiad ar ymladd ceiliogod o dan Ddeddf Llywodraeth yn 1850, fe barhaodd, yn hynod o gudd, ym Môn hyd y ganrif yma fel difyrrwch gyda'r nos i weision fferm a'r werin, ac yn ôl a glywais wedi'i hen adfer fel ymladd cŵn ar yr ynys heddiw, eto yn hynod o gudd. Dyma meddai Jac Sachins pam yr oedd llawer yn bridio Dandis (*Bantams*) a'r bridiau hirgoes cwffio fel yr *Indian Game* a'r *Old English Game*, fel 'adar sioe' cogio. Mae sens yn dweud na fyddai tyddynnwr bach fforddiol ddim yn cadw bridiau cwffio, oedd yn ddodwyrs gwael ac angen bwyd uchel mewn protin fel llwch gwaed, dim ond fel addurniadau yn lle bridiau cynhyrchiol fel y *Rhode Island Red* a'r *Cuckoo Maran*, heblaw i'w gwerthu i gwffio. Gornestau cudd dan olau lamp yn yr ysguboriau oedd yr arferiad, yn enwedig ar nos Sul pan oedd y meistr yn y capel. Esboniad diddorol ar darddiad enw pentref Talwrn oedd gan y diweddar Twm Williams, Bryn Glas, Talwrn, is-giper ar stad Llanddyfnan. Gan ei fod yn lle bychan, tawel a choediog roedd yno dalyrnau ceiliogod. Ond wedi dweud hynny mae pentref Talwrn yn hynafol iawn ac wedi'i gofnodi o'r 12fed ganrif yn gartref i Gruffydd Ab yr Ynad Goch, bardd Llywelyn Fawr, ac ni chafodd ei ailenwi yn y cyfnod ar ôl y Ddeddf gwahardd ymladd ceiliogod yn 1850! Ysgwn i a oes gwirionedd yn esboniad y diweddar Idwal Roberts, prifathro Ysgol Gynradd Llannerch-y-medd, hanesydd lleol gwych, mai enw gwreiddiol Talwrn oedd Talwrn y Ceiliogod: pentref fu'n draddodiadol yn ganolfan ymladd ceiliogod ers adeg y Tywysogion.

Pres gwael, pres cwningod – hen ddywediad o Ryd-wyn a glywais gan John Huws, Siôn 'Rorsedd Goch, Rhyd-wyn am arian parod yn hytrach nag arian yn y banc. Hefo arian parod mae mwy o demtasiwn i dorri i mewn iddynt yn ddifeddwl o hyd.

Draenog i bob neidr – hoff ddywediad Twm Bach y Blodau, yn cyfateb i **meistr i Meistr Mostyn** – neu *fe darith ar ei fats*. Tarddiad y dywediad yma yn ôl Twm gynt, a chadarnhawyd hyn gan Dic Bach Pen-rhyd, ydi bod nadroedd yn rhan bwysig o ymborth y draenog coed: pob neidr – y wiber, y fraith a'r ddefaid 'run fath. Tystiodd Dic iddo weld gornest rhwng neidr a draenog droeon, a doedd o ddim yn ddyn celwyddog. Fe ymgynghorwyd hefo fo yn aml gan arbenigwyr bywyd gwyllt o golegau ac o raglenni teledu a radio. Yn groes i'r dyb gyffredin mae'r draenog yn greadur chwim a chastiog gyda thrwyn sensitif i arogli'r creaduriaid sy'n rhan o'i ymborth ac mi wneith ddilyn yr arogl yn ddiwyd ac effeithiol i'w darddiad. Tydi'r neidr ddefaid y **slorwm** neu'r **neidr ddall** ddim mwy o drafferth iddo na sosej symudol, ond mae ganddo gryn dipyn o ddawn i orchfygu'r **wiber** a'r **neidr fraith**. Hefo'r **neidr fraith** (*grass snake*) – all dyfu i lathan a chwe modfedd o hyd – ofer ydi iddi geisio taflu ei thorchau o amgylch y draenog a'i wasgu, sef y modd mae hi'n dal a difa ei hysglyfaeth, o achos pigau ystwyth a miniog y draenog sydd yn niweidiol i'w chroen sensitif. Gallai'r **neidr fraith** roddi brathiad rymus fel ci ond ni all ei dannedd dreiddio'r gwrychyn o bigau, a dyma amddiffyniad y draenog. Yr unig opsiwn iddi ydi dianc, ond mae'r draenog castiog yn ymosod arni pan fydd hi'n torheulo ac yn huno yn yr haul, ac fe symudith y draenog i mewn yn sydyn a suddo ei ddannedd miniog fel nodwyddau i nerfau bregus gwegil y neidr a'i pharlysu. Dangosodd Dic Bach Penrhyd gorff **neidr fraith** oddeutu dwy droedfedd chwe modfedd o hyd oedd wedi ei lladd gan ddraenog a dangos y stribed o gyhyrau ar hyd asgwrn cefn y neidr oedd wedi eu bwyta gan y draenog – yr unig ran o gorff y neidr y mae yn ei bwyta. Nid eithriad, meddai Dic gynt, ydi i deulu cyfan o ddraenogiaid wledda ar gorff y neidr. Defnyddiai Twm Bach y Blodau y dywediad **draenog i bob neidr** i olygu bod ateb i bob problem, pa mor fawr bynnag y byddo honno.

Cynnes fel nyth draenog – dywediad a glywais yn aml gan yr hen do, a deuthum i weld pa mor wir oedd y disgrifiad wrth imi hela gyda'r diweddar Nennin Florence. Tynnodd Nennin fy sylw at hen dwll cwningen oedd wedi ei blwgio â gwlân defaid ac fe dynnodd droedfeddi o wlân a dail coed a gwellt ŷd wedi ei blethu bron allan o'r twll. A beth oedd ymhen y dryswch a'r gymysgfa o ddefnydd ond y draenog coed ei hun yn huno mewn pelen o wlân, dail a gwellt. Aeth Nennin â'r draenog gartref, ei flingo a'i rostio dros goelcerth o dân y tu allan i'w garafán. Ar ôl perswâd gan Nennin fe flasais y cig, a'i gael yn hynod o flasus, rhywbeth rhwng cyw iâr a phorc efo blas cneuan. Gofynnais am ragor ac fe wnes ei fwynhau.

Pawb â'i betha, a mulod ydi petha Wil Fflamia – hen ddywediad o Gaergybi yn golygu 'pawb â'i bleser ei hun'. Roedd Wil Fflamia yn gymeriad lliwgar yng Nghaergybi yn yr hen oes, yn gludwr a chanddo wagan yn cael ei thynnu gan ddau **fastardiad mul** (cyw o gaseg a stalwyn asyn). Bastardiad mul oedd hoff bleser Wil ac roedd yn addoli'r anifail oriog yma. Cafodd Wil ei lysenw 'Fflamia' ar ôl rhoi tystiolaeth yn erbyn y llofrudd William Murphy a drywanodd ei gariad i farwolaeth yng Nghaergybi (y dyn olaf i'w grogi yng Nghaernarfon). Pan fygythiodd Murphy yr hen Wil â'r dwca, mi ddwedodd Wil yn ei dystiolaeth – **mi es i fel fflamia**. A dyna sut y bedyddiwyd ef yng Nghaergybi o'r adeg honno ymlaen.

Bodio – o **bawd, bawdio**. Ceir gwahanol ystyron i **bodio** ym Môn. Y cyntaf ydi bodio wrth arddio a phlannu: **bodio ffa** – eu plannu drwy eu gwasgu i'r pridd; 'run fath ydi **bodio planshins** (planhigion ifanc i'w trawsblannu ydi planshins, gair a glywais yn aml gan John Williams Ynys Groes). 'Mae'n adeg **bodio planshins** wedi'r barrug ola,' oedd cyngor Twm Bach y Blodau, 'ar ôl 'u cledu nhw yn y **ffrâm blanshins** am ychydig o wsnosa (*cold frame* ydi'r ffrâm blanshins).

Ystyr arall i **bodio** yw hel bodiau ar hyd rywbeth, cerydd a gafodd cenedlaethau o blant, 'Paid â **hel dy fodiau** ar y teisenna na, erbyn y Sul wnes i nhw.' Neu 'Paid â **bodio** y cyflath na, rhaid disgwl iddo setio a chledu gynta.' Neu yn fy achos i fy hun pan oeddwn yn blentyn yng ngweithdy saer fy nhaid, William Owen, a'i fab d'ewyrth Albert Owen, 'Nei di beidio hel dy fodia ar yr arch 'na, mae newydd gael farnish.'

Mae ystyr arall i *fodio*, un a barodd i fy nhaid, John Jones Pen Padrig, *lanna chwerthin* (chwerthin llond ei fol yn nhafodiaith Môn), a soniodd am hyn gydol ei fywyd. Wedi colli fy nain yn gynamserol, ac wedi i'r plant fadael cartref, fe gymerodd forwyn, Elin o ardal y Garn, a fu hefo fo tan ei ymddeoliad. Geneth fawr gref a gweithgar oedd Elin, yn ffraeth ac yn rhadlon a *chwadal ni* ym Môn, yn *un ddiridani* a *hen siortan go lew* (*a decent sort* yn Saesneg). Roedd yn hoff o sgwrs ac yn cyd-fynd yn dda â hen fachgan fy nhaid a oedd yn *sgut am stryts* (wrth ei fodd clywed straeon). Ei hoff ddifyrrwch oedd gwrando ar ac adrodd chwedlau, tueddiad oedd yn gynhenid yn fy nhad a minnau. Cyn dod i Ben Padrig, roedd Elin yn gweithio i amaethwr cefnog *gwartheg teiriau* a oedd yn flaenor capel, yn ŵr mawr ac yn or-hoff o *drio catsho'r morynion yn plygu dros y twb golchi*. Chwadal Elin, '*Hen groen* o ddyn oedd o 'chi, Jon Jones, ac yn hen sglyfath budur 'chi. Ddudish i'n glir o'r dechrau os fasa fo yn dechra'r busnas 'na efo fi, y basa'n difaru. Mi ddechreuodd o *fy modio i* un nos Sul cyn mynd i capal a dyma fi yn rhoi *homar o glets* iddo nes hedodd ei ddannedd gosod o i'r tân a thoddi fel cyflath. Roedd rhaid i'r hwrgi diawl fynd i gyhoeddi yn y sêt fawr heb ddaint yn ei ben fatha hen ddafad lladd.' Gwae i neb *fodio* Elin!

Hir yr erys Duw cyn taro,
Llwyr y dial pan y delo.

Hen ddihareb ydi hon a glywais droeon gan fy nghyfaill Dic Roberts. Roedd ei fam Meri yn hynod o hoff o ddefnyddio hon. Ys gwn i ydi hi yn ddarn o farddoniaeth golledig neu wedi ei chyfansoddi fel cwpled? Nid yw'n ddyfyniad o'r Beibl yn sicr, ac nid hyd y gwn i ar ddefnydd yn unman arall.

Pryn ddafad, pryn dwca, er hynny, pryn ddafad –
Dywediad gan fy nhaid John Herbert Jones. Ystyr hwn ydi ei
bod yn ofynnol i amaethwr oedd yn bwriadu cadw defaid
dderbyn bod colledion yn ddi-os yn digwydd, a bod rhaid
bodloni ar y ffaith. Bryd hynny blingid croen defaid meirw.

Mae hwn yn ymbriodi yn berffaith â dywediad oedd gan
**Gruffydd Owen, Tan-llan. Pump o gant aeth i gythraul neu
pump o gant aiff i gythraul.** Mae hon yn strategaeth hynod
o gywir o'r colledion ar gyfartaledd ymhlith praidd neu
ddiadell.

Glaw Mai, lladd llau – hen ddywediad arall o gyffiniau
Llannerch-y-medd a ddyfynnid yn aml iawn gan Jim Francis
Hughes, hen was fferm fy nhad. Cyfeiria hyn at wartheg stôr
a dynewaid oedd wedi eu cadw dan do trwy'r gaeaf ac yn
berwi o lau a nedd gwartheg a oedd yn aml yn gwneud blew
y cefn yn foel. Am ryw reswm anesboniadwy, mae cyfnod
cynnes a glaw mân tyner mis Mai yn farwol i'r pryfetach
yma sydd yn baradocsaidd yn ffynnu dan amodau llaith ond
yn methu â goroesi wedi cael glaw tyner Mai ar eu cefnau.
Gwelir y gwartheg yn 'mendio', hynny ydi, yn pesgi ar borfa
faethlon Mai a'r blew yn aildyfu tros y moelni ar eu cefnau
a'u gyddfau. Dwn i ddim os yw'r hen ddefod baganaidd
Geltaidd ag unrhyw gysylltiad â'r hen draddodiad
seremonïaidd adeg Gŵyl Beltan (Calan Mai) o yrru'r
gwartheg rhwng dwy goelcerth i'w 'puro' cyn eu gollwng am
dro cyntaf y tymor i borfa newydd. Tyb Jim ydi mai
gweithred hollol angenrheidiol, nid cyfriniol, oedd hyn ac i
ddau bwrpas. Yn gyntaf, i ladd y llau a nedd gwartheg, a'r ail,
i ladd wyau trogod a rhwystro eu cylch bywydol. Melltith
fwyaf i amaethwr da byw, gwartheg, ydi trogod, sydd yn
ffynnu ar wreiddiau eithin ac yn cael hyd i'w ffordd i'r croen
meddal yng ngheseiliau'r gwartheg lle maent yn gwledda ar

waed, ac yn gadael wyau i ddeor yn y gwanwyn. Canlyniad gwledda'r trogod ydi'r cyflwr marwol – **piso gwaed** – neu fel y'i gelwir ym Metws-y-coed a Dolgellau – **y gafod goch**. Clywais fersiwn arall o ddywediad Jim ym Mhontrhydfendigaid sef **Calan Mai, lladd llau**.
A ydi hon yn atgof o'r hen ddefod Geltaidd?

> *Os bydd y ddraenen ddu yn wych*
> *Hau dy ŷd os bydd hi'n sych*
> *Ond os yw'r ddraenen wen yn wych*
> *Hau dy ŷd, boed wlyb neu sych.*

Hoff ddywediad arall Jim, un sydd yn parhau i gerdded 'mysg amaethwyr oedrannus Môn ac sydd yn hollol resymegol a chywir. Y ddraenen ddu yw'r gyntaf o'r ddwy i flodeuo yn Ebrill – doedd hen amaethwyr oes y ceffyl byth yn hau ŷd yn Chwefror/Mawrth fel rhai'r oes yma, ond yn aros i'r twf gychwyn yn iawn cyn mynd ati i hau. Blodeua'r ddraenen wen ym mis Mai bron wedi i gyfnod hau fod trosodd a cheir fawr o gnwd o'r herwydd. Ŷd a heuwyd yn hwyr ac sydd yn fyr ei welltyn ac ysgafn ei rawn ac a elwid gan Jim, a chan y diweddar Bob Hughes (Bob Bach y Neuadd), yn **ŷd y gog**. Rhaid cofio nad wrth y calendr y gweithredai'r hen amaethwyr ond yn ôl gwybodaeth fanwl a sylwgar o arwyddion hinsoddol ac ni cheir arwydd gwell i hau na phan flodeuith y ddraenen ddu. Sylwch ar dwf blodau a gwair yn eich gardd, sydd yn gytûn â'r ddraenen ddu yn ei gogoniant.

Mai sych, haf lych – ar drywydd y tywydd, fe glywais hon gan y diweddar John Williams (Jac Tan Four). O'i esboniad ei hun i hon, os ceir ychydig o law ym mis Mai yna haf sych llychlyd a ddilyna – tywydd llych. Camddehongliad gan rai yw cymryd y buasai'r haf yn wlyb – yn glychu – sef yr haf a lychith yn dilyn Mai sych, ond nid dyna'r ystyr. At sychder a chnwd sâl yn ei gysgod y cyfeiriai Jac, a byddai'n esbonio hynny ar ôl dyfynnu.

Un arall o ddywediadau Jac oedd **haf sych sy'n fam i chwyn a mam yng nghyfraith i gnydau.** Hynny yw, mae tywydd sych yn llawer mwy ffafriol i chwyn nag i borfa a chnwd tir llafur.

Gwynt i oen a haul i fochyn – hen ddywediad o Fôn ac Eryri a Llŷn ydi hwn. Camddehonglai rhai i ystyried mai lles i oen ydi gwynt a lles i fochyn ydi'r haul. Yr ystyr gywir ydi bod **gwynt i oen**, sef gwynt y dwyrain yn Chwefror a Mawrth, yn farwol i oen bach sydd newydd ei eni ac yn dal yn wlyb o'r enedigaeth – ac eithrio Defaid Bach, y defaid mynyddig Cymreig sydd yn hynod o galed a gwydn i'r dywydd; tra bod haul twym yn ddiau yn achosi llosg haul drwg iawn i foch bach gyda'u crwyn ifanc sensitif, a hyd yn oed hychod a baeddod aeddfed yn chwilio am gysgod neu dreiglo mewn mwd a dŵr i osgoi effaith y pelydrau twym sydd yn eu poeni'n arw.

Dywediad hinsoddol a glywais gan hen amaethwr yn Eglwys-bach, y cyfarfûm ag ef ym marchnad da byw Abergele yn yr 1960au – roedd yn ŵr oedrannus yn ei 70au yn bendant – pan oedd yn proffwydo tywydd ddechrau'r flwyddyn – **niwl y gaeaf, gwasan eira.** [*gwasan* < *gwasarn*, sef rhywbeth a daenir ar lawr dan anifeiliaid ac am dystiolaeth helaeth iddo gweler *Geiriadur Prifysgol Cymru* – Gol.] Eglurodd yn ofalus i mi gamddywediad rhai o hwn fel **niwl y gaeaf, gwas yr eira.** Ond pwysleisiodd mai **niwl y gaeaf, gwasan eira** ydi'r dywediad cywir a gwreiddiol. 'Chlywais i erioed mo'r gair **gwasan** a gofynnais iddo am esboniad. Eglurodd hyn trwy ddisgrifio'r hen ddull o gywasgu bwyd minsiar – hynny ydi, bwyd drud o'r sach i wartheg a cheffylau, sef grawn wedi ei falu, had llin (*linseed*, neu linsiad fel y câi ei alw'n Llannerch-y-medd) a thriog gwartheg (*molasses* amrwd) ar lawr noeth ysgubor gyda rhaw. Cyn cychwyn y dasg o gymysgu'r cynhwysion, yn gyntaf fe daenir haen drwchus o us ar y llawr i gadw'r gymysgfa yn lân ac i'w glymu i'w gilydd – y taeniad o us ar y gwaelod ydi'r **gwasan**. Cyfatebiaeth sydd yn cyfeirio at eira yn dilyn cyfnodau o niwl adeg y Calan, lle mae'r eira yn sefydlu ar wasan y niwl. Methais â dod o hyd i'r gair mewn unrhyw eiriadur ond fe sicrhawyd fi gan yr hen ŵr y cyfarfûm ag o eilwaith, mai taeniad o us ar lawr cyn cymysgu'r bwyd ydi **gwasan**. Ys gwn i beth yw tarddiad y gair?

Dywediad garddwriaethol, ac o bosib amaethyddol, pan oedd amaethwyr yn tyfu ffa fel cnwd protein uchel, ar gyfer ceffylau ran amla, a glywais gan y diweddar Twm Gruffydd (Twm Bach y Blodau) o Lannerch-y-medd. Ei ddywediad oedd – **ffŵl o ddyn roith dail i ffa**. Cynganeddol ynte? Ystyr hyn ydi bod y planhigyn ffa yn legwmaidd, fel pys a meillion, ac yn gallu cymathu nitrogen o'r pridd heb angen tail ffres fel tatws neu rwdins. I'r gwrthwyneb – mae tail ffres yn wastraff i ffa ac yn gallu achosi osmosis, sef ei wenwyno gan ormod o nitrogen sydd yn cau'r gwythiennau bach yn y dail a pheri iddynt wywo.

Diwrnod i'r brenin – gwyddwn, wrth gwrs, y dywediad – sef diwrnod wedi ei wastraffu, heb elwa dim, fel treulio diwrnod yn y Preimin neu yn yr ysgubor tra'i bod yn bwrw glaw. Ys gwn i ydi'r dywediad yma â tharddiad hynod o hynafol, sef y diwrnodau o wasanaeth gwirfoddol oedd yn ddyledus gan bendefigion a gwerin i'r brenin – dyletswydd y cyfeirir ati yng Nghyfraith Hywel Dda? Gwyddom o gyfnod Llywelyn Fawr fod arwyr gyrfaol yn gorfod cyfrannu 60 diwrnod y flwyddyn i wasanaeth y brenin. [**diwrnod i'r**

brenin, mae yng *Ngeiriadur Prifysgol Cymru* gyda'r ystyr o dreulio'r diwrnod yn ddiog neu'n ofer – Gol.]

Melys gwsg, botas maip oedd hoff ddywediad fy hen nain, Catherine Jones, a ddaeth gyda hi o'i phlentyndod yn ei chartref wrth droed Garn Fadryn, Dinas, Llŷn. Ei hesboniad hi o hwn oedd rhinwedd cydwybod dawel o gael mynd i'r gwely wedi swper tlawd o botes maip a chael cysgu heb ofni cnoc ar y drws gan yr heddlu neu giperiaid am fod y cawl wedi cynnwys cig hwrdd wedi ei ladrata, neu gig helwriaeth o ystadau byddigion. Yng nghyfnod ei phlentyndod yn yr 1850au, roedd Pen Llŷn yn dioddef tlodi gwledig enfawr a chiperiaid landlordiaid yr ystadau mawr, fel Nanhoron, yn frwd a chiaidd yn erlid potsiars. Tra ar bwnc swper tlawd a di-faeth o botes maip, adroddodd fy nghyfaill Gwynfor Jones ddisgrifiad gwreiddiol o gawl neu lobsgows wedi ei wneud heb gig fel **lobsgows troednoeth**.

Difyr a diddan yw dim – dywediad arall gan fy nain yn cyfeirio at un o rinweddau tlodi, dywediad sydd yn parhau ar hyd a lled Môn gan y rhai hynaf. Hyn yn tanlinellu'r ffaith nad oes gan y tlodion boen meddwl am eiddo, trethiant, a chymhlethdodau sydd yn mynd law yn llaw â chyfoeth. Mae'r dywediad yma'n gyffredin iawn yn ardal Rhosyr. Amrywiad arall arno yw **Difyr a diofal yw dim**.

Rhoddi lledod – fersiwn Llannerch-y-medd o'r hen ddywediad sydd ledled Môn, yn enwedig yn Rhosyr a Moelfre a Chemaes, hynny ydi wrth roi anrheg o ledod i rywun rydych yn ceisio ei ffalsio i ennill ffafr, sef **cario crempog**. Roedd hon ar gerdded yn ddiweddar.

Yr ucha'n y byd dringith fwnci goeden, mwya'n y byd o'i dwll din ddaw i'r golwg – dywediad Jac Felin Wen, Rhos-goch.

Dywediad yw hwn sydd yn nodweddiadol o'r llygredd a'r slîs sydd yn rhan o ddelwedd y Blaid Geidwadol heddiw, ac o'r llu o wleidyddion llywodraeth leol Cymreig yn ein cyfnod ni.

Tra'n cyffwrdd ar bwnc Jac Felin Wen, neu Jac Pen Padrig fel y'i gelwir – er na tydi hwn ddim yn ddywediad ond yn esiampl o ffraethineb sydyn a miniog yr hen Jac annwyl pan ddyrchafwyd ef i Gyngor Sir Môn, cyn dyddiad Cyngor Sir Gwynedd – yn syth bin wedi ei gyfarfod cyntaf, wrth iddo sefyll yn y maes parcio wrth ochor ei fan oedd yn sicr wedi gweld dyddiau gwell, yn drewi o arogl moch ac wedi ei dal bron yn ei gilydd gyda llinyn bêls, pwy ddaeth i'r fei yn ei grandrwydd ond Syr Richard Bulkeley, Biwmares a oedd yn greadur tra ffroenuchel. Edrychodd mewn difrif ar fan yr hen Jac ac fe ofynnodd yn sengar – 'Good God, who does this belong to?' Cododd wrychyn Jac ac edrychodd ar Rolls Royce yr uchelwr yn ddirmygus gan ateb – 'It's mine, mistar Syr Bulkeley, but different to yours, it's paid for!'

Dwed y gwir, mae llai i'w gofio – hoff ddywediad fy nhaid William Owen. Efallai mai dywediad lleol cantref Cemaes ydi hwn gan i mi ei glywed hefyd gan y diweddar William Jones, Garreg-wen Bach, Rhos-goch, gŵr o'r un oedran â fy nhaid a chan y diweddar Caradog Jones, Cemaes a fu farw yn 96 mlwydd oed. Ys gwn i ydi hon yn enghraifft o weddillion barddoniaeth sydd erbyn hyn yn golledig?

Dywediad arall gan William Owen, yn rhinwedd ei yrfa fel saer cynebryngau (a dynnwyd i'm sylw gan ei fab a brawd fy mam, y cyn-gynghorydd Albert Owen) ac a ddefnyddid ganddo i gysuro'r galarus wedi'r cynhebrwng – **fe gwsg y galarus ond 'chwsg y gofalus ddim**. Hynny ydi, i'w galluogi i sylweddoli fod y frwydr drosodd a'u bod wedi gwneud pob peth a allent dros y diweddar yn ystod cyfnod o waeledd cyn y diwedd. Doedd dim ar ôl ond hiraeth, roedd y pryder tros y dioddefus drosodd a chânt gysgu cwsg ddofn, esmwyth y noson honno a'r boddhad eu bod wedi gwneud eu gorau. Ond fe erys teulu rhai sy'n argyfyngus o wael ar eu traed y nos mewn gofid yn pryderu a gofalu am y person argyfyngol o afiach. Roedd ei ddywediad, yn ôl Albert, yn gyson yn gysur i'r profedigaethus.

Cyfrannodd fy nghyfaill Gwynfor Jones, a fu ei hun yn saer cynebryngau am flynyddoedd, ddywediad neu ddisgrifiad poblogaidd 'mysg y proffesiwn, sef **profedigaeth chwerw**, term i ddynodi marwolaeth gynamserol yr ifanc, yn hytrach na dim ond yr un gair 'profedigaeth' wrth sôn am un oedrannus. Idiom seiri cynebryngau ydi hyn, er enghraifft, 'Mae teulu ... **wedi derbyn profedigaeth chwerw**, rhaid i mi wneud y trefniadau'.

Un arall a gyfrannodd Gwynfor i mi oedd dywediad o ardal Rhosyr, sef **dillad yw'r dyn a'r dyn yw'r truan** sydd yn debyg iawn i ddywediad a glywais gan Gruffydd Owen – **geill yr ynfyd wisgo sidan ond ynfyd yw er hynny**. Hunan-esboniadol tu hwnt!

Gobaith gŵr o ryfel, ond byth o'r bedd – dywediad fy nain, Kate Owen. Honnai yn gadarn mai o gyfnod y Rhyfel Byd Cyntaf (1914-18) y daeth hwn i fod. O bosib bod y dywediad yn hynach ond fod y ffaith bod ei gŵr, William Owen, fy nhaid, a'i brawd, fy hen ewyrth, John Jones, y ddau yng nghanol y gyflafan yn Ffrainc a Fflandrys am holl gyfnod y rhyfel, yn peri iddi gredu mai o'r cyfnod hwn y deilliodd y ddihareb yma. Ond fe glywais hon gan lawer arall ac mae hi yn parhau i gael ei defnyddio yn aml iawn. Cymhelliad ei hadrodd i arall, wrth gwrs, ydi i'w cysuro pan fo un sy'n annwyl iawn iddo fo neu hi yn ddifrifol wael.

Gair â'i darddiad o Lŷn neu Eifionydd, a rywsut neu'i gilydd oedd yn boblogaidd gan hen do Llannerch-y-medd, ond sydd ddim ar ddefnydd mwy, ydi **tusan** neu **tusen**, sef tatan. Nid oedd i'w glywed gan neb o ardaloedd eraill yn ôl pob golwg. Gelwir y siop jips bob amser yn **dafarn datw** yn y Llan.

Mi roes ti gachu iddo, hynny ydi, mi enillaist ti'r dydd dros hwnna – mae hwn yn ddywediad hynod o amrwd, ond yn berffaith nodweddiadol o ffraethineb y Llan. Mae yn berffaith fyw heddiw, nid yn unig yn y Llan ond mewn llawer ardal arall o'r ynys. Pan oeddwn yn 14 oed fe ofynnais am hyn i'r diweddar John Lewis Jones (Jac Sachins). Buddugoliaeth cath dros gi cyflym ydi hon meddai. Fel arfer mae'r hen bws yn llawer rhy sionc ac ystwyth i gi ei dal, ond ar achlysur anghyffredin yn yr helfeydd tragwyddol rhwng ci a chath pan mae pws yn argyhoeddedig ei bod hi am gael ei dal mae ganddi fecanwaith diogelwch – fe chwistrellith gynnwys ei bŵals yn niwl amoniaidd i wyneb y ci a pheri iddo ildio'r erledigaeth yn syth bin a ffoi am ei fywyd. Bu yr hen Jac Sachins farw yn 1972 yn 89 mlwydd oed a honnai iddo glywed y dywediad yma yn y Llan ers ei blentyndod. Dywediad arall ganddo ef a'i gyfoedion, ond sydd bellach wedi marw allan, oedd y dywediad gan hen grefftwyr hunangyflogedig pan oedd tywydd garw, neu gyfnodau tawel o ran gwaith, yn eu rhwystro rhag ennill ceiniog – **tu draw i Tyn-berth fydda i.** Ystyr hwn, mynnai Jac ynghyd â llawer eraill, oedd cyfeiriad at wyrcws y plwyf, Bryn Hafod, ar y ffordd o'r Llan i Amlwch (hen iard Roberts Brothers, a chyn hynny, swyddfeydd Cyngor Dosbarth Gwledig Twrcuhelyn). Yn eu cyfnod nhw doedd yna ddim tai rhwng fferm Tyn-berth a'r wyrcws.

Dyma rai o ddywediadau y Llan a glywais droeon gan gyfoedion fy nhaid a oedd yn ymgynnull yn ei weithdy saer, neu ar aelwyd y cartref y'm magwyd i ynddo, Tan-y-foel, cartref fy nhaid a'm nain famol:

Babi ffair – plentyn wedi ei eni y tu allan i briodas, sef **plentyn siawns**.

Priodi dros y meistr – llanc yn derbyn llwgrwobrwyaeth am briodi morwyn yr oedd y meistr wedi ei gwneud yn feichiog.

Cinio byddigions – sef cinio hwyr, neu pan oedd rhywun yn hir ei bryd fe ddywedid **wel, caf ginio byddigions yn o fuan**. **Priodas wedi ei threfnu yn y buarth** – priodas ar frys o achos bod plentyn ar y ffordd.

Coron yr argyfwng – sef yr hen draddodiad o gelcu pisyn coron (pum swllt) a'i ddiogelu yn ofalus rhag argyfwng anghyffredin o dlodi. Roedd peidio â gwario'r goron yn gysegredig a thorrid mohono tan y dôi gwir argyfwng ar y teulu.

'Plump' fôt – pan geid dewis i bleidleisio i fwy nag un ymgeisydd mewn etholiad llywodraeth leol ond rhoddi un bleidlais i elwa'r ffefryn. Mae hon yn parhau i fod yn fyw ac yn iach yn Llan.

Mae hi'n Fametz drws nesa – o frwydr Mametz Wood, brwydr ffyrnig swnllyd a llawer o ymladd agos llaw i law. Ffrae deuluol oedd yn cynnwys cwffio a malu llestri.

Mynd i eni'r hyll – hynny ydi, mynd ar frys i'r tŷ bach. Dywedodd Gwynfor Jones wrthyf fod hon yn dal ar gerdded yn ardal Rhosyr.

Cosb Tegerin – dywediad a leferid mewn sibrydion rhag brifo teimladau hen deulu bonheddig a phoblogaidd Bryn Celyn oedd wedi geni, yn baradocsaidd, mab hynod o greulon a dialgar. Epitomi o'r crachach Seisnig oedd Tegerin Hughes. Ysgolfeistr ciaidd a chreulon gyda rhyw gasineb at Gymreictod ac yn mynnu siarad Saesneg hyd yn oed ar hen aelwyd ddiwylliedig Bryn Celyn ac yn barod iawn i ddefnyddio'r gansen gyll ar unrhyw blentyn a feiddiai siarad Cymraeg. Roedd yn un o gŵn bach yr amharchedig Barch John Williams, Brynsiencyn yn ystod ei ymgyrch recriwtio dros Lloyd George i godi byddin Gymreig yn 1915. Ymunodd â'r fyddin yn swyddog a ffeindiodd ei hun yn yr ail fataliwn, *Royal Welch Fusiliers*, lle y gyrrwyd canran uchel o hogia'r Llan ar ôl perswâd John Williams. Ni cheisiodd feithrin ysbryd o frawdoliaeth gyda'i ddynion a daeth yn waradwyddus ei enw fel swyddog creulon a didrugaredd yn ffosydd Ffrainc – a hefyd yn hollol nodweddiadol o fwli, yn gachgi mwyaf y gatrawd. Peryglodd gymaint ar fywydau ei ddynion a gwnaeth eu bywydau mor galed nes peri iddynt gael 'ymadael' ohono. Cyfaddefodd un o'r rhain i mi yn 1962 beth yn union a ddigwyddodd i Tegerin. Ymgynullodd dau ddwsin o'i ddynion adeg cyfnod o 'seibiant' o'r ffosydd, y grŵp yn cynnwys y *Company Sergeant Major*, Jac Fawr Pencefn Bach, fy hen ewyrth, a thynnwyd byrra'i docyn, a chynllwynwyd i ddienyddio'r swyddog annioddefol. Cyflawnwyd y weithred y tro nesa y dychwelasant i'r ffosydd ger Bazentine. Saethwyd Tegerin yn farw gan un o'r ymgynulliad. Cyn belled ag y gwn i dim ond y fi bellach sydd yn gwybod pwy yn union oedd y dienyddiwr; mae wedi ei gadw'n ddistaw ers peth amser a bu farw mewn oedran mawr ac â chydwybod dawel. Defnyddid y dywediad fel hyn – 'Mae hwnna (*am feistr neu rywun mewn awdurdod*) angen **cosb Tegerin.**'

Dywediad poblogaidd yr hen do a gâi ei ddefnyddio hyd yr 1970au hwyr, oedd ar gerdded nid yn unig yn y Llan ond ledled Môn, oedd edliw fod o (neu hi) **ar Garreg Domos**, sef yn derbyn yr hen *Supplementary Benefit* o'r hen Adran Nawdd Cymdeithasol. Hen swyddfeydd yr adran hon oedd Tŷ Carreg Domas yng Nghaergybi.

Dyn â hosan dda – hen ddywediad arall sydd wedi hen farw allan. Cyfeiria hwn at yr hen draddodiad o gadw celc arian mewn hosan a'i chuddio dan y fatras.

Gafodd o dywydd mawr neithiwr – yn parhau i fod yn fyw ac iach yn y Llan, ond tybiaf mai wedi crwydro mae'r dywediad o'r ardaloedd morwrol i'r Llan. Defnyddid hwn i ddisgrifio dyn yn drwm dan ddylanwad diod feddwol ac yn siglo o ochr i ochr fel llong mewn storm.

Jarff – dyma hen air a ddefnyddid yn y Llan ond sydd wedi diflannu erbyn hyn. Mae hwn yn wreiddiol o Lŷn/Eifionydd. Rhywun â mesur mawr o hunan-falchder ydi **jarff**. Pan oeddwn yn ddeg oed yn ystod haf sych 1959, clywais Robat Williams y crydd yn cyfeirio at gae o wair gyda chnwd gwael, tenau a chwta gan ddatgan gyda ffraethineb sych – **buasai gylfinir yn teimlo'i hun yn jarff yn y gwair yna**. Hynny ydi, i gymharu cnwd trwm 1958 â chnwd isel a chwta 1959 a gyrhaeddai uchder pen-glin yr aderyn druan, dim rhyfedd iddo deimlo ei fod wedi tyfu'n estrys, ac yn **jarff** o achos y peth. Ys gwn i ai gair wedi ei ddysgu i hogia'r Llan gan gyd-filwyr yn y Rhyfel Byd Cyntaf gan lanciau o Lŷn/Eifionydd oedd **jarff**?

Mochyn pesg i ddyn a bara te i'r teulu – dihareb boblogaidd arall yn y Llan na chlywais yn unman arall. Hyn yn nodweddiadol o ddicter y werin-bobl a oedd yn draddodiadol yn prynu mochyn bach yn y gwanwyn a'i dyfu a'i besgi yn y cwt moch yn yr ardd fel math o gadw-mi-gei i'w werthu a'u galluogi i dalu'r dyn treth G'lan Gaeaf. Mae'n cyfeirio at yr anghyfiawnder o gynhyrchu mochyn a allai, wedi ei ladd a'i halltu, fod yn gig digonol iddynt dros y gaeaf. Ond ni chaent y fraint o flasu'r un sgleisen ohono, a gorfod byw ar fara te, yn enwedig amser brecwast pan fuasai sgleisen o facwn yn llawer mwy blasus a maethlon na chymysgfa o hen fara a the mewn powlen ar gyfer eu cynnal trwy ddiwrnod hir a llafurus o waith corfforol. O dan yr un egwyddor fe elwid rhai oedd gyda mymryn bach mwy o arian at eu byw yn **deulu dau fochyn**. Un porcyn i ddyn y dreth a'r llall i'r teulu, oedd yn ei wneud bron yn ddosbarth canol yng ngolwg cenfigennus y gweddill o'r trigolion.

Hyd angau neu Glanmai – dywediad i ddisgrifio cwpl yn byw talu heb briodi.

Llo cors – term i ddisgrifio rhywun hynod o wladaidd ac ansoffistigedig o'i gymharu â thrigolion y pentref a'u honiad o fod yn fwy cyfarwydd â'r byd mawr na rhywun o ddyfnder cefn gwlad oedd heb weld dim ac yn anghyfarwydd â chymysgu â phobl. Dywedir **llo cors** hefyd am berson mwy gwladaidd o gallineb isel – hynny ydi rhywun ar goll o'i gynefin anial a gwladaidd. Gwraidd y term yma yn ôl y diweddar Idwal Roberts, prifathro Ysgol Gynradd Llannerch-y-medd, hanesydd lleol a llewyrchus, oedd y lloi gwyllt a nerfus a fegid yng ngwylltineb Cors-y-bol, safle presennol Llyn Alaw, nad oedd erioed wedi gweld dyn ond o bellter, heb sôn am bresenoldeb tyrfa o bobl a phethau anghyfarwydd fel trên, modur na hyd yn oed geffyl a throl. Roedd Ffair Gŵyl Fihangel (13 Tachwedd) a gynhelid yn y Llan yn adeg syrcas bron gyda chyrion o ddynewaid gwyllt, gwallgof; roedd yn achlysur o hwyl a digrifwch i blant y Llan pan oedd dwsinau o **loi cors** oedd bellach yn ddynewaid yn goresgyn y pentref ac yn gwibio fel gwenoliaid trwy erddi pobl ac yn chwalu'r stondinau ar y sgwâr. Cynhaeaf ariannol i'r hen blant oedd derbyn cildyrnau o arian gan berchnogion y **lloi cors** am eu cynorthwyo i gyrchu a dal y creaduriaid gwyllt yma at ei gilydd. Dadleuai fy nhad, Herbert Jones, o dras hen borthmyn Cymreig, nad term gwreiddiol i'r Llan oedd **llo cors**, ond un ar ddefnydd ledled Gwynedd am loi y Gwartheg Duon Cymreig a fegid yng ngwylltineb unrhyw gors anial, heb sôn am Gors-y-bol. Honnai i'w dad, a'i daid (o Nyffryn, Dinas, Boduan) ddefnyddio'r un term yn union, a'i fod wedi cerdded yn ei dylwyth porthmonol ers cenedlaethau cyn i'w dad fudo i Fôn. Mae yn dal yn fyw ac yn iach yn y Llan, ac fe glywais hyd yn oed y diweddar ddigrifwr Charles Williams Bodffordd yn defnyddio'r term i ddisgrifio gwleidydd lleol o Fôn sydd nawr wedi ymddeol.

Cath dan ffendar oedd dywediad arall o'r hen Lan i ddisgrifio rhywun oedd gyda gyrfa, un â'i waed ychydig yn dendar i'r dywydd, fel clerc neu un a weithiai mewn siop, o'i gymharu â thynged y gweision fferm a'r crefftwyr oedd yn gorfod gwynebu pob tywydd. Gelwir plentyn sydd wedi ei ddifetha gan ei deulu ac sy'n fabi mam yn **gath dan ffendar**.

'Rôl symud o'r Llan i ardal Rhos-goch/Carreg-lefn fe gynullais ambell ddywediad lliwgar a gwreiddiol a dyma rai:

Cnwd y ddafad farw – sef etifeddiaeth oedd yn peri i'r etifeddwr fod yn ymffrostgar ac yn ffroenuchel o'r herwydd, yn enwedig rhywun gweddol dlawd oedd wedi elwa pentwr dan ewyllys ac yn troi yn 'bobol fawr' wedyn.

Gaddewid frau fel cachu teiliwr – hynny ydi, addewid gau neu wag a dim bwriad gan y sawl sydd yn rhoddi'r addewid o'i chadw. Esboniwyd yr ystyr i fy nhad, Herbert Jones, pan oedd yn blentyn gan Wil Williams y gof. Gan fod teiliwr y pryd hynny yn eistedd ar y llawr a'i goesau wedi eu croesi yn pwytho dillad am oriau maith roedd hynny'n peri i'w ysgarthion fod yn frau.

Tarw tawel sy'n lladd – hoff rybudd Tom Roberts, Rhosgoch, a dihareb hoff gan amaethwyr yr ardal hyd heddiw. Fe adroddai hanes gwas bach 11 mlwydd oed ar fferm gyfagos, Four Crosses, a laddwyd gan darw oedd yn arfer bod yn dawel a rhadlon; digwyddodd ar brynhawn dydd Sul y Pasg wrth nôl y buchod i'w godro. Roedd hynny yn ystod troad y ganrif. Gosodiad hollol wirioneddol gan fod pawb yn parchu'r tarw peryglus ond yn ddirmygus o ddiofal o'r tarw tawel – a hwnnw bob amser a wireddai'r elfen o ymosodiad dirybudd.

Fel **Person y Gors** y disgrifiodd Meri Owen, cyfnither famol fy nhaid, Wiliam Owen, Dderyn y Bwn neu Bwn y Gors (*Marsh Bittern*) gyda'i alwad gyson a dofn. Trigai Meri Owen ym Mhenterfyn, Llanbabo, ddim ond 300 llath o odre Cors-y-bol, ac fe glywai ei alwad bron yn ddyddiol.

Ystyr enw **Carreg-lefn**, yn ôl damcaniaeth y diweddar John Williams (Siôn Wiliam Ael-y-bryn) oedd nad o *Garreg lefn* nac o *Garreg lyfn* y daeth ond o *garreg lefain*, sef carreg ateb, ac mae nifer ohonynt yn yr ardal. Hawdd a buan iawn y buasai'r enw **Carreglefain** yn cael ei gynanu yn **Carreg-lefn** mewn iaith lafar. Esiamplau eraill o enwau ffermydd wedi eu newid yn gwbl wahanol i'r enw gwreiddiol a chywir trwy iddynt gael eu cynanu mewn iaith lafar ydi **Recroes** yn lle **Rhyd-y-groes, Dwygir** o **Rhyd Wygyr, Ynys Gwyddil** yn lle **Ynys y Gwyddyl, Bryn Gwallen** yn lle **Bryn Gollen, Rhocos** yn lle **Rhugos**. [**Carreg-lefn**, sef Carreg + yr ansoddair

benywaidd llefn yn treiglo > lefn. Yr ansoddair gwrywaidd
yw llyfn – Gol.]

Hoff ddisgrifiad fy nhad a fy nhaid, yn enedigol o Nyffryn,
Dinas, Boduan, o ddyn bychan llancaidd a phwysig oedd
Cocyn Erw. Enw arall ydi hwn ar y ceiliog **Grugiar Ddu**, sef
y *Black Cock*. Ac wrth dystio i antics hunanbwysig y creadur
yma adeg cymharu, wedi chwyddo ei frest allan yn rhodio'r
grug yn dalog yn ei blu harddaf yn galw yn awdurdodol am
ddarpar gymar, hawdd y gellir gweld pa mor addas yw'r
disgrifiad.

Hoff rybudd fy mam i mi adeg heulwen gynnar y flwyddyn,
dywediad a ddefnyddid o hyd yn y Llan ymysg yr henoed, yw
haul y gwanwyn, waeth na gwenwyn, sef na ddylid ddim
ymddiried gormod yn y pelydrau haul cynnar i gadw rhywun
yn gynnes, ac mai hawdd iawn oedd dal annwyd wrth roi
heibio ddillad trwchus y gaeaf am ddillad ysgafnach yr haf
bryd yma. Rhaid cofio mai *pneumonia* oedd y lladdwr mwyaf
ar weision fferm a'i fod yn llawer iawn mwy cyffredin bryd
hynny.

Teulu'r Godwm – dyma ddisgrifiad a glywais gan hen do
Llannerch-y-medd, ac sy'n dal ar gerdded yno, ac erbyn hyn
mewn llawer lle arall, am Saeson! Yn ôl fy modryb, y
diweddar Kitty Williams, roedd y term yma ar ddefnydd yn
y Llan adeg ei phlentyndod.

Rhaid i mi fynd dros ben felin gyntaf – term a leferid bob
amser gyda phendantrwydd di-ildio dramatig – y gyfatebiaeth
Saesneg i hwn ydi *over my dead body*. Yn ddaearyddol rhaid i
arch sydd ar y ffordd i Fynwent Peniel fynd dros Ben-y-felin
a heibio'r felin. Mae hwn yn dal ar ddefnydd yn y Llan.

Balog hwrgi oedd disgrifiad Kitty Williams a llawer o'i chyfoedion am falog zip ffastnar – a chyn dyddiau'r zip ffastnar am falog *plus fours* neu falog trwsus llongwr hefo dwy res o fotymau.

Bwyd â blas tân arno fo – eto un o ddywediadau Kitty Williams a'i chenhedlaeth am fwyd poeth yn syth o'r popty neu oddi ar y tân.

Tlawd fel lleuan ar haearn bwrw – fersiwn arall o fod yn **dlawd fel llygoden eglwys**. Eto o'r hen Lan. Chlywais i mohoni ers rhai blynyddoedd.

Ychydig iawn fyddai hen gyn-filwyr y Rhyfel Byd Cyntaf yn adrodd o'u hanes, bron nad oedd arnynt gywilydd o fod wedi cymryd rhan mewn cyflafan o'r fath erchyllaf yn hanes rhyfela, a'r diniweidrwydd a gollwyd yn ffosydd Ffrainc neu ddiffeithwch y Dwyrain Canol. Ond fe fyddent yn gallu rhannu profiadau ac atgofion ymysg ei gilydd. O oed cynnar fe'm swynwyd i gan eu profiadau a'u cyfnod, a llanwyd fi â chasineb at y drefn anghyfiawn Imperialaidd-Seisnig a orfododd neu a dwyllodd lanciau Cymraeg eu hiaith a didwyll eu cymeriad i ddioddef a marw'n ddibwrpas ymhell o'u cynefin mewn lle mor debyg i Uffern ag y gallent erioed fod wedi ei ddychmygu. Yng ngweithdy saer fy nhaid, William Owen, ar yr aelwyd gyda'r nos, ac ar aelwyd brawd fy nain, John Jones (Jac Fawr Pencefn Bach) yn Nhŷ Capel Peniel, y Llan, gwrandewais am oriau maith ar gynulliadau ohonynt yn rhannu eu profiadau erchyll. Doedd ganddynt fawr o ddywediadau yn deillio o'u dyddiau fel milwyr, na llawer o idiomau ychwaith, fel petai'r cyfnod yr aethant drwyddo wedi bod yn ormod o hunllef iddynt hyd yn oed gludo gartref 'run argraff bositif na rhyfeddol o fod wedi bod dramor – yn hollol wahanol i'r rhai a gymerodd ran yn yr Ail Ryfel Byd. Rhaid cofio bod 9 allan o bob 10 a alwyd i'r fyddin wedi cymryd rhan yn yr ymladd, tra mai dim ond 2 allan o bob 10 a alwyd i fyny yn yr Ail Ryfel Byd a gymerodd ran mewn brwydro, a haws oedd iddynt hwy atgofio profiadau oedd yn lliwgar a llai erchyll. Yn y Rhyfel Byd Cyntaf, galwyd i fyny gatrawdau sirol o'r un sir neu ranbarth; er enghraifft, o Sir Gaer yn unig y recriwtiwyd dynion i'r *Cheshire Regiment*, ac roedd y *Royal Welch Fusiliers* i gyd o Gymru. Felly roedd y *38th Welch Division* wedi ei gyfansoddi yn gyfan gwbl o lanciau Cymraeg o'r Bataliynau Gwasanaeth (*Service Battalions*, oedd i gyd bron wedi eu consgriptio). Roedd uchelwyr y fyddin a swyddogion uchelffroenus Seisnig yn agored o wawdlyd ac yn gwahaniaethu yn erbyn y *38th Welch Division*, ac yn eu dosbarthu yn ddi-Brydeinig, o achos eu hiaith a'u hil, a'u trin mor ddirmygus ag y trinient filwyr brodorol o India. Yr esiampl fwyaf clir o hyn oedd brwydr *Mametz Wood* ym mis Gorffennaf 1916 pan lwyddodd y *38th*, oedd bron yn gyfan gwbl yn laslanciau dibrofiad Cymraeg, i ennill brwydr y coed a threchu milwyr proffesiynol Almaenig, fel y *Prussian Guards* a'r catrawdau o Bafaria oedd yn enwog am eu gwrhydri a'u ffyrnigrwydd, mewn ymladd agos llaw i law – ond nid ychwanegwyd Anrhydedd Brwydr at liwiau'r Gatrawd, y *Royal Welch Fusiliers*, er hynny. Felly doedd dim cymrodoriaeth rhwng y milwyr Cymreig a'u cyd-filwyr Seisnig. Yn yr Ail Ryfel Byd, gwnaethpwyd i ffwrdd â'r ymarferiad o recriwtio lleol i gatrawdau sirol i raddau helaeth, rhag ofn ailadrodd y camgymeriad o ddiboblogi rhanbarth o'i llanciau oed ymladd, trwy gymysgu recriwts o wahanol rannau o Brydain. Er bod Catrawd y Ffiwsilywr Cymreig yn parhau yn Gymreigaidd, roedd llawer iawn mwy o gymrodoriaeth rhwng milwyr Cymreig a Seisnig yn 1939-45 nag yn 1914-18.

Er bod nifer fawr o lanciau Cymraeg wedi gwasanaethu yn y Dardanelles, Macedonia a'r Dwyrain Canol, yn Ffrainc a Fflandrys yr ymladdodd y mwyafrif helaeth ohonynt, a welson nhw fawr ddim o'r byd fel milwyr yr Ail Ryfel Byd. Yr oll a welson nhw oedd gwersylloedd hyfforddi Cinmel, Wrecsam a Heysham, y trên i Dde Lloegr, llong drosodd i Boulogne i ddarfod eu hyfforddiant a thrên wedyn i le o fewn cyrraedd martsio i'r ffrynt yng ngogledd-ddwyrain Ffrainc, tirwedd gwastad a diflas yn denu fawr ddim atgofion. Brwydro statig oedd brwydro'r ffosydd, a seibiant mewn ambell i bentref oedd wedi hanner ei ddifrodi gan ynnau mawr yr Almaenwyr. A hwythau'n israddol yng ngolwg y fyddin, ac felly wedi'u hynysu o gymysgu â chyd-filwyr eraill, a heb weld dim o ryfeddodau tramor, termau Cymraeg oedd ganddynt i ddisgrifio eu gwasanaeth, tra bo gan lanciau 1939-45 eirfa lawer mwy Seisnigaidd. Er enghraifft, clywid llawer o lanciau 1914-18 yn sôn am reiffl a beionet, gias (nwy), *trenches* a *rations*, ond wedi dweud hynny – **mynd yn ein blaenau** a ddywedai hogiau 1914-18 am **advansio. Disgyn yn ôl** meddai llanciau 1914-18, **gynnau mawr, shells yn ffrwydro, y clwyfedig, swyddogion, cael dod adra, torri trwodd, colledion,** ac yn y blaen – ond idiomau Seisnigaidd oedd gan eu holynwyr yn 1939-45, fel *artillery, shellbursts, y casualties, offisars, leave, breakthrough* a *losses* ac yn y blaen. Profiad Cymry di-Saesneg oedd idiomau'r Rhyfel Byd Cyntaf ond idiomau Saesneg oedd ganddynt yn yr Ail Ryfel Byd. **Sowldiwrs arall,** meddai hogiau 1914-18 ond **bois ni** meddai hogiau 1939-45. **Call-up** meddant, ond **gorfod mynd at sowldiwrs** meddai'r hen do.

Dyma rai termau bridio da amaethyddol neu anifeiliaid anwes pan fo'r fenyw o'r math wedi cyrraedd ei chylchred estrws ac fel y dywedai'r perchennog, ei bod mewn *siswn (season)*.

Buwch – **gofyn tarw**; caseg **yn marchio**; dafad **yn myharena**; hwch **yn llowdio**; gast – **yn cwna** neu'n **hel cŵn ati**; cath – **cathrica**.

Dyma air hynod o ryfeddol a phrin a glywais gan ambell i hen werinwr yng ngogledd Môn ac oedd hefyd ar gerdded ym Mhen Llŷn i ddisgrifio amaethwr bonheddig (*gentleman farmer*), sef **neugwl**. Yr unig esboniad ddaw i feddwl ydi Porth Neigwl yn Llŷn a enwir ar ôl y goresgynnydd Normanaidd a laniodd ar y traeth, sef Syr Robert de Neigle o dde Penfro. All fod cysylltiad fan yma?

Yng ngogledd Môn ymysg yr hen gymdeithas amaethyddol, meistri a gweision, ynganid *bwyd* fel **bŵd**. Gan Twm Traffwll o'r Llan (Twm Bach y Blodau), Dic Huws Pen Werthyr, Miss Meri Williams ac eraill cyfeirid at *fwyd* fel **bŵd**. Cyfeiriai'r rhain at brydau bwyd fferm fel **cynalfwyd** – sef cinio canol dydd, pryd rhwydd o datws llaeth neu ŵy wedi ei ferwi, i'w cynnal tan **cnesfwd**, sef cinio poeth a mwy blasus gyda'r nos.

Cymeriad poblogaidd a lliwgar yn y Llan ydoedd Twm Jones y Tyddyn. Amaethwr twt a llwyddiannus oedd Twm ond fe arhosodd mewn ysbryd yn geffylwr, yn bridio ceffylau a merlod o safon ac yn eu paratoi ar gyfer sioeau. Deuai pobl o bob man ato am gyngor ar geffylau. Dim rhyfedd bod ei idiomau a'i ddywediadau yn adlewyrchu ei feddylfryd fel ceffylwr. Eglurodd wraidd hen ddywediad sydd yn dal ar gerdded hyd heddiw i ddisgrifio rhywun sydd wedi rhoi fyny'r ysbryd ac ildio'r frwydr yn gyfan gwbl – **wedi cachu ar y fondin**. Cyfeiria hyn at geffyl gwedd ifanc sydd heb ddod i arfer gweithio gyda'r gwŷdd ac sy'n ffeindio aredig yn dasg rhy galed – neu at geffyl sydd wedi llwyr ddiffygio ac yn methu cymryd yr un cam pellach. Ei act olaf un ar ôl nogio (hynny ydi mynd ar streic), fel yr hen pws yn cael ei hela, ydi iddo stopio'n stond, rhoi ei ben i lawr i nodi anufudd-dod a gwagio ei ysgarthion yn gawod ar y *fondin* neu *bondin*, prif gadwyn y gwŷdd sydd yn cysylltu'r *bompran* (spreader) bren lle cysylltid y ddwy gadwyn dras. Dywediad arall gan Twm a'i debyg oedd yr hen ddywediad: *os mul roi di, mul gei di*, sef na chaiff neb ebol neu eboles bedigri o wedd os yw'r tad yn ful neu'n asyn. Hynny ydi, os hau hadyd neu had gwair sâl, yna cnwd gwael a ddilynai – rhaid defnyddio'r cynhwysion gorau i bob gwaith. Defnyddiai Twm y dywediad yma i ddisgrifio dyn diog a di-lun oedd gyda'r un tueddiad â'i dad, neu ei daid. Yn Rhosyr aiff fel hyn – *maga ful, mul gei di.*

Hen ddywediad cefn gwlad arall a glywais gan fy nhaid ac eraill, dywediad a oedd yn feirniadol tu hwnt o fenywod ac nid yn 'wleidyddol gywir' yn yr oes yma, ydi – *fe ddifethith dynes fwy gyda llwy na garith ei gŵr i mewn gyda rhaw.* Cyfeiriad, wrth gwrs, at gogyddes ddi-lun.

Tâl tra ganith y ceiliog – hen ddywediad arall o Arfon yn golygu talu dyled tra bo'r arian gan rywun i wneud. Duw a ŵyr beth sydd o flaen rhywun.

Dywediad fy nhaid tadol, John Jones, Nyffryn, Dinas, Boduan pan ydoedd wedi cwblhau ei fusnes ym marchnadoedd Pwllheli, Bryncir neu Borthmadog oedd – *mae'n amser mynd nôl i'r cel* – sef i dawelwch a llonydd gwylltineb y Cwm. Dywedodd Gwynfor Jones mai hen ddywediad o Rosyr ydi hwn hefyd – *mae o wedi mynd i'w gêl* – cynaniad gwahanol ond yn golygu profedigaeth, a'r diweddar wedi mynd i'r nef a'i haeddiant.

Cynt y lluniwyd llaw na llwy – hen ddihareb boblogaidd iawn ar yr ynys ac ar ddefnydd o hyd. Dywediad llawer i fam pan fo baban yn ddigon medrus i fwyta oddi ar blât gyda'i ddwylo a heb gyrraedd yr oed i fod yn fedrus â llwy neu fforc. Y meddylfryd y tu ôl i'r ddihareb ydi 'waeth sut gaiff o (neu hi) y bwyd i lawr, ond iddo fynd rywsut. Doith steil iddo mewn amser'. Hefyd i unrhyw un a dystiodd, yn y pumdegau a'r chwedegau, weld llond cegin o amaethwyr a gweision ffarm wrth ginio dyrnu neu gneifio, a phawb yn **sglaffio** (bwyta yn frysiog a llwglyd) hefo'u bysedd, hawdd iawn ydi deall paham yr adroddid hon – nid lle i ddefod barchus a defnyddio'r celfi cywir oedd bwrdd bwyd iddynt, ond amser a lle i lenwi'r **ceudog** yn y modd mwyaf effeithlon. Gwn mai **ceudod** ydi'r gair cywir ond cynenir hwn yn **geudog** ar yr ynys.

Tân papur neu dân eithin – sgandal fer iawn ond ffyrnig ei choelcerth tra'i bod yn parhau. *Six day wonder* yn y Saesneg ys gwn i?

Rhinws – gorsaf heddlu, neu yn fwy cywir y celloedd. Defnyddid y gair yma ledled yr ynys. Tyb Robin Parri mai hen air Danaidd yw. Ond ni allodd yr Athro Ron Haydn, Prifysgol Lerpwl, ddod o hyd i air tebyg yn unrhyw iaith Sgandinafaidd nac Almaenaidd. [**Rhinws**, mae ansicrwydd am ei darddiad; gallai ddod o'r Saes. roundhouse. Erys y posibilrwydd ei fod o'r Saes heinous, yr heinus > rheinus – Gol.]

Hwsmon – yr hen derm amaethyddol i'r pen gwas, y fforman mewn ffordd, ond roedd o'n is ei radd na **beliff** neu yr hen derm am feliff, yr un sy'n cadw **pentiriaeth**.

Eirchiafon – dyma air a glywais gan Gruffydd Owen, Tan-llan, Dinas, Llŷn oedd yn cael ei ddefnyddio yn lle mechnïaeth llys. [**eirchafion**, ffurf ar meirchafion, yn Saes *security, bail* – Gol.]

Dyn anodd i droi ei drwyn – ymladdwr neu baffiwr medrus a ffyrnig. Mae hon yn dal ar gerdded heddiw ledled yr ynys.

Rhaid i mi anghytuno yn llwyr â chyfieithiad y *Geiriadur Mawr* o'r enw Saesneg *circus* yn **syrcas** yn Gymraeg. Gwn yn iawn bod y term 'syrcas' ar enau pawb yr oes yma – ond nid dyma'r gair gwreiddiol a thraddodiadol. **Sioe bwystfilod** oedd y gair a ddefnyddid gan yr hen do. Clywais y gair yma ar lawer achlysur ledled gogledd Môn. Defnyddiai'r diweddar Wil Hari Jones y term **sioe fwystfilod** yn aml iawn yn ei hanesion difyr ger y tân ar lawer noswaith. Dywedodd hanes doniol iawn am un Wil Dafydd, gwas fferm anllythrennog ac araf ei gallineb, pan welodd eliffant am y tro cyntaf. Hwnnw dan ofalaeth ei geidwad wedi mynnu mynd i gae rwdins yn Llanfechell ac yn gwledda 'nôl yr hen drefn. Rhedodd yr hen Wil Dafydd druan am ei fywyd i'r tŷ fferm i adrodd y digwyddiad i'w feistr gan lefaru 'Mistar bach! Mae yna ryw anghenfil anferthol wedi dianc o'r **sioe fwystfilod** ac yn stwffio rwdins i'w din gyda'i gynffon!' Y gynffon wrth gwrs oedd trwnc yr eliffant. Roedd hynny oddeutu dauddegau y ganrif yma.

Trist iawn ydi sylwi, er bod digon o gyhoeddusrwydd wedi ei roddi i rai a fyddai'n gweithio'n deithiol ac yn dymhorol fel y bois ca'lyn stalwyni, y porthmyn ac eraill, nad oes damaid o sylw wedi ei roi i adrodd hanes carfan o grefftwyr medrus Môn, sef yr hen bladurwyr proffesiynol a fyddai yn dilyn y cynhaeaf ledled Gwynedd a Chlwyd yn lladd gwair a medi ŷd ac yn gweithio yn y gaeaf fel **dynion caled**, hynny ydi, gweithwyr hunangyflogedig fyddai yn gweithio allan, waeth pa mor ddrwg oedd y tywydd, yn sigo a phlethu drain, agor a sgwrio ffosydd, gwynebu cloddiau hefo tywyrch, a gwneud gwaith cerrig fel cau bylchau a gwynebu cloddiau â cherrig. Doedd y **dyn caled** byth yn was ond yn gontractwr, a doedd dim ymochel mewn ysgubor neu stabl iddynt hwy adeg tywydd mawr, dim ond dal ati yn nannedd yr elfennau i ennill ceiniog. Dyna yn union pam y'u gelwid yn **ddynion caled**. Owen Williams, Penterfyn, Llanbabo oedd y **dyn caled** olaf yn ardal Bro Alaw, a chantref Cemaes. Dic Pritchard, Pen-rhyd, Bryn-teg oedd yr olaf ym Mro Goronwy a John Jones Sachins yr olaf yn Llannerch-y-medd. Syndod mawr bod y rhain yn ddieithriad wedi cyrraedd oedran da er gwaethaf y peryglon o *pneumonia*, cryd y cymalau a'r diciáu o achos treulio oriau mewn dillad gwlyb yn cyflawni gwaith hynod o galed. Cyfrinach Dic Pritchard (1916-97) oedd bwyta rhyw fath o gig yn ddyddiol; cig cwningen yn ddelfrydol os medrai. O bosib bod ymborth y **dyn caled** yn fwy maethlon, a chwedl Dic Pritchard, **laddodd gwaith neb erioed**. Ymhell i gyfnod yr injan ladd gwair, y reaper a'r beindar, âi dwsinau ohonynt adeg y cynhaeaf gwair ac ŷd, i 'ddilyn y cynhaeaf' – Môn yn gyntaf gyda'i chynhaeaf cynnar ac wedyn i Sir Gaernarfon, lle roedd y cynhaeaf gwair yn hwyrach. Wedyn nôl i Fôn am y cynhaeaf gwenith (y cynhaeaf grawn), wedyn yr haidd, ac yn olaf yr ŷd. Wedi hynny i fyny â nhw i'r ucheldiroedd i fedi'r ŷd, sef yr unig gnwd grawn a dyfai yno, ac yn hwyr ei fedi. Dychwelai'r hen bladurwyr nôl i Fôn erbyn Ffair Borth. Bryd hynny y cadwent eu pladurau ac ailddechrau eu sgiliau **dyn caled** hyd nes y buasai'r cynhaeaf nesaf yn barod.

Stric – un o gelfi pwysicaf y pladurwyr proffesiynol – roedd gen i yn fy meddiant, tan yn ddiweddar, flocyn hir o bren sgwâr, pedair ochr, gyda handlen gron hir. Fe daprai'r blocyn (oddeutu 18 modfedd o hyd) yn bigyn a thaenid saim gŵydd ar y pedwar gwyneb. Rhoddid cymysgfa wahanol ar bob gwyneb, sef graean, fel arfer o Chwarel Pwll Graean, Llangristiolus, ar un ochor o'r blocyn wedi'i gymysgu â saim gŵydd, yna graean manach ar wyneb arall, *carborundum* ar y llall, a thywod hynod o fân ar yr olaf. Wedi i lafn y bladur gael ei stricio yn gywir gan bob gwyneb o'r **stric** (gwaith diwrnodiau) ceid min llawer mwy miniog na rasal a wnâi ladd gwair neu fedi ŷd yn dasg ysgafn. Cefais y fraint o weld arddangosfa o stricio pladur gan Dic Pritchard Pen-rhyd, a choeliwch chi fi, roedd gan y bladur lafn anhygoel o finiog. Pan nad oedd defnydd iddo fe gedwid y **stric** rhwng dwy glip ar ben gwag y bladur i roddi cydbwysedd perffaith i'r celfyn. Hen ddywediad y dynion caled a dreiglodd i'r iaith lafar amaethyddol oedd – *os na chwysi wrth hogi fe chwysi wrth dorri*. Hynny ydi, rhaid paratoi'n ofalus cyn mynd ati i gyflawni tasg o waith.

Stricio – yr hen arfer o garu rhwng gweision a morynion oedd yn dderbyniol hyd yn oed i'r meistri culaf eu moesoldeb, ac a barhaodd hyd y 40au yn y ganrif ddiwethaf. Cyn belled â bod y ddau gariad wedi gwisgo amdanynt caent rannu'r un gwely hyd at hanner nos, ond rhaid oedd iddynt lapio'u hunain mewn plancedi. Roeddent ar eu llw na fuasent yn camymddwyn yn rhywiol ac roedd hwn yn arferiad ledled Cymru, Lloegr a'r Alban – *bundling* y gelwid ef yn Saesneg. Ond er gwaethaf eu llw roedd chwant y cnawd yn gryfach a disgrifid yr arferiad gan rai sinigaidd yn **stricio**. Nid anfwriadol yw'r berthynas rhwng **stricio** a **stric** y pladurwyr, ac mae'n gyfatebiaeth ddisgrifiadol tu hwnt!

Pry genwair a gwn wnaeth ddyn cyfoethog yn llwm – clywais hyn yn gyntaf gan Tom Gruffydd, Moelfre Fawr, Llanaelhaearn yn 1966. Trafodais y peth gyda Wil Hari Jones, a dywedodd bod y dywediad yn boblogaidd ers talwm yng nghantref Cemaes dan y fersiwn – *gwialen bysgota a gwn wnaiff fonheddwr yn llwm*.

Haf y diogyn, gaea'r llwg meddai fy modryb, Kitty

Williams, wrthyf a dyfynnu fy hen daid, Harri Jones. Tebyg iawn i un o ddiarhebion y Sipsiwn Cymreig a roddodd ei enw i'r llyfr, *Mae'r Gaeaf yn Gofyn, Beth Wnest Ti O'r Haf*. Chlywais i erioed y gair **llwg** yn cael ei ddefnyddio i ddisgrifio person yn llwgu o'r blaen. O bosib bod yr hen wraig wedi camddyfynnu'r dywediad all fod wedi mynd fel hyn – *dioga'r haf, fe lwgi yn y gaeaf.*

Giachan – gair poblogaidd i ddisgrifio dynes dan-din a busneslyd sydd ar ddefnydd heddiw. Heblaw fod y giachan (*snipe*) yn aderyn hir ei big a chyfrwys, annheg ydi cymharu'r aderyn swil a diddrwg yma gyda pherson o'r fath. Gwell disgrifiad ydi'r hen ddisgrifiad o Lŷn a ddaeth i Lannerch-y-medd hefo fy hen nain, Lisi Jones, i ddynodi dynes fusneslyd, sef **Lisa ben steps**.

Ysguthan (*Wood Pigeon*) neu golomen goed a yngenir yn **sguthan** ym Môn. Hyn i ddisgrifio dynes 'grand' ei gwisg ond budur ei thŷ, yn union 'run fath â'r aderyn.

Gewyn o ddyn werth mwy na mynydd o ferch – dywediad y mae'n beryg ei ddweud yn yr oes yma! Hyn yn honni bod dyn yn llawer mwy medrus ac ymarferol na merch!

Llygadog fel broth – i ddisgrifio rhywun sylwgar a chraff, ar ôl y llygaid o saim a mêr ar wyneb broth blasus.

Awr yn y bore werth dwy yn y pnawn – yn rhyfeddol iawn mae'n berffaith wir o achos fe gyflawnir llawer mwy o waith yn y bore – neu felly mae'n teimlo. Cymar da i hon ydi **awr** (*o gwsg*) *cyn hanner nos werth tair wedi.*

Cardod o datw – 'O's 'na obaith cael **rhyw gardod bach o datw?**'. Ymofyn digon o datw yn ddigonol i bryd neu ddau.

Storgatsio – bwyta i syrffed nes bron bod yn sâl, i greadur dynol. Mewn anifail, bwyta i syrffed nes gwneud chwydd yn y rwmen o nwy, all fod yn farwol heb driniaeth sydyn. Does dim term Saesneg tebyg ond *bloat* neu *stall* yn nhafodiaith Sir Efrog. Gair na chlywir mohono ond ar yr ynys ymysg y gymdeithas amaethyddol neu'r hen do gwerinol.

Fflantio – hen air o'r Llan nad oes fawr o ddefnydd arno erbyn hyn. Dweud y drefn wrth blant oedd wedi cael eu newid i ddillad nos ac oedd yn rhedeg o gwmpas y tŷ yn lle setlo yn y gwely: 'Peidiwch â *fflantian* neu mi gewch annwyd'. All o fod o *llyffantio*, hynny ydi, sboncian o gwmpas fel llyffant? [*fflantio*, daw o'r Saes. to flaunt. Un ystyr yn Saes. yw symud o gwmpas yn heriol – Gol.]

Stodi – aflonyddwch gwartheg pan maent yn rhedeg yn wallgof bron wrth geisio ymochel rhag pigiad y pry llwyd, Robin y Gyrrwr, o ganol Gorffennaf i ganol Awst.

Proc – hen air porthmonol i ddynodi bod y porthmon wedi cael bargen dda y tu hwnt.

Lwc neu bres lwc – term amaethyddol/porthmonol, sef y gwerthwr yn dychwel swm bychan o arian parod yn ôl i'r prynwr.

Blaenion – y llaeth cyntaf, a theneuach, a ddaw o bwrs buwch wrth ei godro.

Tical – y gweddill o'r llaeth, sydd yn dewach.

Oedwn eiliad i sylwi ar ystyron gwahanol i'r un gair rhwng dwy ardal, sef **colbio**: ym Môn, chwarae'n wirion, ac yn nhir mawr Gwynedd fe olyga daro neu hitio. **Colbiwr** ym Môn yw un sydd yn siarad yn ynfyd; yng Ngwynedd fe olyga gwffiwr ffyrnig.

Yn hen iaith Môn ni elwir *rattus norvegicus* (*brown rat*) yn **llygoden fawr** ond yn llygoden Ffrengig. Ymwelydd gweddol ddiweddar ydyw i'r wlad yma gyda llaw, oddeutu'r 18fed ganrif. Doedd y llygoden fawr wreiddiol, *rattus battus*, ond hanner ei maint ac roedd yn ddu i gyd, ond bellach mae honno wedi ildio ei chynefin bron yn gyfan i'r **llygoden Ffrengig**. Cyfeiriwyd at **lygod Ffrengig** mewn hen faled angladd gan Owen Rolant o Lanfaethlu/Rhyd-wyn.

Sielffar – rhaw godi glo i'r tân. Hen air o'r Llan sy'n dal yn fyw hyd heddiw.

Y cyweiriwr mwyn – henaint.

Chwech y dydd a chnau mwnci – hen ddywediad o'r Llan yn dynodi swydd â chyflog isel, sef chwe cheiniog y dydd a bwyd sâl; fersiwn arall yw **chwech y dydd a bwyd mwnci**.

Chlywais i erioed y gair *gwrywgydiwr* ar ddefnydd gan neb o'r hen do, na chwaith gan neb arall, ond ar y cyfryngau torfol yn ddiweddar. Cyfeirid at ddyn hoyw bob amser fel **cwdgydiwr**. Taerai rhai fel Wil Harri Jones a Robat Williams y crydd yn frwd nad **cwdgydiwr** oedd y term cywir!

Mawrth yn lladd ac Ebrill yn blingo – fe wyddai pawb â chysylltiad â'r tir neu arddio mai addfwyn ydi tywydd dechrau mis Mawrth ond y troith yn arw tua chanol y mis, cyfnod rhewynt y Dwyrain sydd yn llosgi porfa ifanc, dyner ac eginion. Fe barhâi y tywydd yma hyd ganol Ebrill, sef cyfnod Hen Fawrth, a dim ond ar ôl tranc Hen Fawrth y daw tywydd twf y gwanwyn yn ei ogoniant.

Llacio – hen ddywediad a glywodd fy nghyfaill Dafydd Jones, Rhos-goch gan ryw hen ŵr rywbryd – 'dwn i ddim o ble na phwy oedd o. 'Mi â'i i lawr i'r dafarn **am dipyn o lacio.**' Tybiaf mai ystyr hwn ydi mynd i'r dafarn i gael ymlacio. Ond term i ddisgrifio diferyn neu chwech o gwrw ydi'r **llacio.** Defnyddid hwn gan lawer o lanciau Rhos-goch/Carreg-lefn i ddisgrifio'r cwrw ei hun – **peint o lacio** neu **foliad o lacio.** Dylid llongyfarch Dafydd am adfer hen ddywediad sydd bellach yn boblogaidd!

Tyfu fel cywion gwyddau – hynny ydi tyfu'n sydyn iawn, er enghraifft 'Mae'r plant acw yn **tyfu fel cywion gwyddau.**'

Tacla gwraig weddw – sef celfi gwael ac angen eu trin wedi gweld dyddiau gwell, a etifeddodd y weddw gan ei diweddar gymar.

Neithlen neu **neithlan** – dau neu dri sach wedi eu hagor allan i lawr eu gwnïad a'u gwnïo yn ei gilydd i wneud un gynfas fawr i gario gwair o'r das i'r gwartheg neu mewn baich tros yr ysgwydd.

Fel **crawan** y clywais gynnwys y **neithlen** lawn yn cael ei ddisgrifio: er enghraifft, 'Af â'r **neithlen** efo fi i fynd â **chrawan** bach i'r lloi'. Clywais hefyd **crawan** yn cael ei ddefnyddio i ddisgrifio pedol. Dywedodd Tom Jones, y Tyddyn wrthyf pan ofynnais pam cyfeirio at bedol fel **crawan**, mai hen air oedd hwn yn mynd yn ôl i gyfnod pan gerddid y gyrion o Wartheg Duon i Loegr gan y porthmyn. **Crawan** oedd y bedol o ddau ddarn o bren onnen y pedolid y gwartheg â hi.

Dofi'r rhedyn – term a glywais ym marchnad da Bryncir gan hen amaethwr mynyddig yn cyfeirio at losgi'r hen redyn sych ym mis Awst i'w gadw rhag lledaenu ymhellach ac i annog egin newydd y planhigyn fel tamaid maethlon i'r defaid.

Yn hen iaith Môn, wel yn y gogledd o leiaf, ni ddywedir Dydd Iau ond *Difia*. Mae hyn yn dal ar gerdded.

Slotian – hel diod, yfed cwrw. *Slotiwr* – meddwyn. Arferir *sglotio* a *sglotiwr* yn y Llan hyd heddiw.

Paham ar y ddaear nad yw llanciau hela Sir Fôn byth yn galw'r anifail yn ysgyfarnog neu sgwarnog fel pawb arall ond yn cyfeirio ato fel *y pry mawr*? Gelwir ysgyfarnogod corsydd, rhai sydd yn llawer mwy eu maint, eu cyflymder a'u craffter, yn *bryfaid cors*. Esgus da i berchen milgi araf oedd newydd golli'r pry: 'O, doedd ganddo fo ddim gobaith 'i ddal o. *Pry cors* oedd hwnna'.

Cyw a enir yn uffern, yn uffern mynno fod – dywediad o Fodffordd/ Llechgynfarwy, fersiwn hallt feirniadol o *does dim tynnu dyn oddi ar ei dylwyth* – neu *doro ful, mul gei di*. Yn dynodi plentyn yn etifeddu tueddiadau annerbyniol trwy waed a dylanwad yr aelwyd. Dywediad a ddefnyddid o hyd gan Kitty Owen, Llangefni.

Leban, gair a ddefnyddid i ddisgrifio digrifwas neu ffŵl – ond mae fersiwn arall iddo yn ôl Dr D.A. Jones oedd yn cofio mwy nag un hen feddyg gwladaidd yn gofyn i glaf 'Ble gymeri di'r bigiad, yn foch dy din ta yn y *lleban*?'. Y *lleban* yw'r cnawd meddal o dan y fraich uchaf (*triceps*).

Aelen neu *aelan* – *hurdle* yn Saesneg. Golygai hon yn wreiddiol hyrdlen i wneud corlan wyna defaid wedi ei gwneud allan o bren yr onnen pan oedd yn 2-3 modfedd o drwch, wedi cael ei hollti a'i gweu trwy bolion unionsyth o'r un pren. Fe ganiateid i'r werin fynd i goedwigoedd y landlordiaid i dorri'r glasbrennau onnen a jacan (*sycamore*) ar gyfer eu gwaith o wneud aelennod i gadw llawr y goedwig rhag ail dwf y glasbrennau yma am eu bod yn rhwystro gyrru ffesantod allan o loches i'r saethwyr adeg y tymor saethu. Cymerodd y crefftwyr gwerinol ei bod hi bron yn hawl ganddynt i dorri a chasglu glasbrennau onnen a jacan a rhoddent ychydig o ddiwrnodau o wasanaeth adeg y tymor saethu fel 'beaters' i hel yr adar at y gynnau i ddangos eu gwerthfawrogiad. Prawf ar gipar i weld oedd o yn un da neu'n un drwg (o ran brwdfrydedd at ei waith a'i agwedd at dresmaswyr) oedd a wnâi o ganiatáu i werinwr fynd i'r coedwigoedd i dorri ffon-hel-gwartheg neu lasbren cyll i wneud ffon fugail. Goroesodd y grefft o weu aelod hyd y 50au ym Môn. Cefais yr hanes yma gan y diweddar Richard Williams (Dic Cipar). Parheir i ddefnyddio'r gair **aelan** yn nwyrain Môn o hyd cyn amled â hyrdlen. Erbyn hyn, gelwir unrhyw hyrdlen bren neu fetel yn **aelan**.

Randin neu **randro** – plastro rhwng distiau to llechi ar wyneb yr **eisinod** gyda **mortar brwd**, cymysgfa o waed, blew gwartheg a chalch i wneud plastar caled a hynod o barhaol oedd yn dal dŵr yn effeithlon tu hwnt. Defnyddir y term fod rhywun **heb ei randro'n iawn** neu **â diffyg yn ei randrin** i ddynodi rhywun ecsentrig neu ddim yn llawn llathen hyd heddiw. Dim syndod, gyda llaw, gweld mortar brwd ar adeiladau hynafol iawn hyd heddiw.

Snorit – hen air Môn yn golygu rhywun awdurdodol ac uchelffroenus. 'Dwn i ddim ar y ddaear beth yw tarddiad hwn. A oes cysylltiad gyda'r gair Saesneg – *seniority*? [**snorit**, efallai < Saes *seniority* ac mae tybiaeth JGJ yn gywir. Rhywun sy'n ymddwyn fel pwysigyn – Gol.]

Termau amaethyddol am dda byw:

Llo gwlyb – llo newydd ei eni, neu heb fod wedi sychu ei linyn bogel.

Lloia – y lluosog am lo ym Môn, ond lloi ym mhob man arall.

Dynewid – llo wedi ei ddyfnu o 5–10 mis oed. **Dynewad** (*dynewaid*) ydi'r lluosog.

Storyn neu *stôr* – llo o 10 mis oed hyd oddeutu 20 mis oed cyn ei besgi yn llawn ac yn dal ar ei dyfiant.

Bustach – y gwryw wedi ei gyweirio ac wrthi'n pesgi neu'n barod i'w ladd.

Eidion – er defnyddio'r gair yma i ddynodi bustach oddeutu 2 flwydd–30 mis oed yn barod i'w ladd hyd heddiw, yr hen air i ddynodi **eidion gwaith** ac un o yrr o saith ydi hwn yn wreiddiol, sef *ychen*. (Ni ddefnyddid y gair ychen ym Môn.) Yn ôl Gruffydd Owen, cefnder fy nain, soniai ei dad, Albert Owen a fu farw yn ei 90au yn 30au'r ganrif ddiwethaf, fod **eidion** tair (oed) yn ymuno â'r gyrr yn un o'r ddau **eidion cefn** oedd yn rhannu'r un iau yn nhin y gyrr o saith. Âi ymlaen un rheng bob blwyddyn wrth iddo drymhau a chryfhau, hyd nes cyrraedd ei chweched flwyddyn a phryd hynny fe'i lleddid G'lan Gaeaf i ddefnydd y fferm a chadw'r cig mewn **celwrn** (Llŷn) neu **gelor** (Môn), sef casgen a'i llond hi o heli i gadw'r cig, ac i'w freuo hefyd.

Hysbin hwch neu *sbinwch* ar lafar ym Môn; hwch ifanc un ai heb gael baedd, neu yn drom o'i thorllwyth (*litter*) cyntaf. Nid *torllwyth* a ddefnyddir yng Ngwynedd, ond *ael*.

Llwdwn yw gair Môn am *wedder*, neu folltyn, sef oen gwryw wedi ei gyweirio ar ôl ei ddiddyfnu, ei gadw i dyfu a phesgi hyd ei drydedd flwyddyn, cyn ei ladd yn gig. Cedwid ef cyhyd i dyfu'n gorffyn mawr a chigog ond hefyd i gynhyrchu cnu trwm mewn cyfnod pan oedd cynhyrchu cnu lawn mor bwysig â chynhyrchu cig. **Llydnes** yw gair Môn am oen fenyw a gadwyd i fridio ac oedd un ai yn drom o oen neu gyda'i hoen cyntaf. **Hesbin** yw **llydnes** yn Eryri.

Nid arferir **hwrdd** ym Môn, ond **maharen**.

Beljans neu **Canadians** – ychydig iawn sydd ar ôl erbyn hyn yn cofio'r rhain. Pan werthodd y Fyddin Brydeinig ei cheffylau trymion ar ôl y Rhyfel Byd Cyntaf daeth nifer o geffylau o faint a nerth ceffylau gwedd i berchnogaeth amaethwyr Môn. Y brid Percheron oedd y rhain, meirch dyfn eu cyrff a byrrach eu coesau na cheffylau gwedd gyda lliw o gefndir llwyd a smotiau tywyllach. Roedd y rhain yn boblogaidd o achos eu haddfwynder a'u parodrwydd i weithio. Roeddent yr un maint â cheffyl gwedd ond heb y **bacsia** (blew yr egwyd), sef y blew sawdl, oedd yn fantais iddynt wrth dynnu'r gynnau mawr drwy fwd a baw. O wlad Belg y maent yn tarddu ac yn boblogaidd yno hyd heddiw, ond am fod gwlad Belg o dan feddiant yr Almaenwyr, fe allforiwyd miloedd o'r rhain i Ganada lle roeddent yn boblogaidd tu hwnt. Yn anffodus gwell oedd gan amaethwyr Môn y ceffyl gwedd ac ni wnaed fawr o ymdrech i fridio'r rhain a'u cynefino. Dysgais hyn gan Twm Jones y Tyddyn.

Cyw o frid yn well na phrentis – hunan-esboniadol. Mae'r **cyw o frid** yn meddu ar reddf i'r grefft.

Sberu – tasg olaf ceffylwr bob gyda'r nos oedd **swperu'r** ceffylau. Defnyddid y gair **sberwr** i ddisgrifio person oedd yn anelu am dŷ fferm neu dyddyn gyda'r nos i gael pryd o fwyd ar draul yr aelwyd.

Tulath – prif drawst to y tŷ. Defnyddid hwn o hyd wrth gyfeirio at unigolyn ynfyd, sef **mae hwnna heb dulath**. Clywais hon gan Gwynfor Jones..

Boliad ci a bery dridia – er bod amaethwyr a hogia hela yn hynod o ofalus i fwydo eu cŵn yn rheolaidd, os caiff ci gyfle fe ddefnyddith hen reddf gynhenid a **storgatsio** tra bo'r cyfle am ddigon o fwyd, digon i bara iddo am dri diwrnod. Gwelid hynny ar y ffermydd adeg lladd eidion, llwdn neu fochyn, pan gâi'r ci helpu ei hun i'r perfedd a'r ysgyfaint. Nid oeddynt fawr o awydd bwyd am 2-3 diwrnod wedyn.

Colli'r limpyn – nid o'r gair llimpryn, sef bwyd llwy, y daw hwn ond o'r Saesneg *linch pin*. Y **limpyn** oedd y rod ddur yn pasio trwy ddau dwll mewn platiau dur; un o dan fol trwmbal trol a'r llall ar ffrâm gwaelod trol i rwystro'r trwmbal rhag tipio yn ôl a cholli'r llwyth. Felly **colli'r limpyn** ydi colli tymer.

Sbaena – *sub poena* Llys.

Pan âi rhywun i nôl dwy lond pwced o ddŵr o ffynnon fe'i gelwid yn **siwrnaid o ddŵr**.

Geiriau am fadarch: Dysgais gan ddau o ddwy fro am enwau rhai madarch, sef fy nhad, Herbert Jones, a Twm Gruffydd (Twm Bach y Blodau).

Lleuos – y madarch bach hudol (*magic mushroom, liberty cap*) sydd yn tyfu yn llu yn agos i'w gilydd ar dyndir. Gall y ffaith eu bod yn tyfu yn llu egluro'r ffurf luosog. Defnyddir y gair **lleuos** ym Môn a Llŷn.

Caws Ceridwen yw'r enw ar y madarch *amanita muscaria* neu *fly agaric*, madarch sydd yn gyntaf yn hollol grwn a choch eu lliw. Pan aeddfedant maent yr un siâp â chaws llyffant neu gaws ceffyl, ond yn goch i gyd gyda sbotiau gwyn fel defaid bach sydd yn hynod o hardd. Fe dyfai hon mewn coedwigoedd a pherllannau coed caled, ran amla ar daeniad o hen ddail y fedwen. Twm Gruffydd soniai amdani fel **caws Ceridwen**. Roedd Twm yn ein rhybuddio ni i beidio â'i blasu. Dim rhyfedd, mae hon yn hudol iawn hefyd, llawer cryfach na'r **lleuos**. Dywed Dr Dafydd Alun Jones mai cymysgfa geuddrychol (*hallucinogenic*) oedd cynhwysion Crochan Ceridwen yn hanes Taliesin a Gwion yn y Mabinogion a bod madarch hud o bob math yn yr arlwy, yn enwedig hon. Mae tystiolaeth gadarn fod hon yn aml ar ddefnydd gan arwyr Celtaidd, Danaidd a Gwyddelig yn syth cyn brwydro. Roedd yr hylif hudol yn cael ei yfed gan Cuchulain a'i fath yn Iwerddon – *King's Cup* a *Queen's Cup* – ac fel y Celtiaid a'r Berserkers Danaidd aent i'r gad yn hollol noeth i ddangos dirmyg i'r gelyn ac i farwolaeth. Gelwir hon yn Llŷn **y freina** neu'r **frana goch**.

Y wenwyn, gwenwyn, neu **wen-wen**: madarch yr *amanita phalloides* (*death cap* neu *destroying angel*). Mae hon yn hynod o farwol ac yn hynod o dwyllodrus hefyd. Mae'r un siâp a maint â **chaws llyffant** gyda'r un lliw croen – heblaw am yr arwyddion perygl mân. Mae brancia (*gills*) hon yn berffaith wyn tra bo brancia'r **caws llyffant** yn binc ac wedyn rhuddgoch neu ddu, ac mae coler fach o ffril o amgylch y coesyn, sef y volva. Mi all ladd drwy ddifrodi'r iau ac ni ddangosir y symptomau am 3-4 diwrnod ar ôl ei bwyta. Ai dyma darddiad y gair gwenwyn/gwenwyno? Does dim byd mor farwol yng Nghymru nac Ewrop â hon, ac o gymryd i ystyriaeth nad oedd Cymru cyn-Rufeinig yn soffistigedig mewn cynhyrchu moddion gwenwynig fel y Rhufeinwyr a'r

Groegwyr ac eraill, hon fuasai'r unig fodd ar gael. [**gwenwyn**, yn dod o'r Lladin *venenum* – Gol.]

Gyda llaw mae gan Dr Dafydd Alun Jones restr o gynhwysion posibl Crochan Ceridwen.

Cofiais hefyd olion hen iaith Môn yn iaith Harri Williams, Tai-mwd, Pen-y-sarn. Iaith lafar a chynaniad Llŷn/Eifionydd oedd gan fy nhad, ac etifeddodd fy mam yr un ffordd o siarad oddi wrth ei nain, Lisi Jones Pencefn Bach, a'i mam Kate Owen oedd yn parhau'n gryf dan ddylanwad Llŷn ac Eifionydd. Felly roedd darganfod cynaniadau hen iaith yr ynys yn ddieithr ac yn ddiddorol i mi. **Bwrn** ddywedai Harri Williams yn lle **barn**, fel **mae'r dyn yna yn fwrn arna i, wd** a ddywedai yn lle uwd. Wrth gofio sgyrsiau gyda'r diweddar Robin Jones Rhosydd, deuthum ar draws mwy o enghreifftiau o'r hen gynaniadau, sef **cŵn ffyrnig ddiawledig fel llwod** – (yn lle *llewod*). Roedd eu hacen yn arafach gyda phwyslais ar yr -**w**-. Ar bwnc yr acen anogaf rai o'r Brifysgol i fynd ar unwaith i bentref Cemaes a'r cyffiniau gydag offer recordio i gofnodi hen acen Cemaes a glywir o hyd gan rai fel y Gof a Twm Jones, Caeregog, sydd ger Gorsaf Bŵer yr Wylfa. Rai blynyddoedd yn ôl, yn yr 80'au, daeth Radio'r Werin (C.B. Radio) yn gyfrwng pleserus i rai yn eu 60au a sgyrsient am oriau arni. Roedd bron pawb yn methu deall pam roedd acen rhai fel Twm Caeregog bron yr un fath ag acen Llŷn, ac yn taeru eu bod yn trawsdderbyn o Lŷn ac nid o Gemaes. Mi fuasai'n drasiedi i'r hen acen yma, mor wahanol i acen Môn, fynd i'w thranc heb ei chofnodi.

Colch – gair a ddefnyddid yn ardal Carreg-lefn/Llanfechell/Rhos-goch am **biso**. Pan oeddwn yn blentyn ifanc iawn yn y Llan clywais fy nhaid, William Owen, yn adrodd hen straeon o ardal ei febyd, Cefn Roger, Carreg-lefn lle roedd ei dad John Owen yn dyddynnwr a phorthmon gyda chryn ddawn at arddio. Fo oedd y cyntaf bob amser i dyfu *slots* (*spring onions*) neu *sibols* a rhoddai ambell i fwnsiad yn anrheg i'w gymdogion. Yn ôl fy nhaid roedd un hen wreigan yn farn ar yr hen fachgen a bob dydd yn gofyn am *slotsyn* neu ddau i fynd. Hynny oedd tan i fy nhaid (yn llanc bryd hynny) dynnu ei choes a honni iddi mai cyfrinach ei dad dros dyfu *slots* mor dda a chynnar oedd gwagio'r *potyn colch*, sef y potyn siambar, drostynt bob bore. Dyna fu diwedd ei swnian am fwy ohonynt byth mwy! Wedi i mi daenu mwy ar fy adenydd a chrwydro cefn gwlad gyda fy nhad chwalwyd fy argraff mai cynnwys y jwg a'r basn molchi wedi eu gwagio i'r potyn oedd *colch*, a chefais wybod nad oedd gan y gair *colch* ddim math o gysylltiad â *golchi* neu *ymolchi*, ond mai'r hen air am *biso* ydoedd. Clywais y gair laweroedd o weithiau gan yr hen amaethwyr a gweision fferm. Er enghraifft, bod lliw rhyfedd ar *golch* buwch yn sâl; a bod hwch yn *colchu allan* gynnwys ei phledran (*bladder*) cyn setlo lawr i eni moch bach, a hyn yn cael ei ddisgrifio fel *glafychu*, sef paratoi i roddi genedigaeth; bod caseg neu ferlen yn *colchu* cyn derbyn march neu stalwyn, a hefyd sylwad Jim Francis Hughes – cyn-was fy nhad – oedd yn bendant mai'r modd gorau i gael 'madael ag eithin oedd porthi gwartheg â gwair yng nghanol llwyn o eithin, gan fod *colch* y gwartheg yn eu lladd.

Dywediad sydd yn fyw hyd heddiw ydi bod cae o laswellt yn *las fel sibols,* sef yn wyrdd tywyll, iach a maethlon. *Sibols* wrth gwrs ydi wynwyn ifanc.

Heifio – gair a ddysgwyd i mi gan Jim Francis Hughes, gwaith annymunol ac afiach, sef blingo cnu dafad farw i ffwrdd oddi ar y sgerbwd i achub ychydig o wlân a'i gadw hyd pacio a gwerthu'r gwlân fis Mehefin. Gwaith y gwas bach oedd **heifio** defaid marw, nid gwaith dymunol i godi blys bwyd ar neb, ac yn enwedig pan fo raid gadael y corff i chwyddo yn gyntaf cyn i'r cnu ddechrau llacio. Gwaith drewllyd iawn!

Mwydion – fe esbonnir y gair yma yn y *Geiriadur Mawr* fel rhannau meddal, neu *soft parts* neu *pith* yn Saesneg a'i ferfenw **mwydioni** fel briwsioni. Ond hen air amaethyddol ydi **mwydion** ym Môn a Llŷn/Eifionydd am gae o lafur wedi ei baratoi gyda'r gwŷdd, rowler disg ac og yn barod i gael ei hau. *Seed bed* ydi **mwydion** yn Saesneg.

Gŵyl Dydd Llun – clywais y dywediad yma eto gan y diweddar Siôn William. Dywediad o ogledd-ddwyrain Môn i ddisgrifio hen ffair a marchnad dydd Llun, Amlwch. Roedd hi bron yn grefydd i amaethwyr, tyddynwyr a chrefftwyr gwledig fynychu Ffair Amlwch ar ddydd Llun i brynu a gwerthu da byw, menyn, wyau, moch bach, dofednod ac yn y blaen, ac yn gyfle i grefftwyr fel **dynion caled** a **jocis** (rhai fyddai'n paratoi ceffylau ifanc at waith) gael gweld darpar gwsmeriaid. Parhaodd Ffair Amlwch fel marchnad da byw tan y 50au cynnar y tu ôl i safle yr hen sinema, dan Charlie Jones yr ocsiwnïar lleol. Doedd hi erioed, meddai Siôn William, yn ffair gyflogi nac ychwaith mor llewyrchus â marchnadoedd amaethyddol a da byw Llannerch-y-medd, ac yn fwy diweddar Llangefni, a chymerodd flynyddoedd lawer iddi ddisodli Llannerch-y-medd fel marchnad amaethyddol. Rhaid oedi eiliad yma a chofio ac ystyried hyn – os wyf i, a anwyd yn 1948, wedi derbyn hanesion gan Siôn William a'i debyg a anwyd bron i 70 o flynyddoedd yn gynharach, a bod Siôn William a'i debyg yr un modd yn cofio rhai a anwyd ar ddechrau'r 19eg ganrif, ac os wyf fi yn cofio straeon am fy hen daid, Herbert Jones, a'i gyfnod o tua 1850-1925/26, can mlynedd cyn fy ngeni yn 1948, roedd Siôn

William yn bendant wedi derbyn straeon a hanesion o ddiwedd y 18fed ganrif, a hynny o gymdeithas mor hynod o sefydlog, hyd heddiw, â Charreg-lefn. Fy mwriad, drwy ymarfer fy mathemateg fel hyn, yw ceisio profi mai o ddyddiau cyn y chwyldro diwydiannol y galwyd marchnad Amlwch yn **Ŵyl Dydd Llun** pan oedd y lluoedd o grefftwyr diwydiant cartref drwy Brydain yn gweithio oriau maith i gael gŵyl ar ddydd Llun. Mor bwysig oedd cael seibiant ar ddydd Llun fel y gelwid dydd Llun ganddynt yn *Saint Monday*. A chan gofio bod gogledd-ddwyrain Môn yn y cyfnod cyn y chwyldro diwydiannol yn gweini porthladdoedd Cemaes, Amlwch a Moelfre, yn ogystal â mwynfa gopr Mynydd Parys, yn gweini hefyd holl ofynion llawer o bentrefi a'r gymdeithas amaethyddol yn ogystal, roedd yna amrywiaeth niferus o grefftwyr diwydiant cartref yn y rhanbarth. Er enghraifft roedd enwau bythynnod yn coffáu crefft eu deiliaid fel Tŷ Hoelion, Rhos-goch, sydd bellach wedi ei ddymchwel yn llwyr, a gwneud hoelion allan o fariau dur a phres yn ddiwydiant cartref pwysig bryd hynny; roedd sawl 'refail, tafarn (bragdai lleol bach), melin, pandy, siop ac eraill yn rhan o enwau bythynnod a thyddynnod yn yr ardaloedd yma. Dim ond yn ardal Rhos-goch roedd yna syrffed o efeiliau – Refail Wen, Refail Newydd, Refail Pengarnedd, Refail Rhosbeirio, Hen Efail, mewn un plwyf ac yn hollol bendant nid gweini anghenion ffermydd a wnâi y rhain i gyd. Yr un fath oedd y tafarnau, Dafarn Newydd, Dafarn Hwyaid, Dafarn Dywyrch – y cyfan yn yr un plwyf ac yn fragdai yn hytrach na thafarn gonfensiynol. Ac eithrio Caergybi, hon oedd yr ardal brysuraf drwy'r ynys ac ynddi lawer iawn o grefftwyr. A does yr un farchnad arall ar yr ynys wedi ei henwi'n **Gŵyl Dydd Llun**.

Pwdin llo bach – roedd hwn yn ddanteithfwyd achlysurol trwy'r ynys, a'r tir mawr hefyd. Doedd ond un cynnwys i **bwdin llo bach**, sef *colostrum* – llaeth trwchus a gludiog buwch newydd eni llo. Mae'r llaeth yma, a elwid yn syml yn **llaeth llo bach**, yn cael ei gynhyrchu gan y fuwch am 3-4 diwrnod ar ôl dod â llo ac yn cynnwys nid yn unig y maeth angenrheidiol y mae'r llo ei angen yn ei ddyddiau cyntaf ond yn cario yr *antibodies* a'r fitaminau pwysig i gadw'r llo rhag haint a rhoddi cychwyn da iddo. Pan fo buwch fagu un-llo fel y Fuwch Ddu Gymreig yn geni a magu llo ei hun, a ddim yn cael ei godro, mae hi'n gallu rheoli yn reddfol faint o laeth y mae angen ei gynhyrchu heb iddi fod angen ei godro rhag dal **clefyd y gader** *(mastitis)*. Ond pan fo buwch odro, yn hytrach na buwch fagu un-llo, yn geni llo mae faint o laeth y mae hi'n ei gynhyrchu yn llawer mwy, oddeutu 4½ – 7 galwyn, a rhaid annog a symbylu'r cynhyrchiad yma drwy ei godro yn sych, a'i bwydo yn drwm o'r cychwyn, a hyd yn oed cyn hynny pan oedd hi'n hesb, drwy gario digon o rawnfwyd iddi; mae maint y **llaeth llo bach** yn llawer mwy nag y mae'r llo ei angen. Hefo'r **llaeth llo bach** tros ben, fe'i rhoddid mewn dysgl yn y popty poeth a gadael iddo dwchu yn gwstad trwchus – a hynod o flasus. Profais y danteithfwyd yma ar lawer achlysur, a'i fwynhau. Mae'n debyg iawn i gwstad ŵy hufennog.

Yr un ydi Wil Glyn â'i glocsia – dywediad poblogaidd o hyd. Ei ystyr ydi nad yr un neges gewch chi gan y gwas a'r meistr, neu gan y tad a'r mab, neu gan gyd-gynllwynwyr.

Yng ngenau'r sach rhaid cynilo – Glan Gaeaf rhaid cychwyn cynilo ar wair o'r das wair, nid aros tan y gwanwyn, ac yn yr un modd ar ddiwrnod cyflog y mae'n rhaid cynilo ac nid ar y diwrnodau canlynol.

Difodir sŵn yr iaith, ond nid ar enau plant bach – clywais hon gan fy nghyfaill Gwynfor Jones. Dwn i ddim beth oedd yr achlysur gwreiddiol i egluro'r dywediad. Ond, i godi calon pawb sy'n caru'r iaith Gymraeg, fe dystiais fwy nag unwaith fod gan enethod ifanc, ran amla, rhai yn mynd drwy gyfnod rhwng 12-15 oed, ryw ffasiwn fympwyol o siarad Saesneg gyda'i gilydd er eu bod o aelwydydd Cymraeg. Maent, mewn ffordd, yn difodi'r iaith Gymraeg. Ond bron yn ddieithriad maent yn dychwelyd i siarad Cymraeg o'r cychwyn gyda'u plentyn. Ac wedyn yn aros yn Gymraeg eu hiaith yn barhaol ac maent yn claddu ffasiwn fympwyol eu harddegau cynnar, yn barhaol. Tystiais i hyn droeon yn Llannerch-y-medd a Llangefni. Tydi hon yn ddihareb dda i'r egwyddor o agor a chynnal ysgolion Cymraeg yn ardaloedd di-Gymraeg Cymru?

Slanwr – disgrifiad Sir Fôn am baffiwr ffyrnig.

Methu dal y tac – dywediad o fröydd morwrol ydi hwn yn wreiddiol ond sydd erbyn hyn yn boblogaidd ledled Môn. Clywais y diweddar Caradog Jones, Cemaes, yn esbonio'r ystyr i fy rhieni. Ystyr y term, yn wreiddiol a thechnegol yn ôl Caradog, oedd cwch neu long hwyliau yn ceisio hwylio'n groes i'r gwynt trwy **dacio** (*tack* yn Saesneg). Hynny ydi, gadael i'r gwynt croes daro ymylon yr hwyliau a'i chludo yn lletraws o'r dde i'r chwith bob yn ail a'i galluogi i gyrraedd ei chyrchnod yn y diwedd, er yn dacteg araf. Pan fethai'r llywiwr â throi y gwch, neu'r llong, ar yr adeg allweddol fe'i gadewid yn llonydd gyda'r gwynt yn chwythu i'r hwyliau oddi allan yn lle oddi mewn, gan ddifetha'r symudiad. Rhaid cyfaddef fy mod yn anwybodus o symudiadau cwch hwylio a dyma'r esboniad gorau o'r dacteg o **dacio** y medraf ei roddi. Awgrymaf, os oes diddordeb pellach yn hyn gan y darllenwyr, iddynt holi person sy'n gyfarwydd â iot hwylio i gael gwell esboniad. Ystyr **methu dal y tac** fel dywediad ydi methu mewn ymdrech i gyflawni rhywbeth fel tasg o waith, neu fethu cadw i fyny ag eraill. [**tac**, newid cwrs, fel yn 'rhoi ail dac arni' – Gol.]

Deryn drycin – hen ddywediad fy nain, Kate Owen, am besimist. O bosib daw hwn o weld gwylanod môr yn hedfan i ymochel ar y tir cyn storm. Defnyddid ef hefyd am un a garai gludo newydd drwg neu sgandal.

Ci rhech – disgrifiad o gi bychan anwes, dibwrpas (*lap dog*). Ond fe honnai fy nhad fod dehongliad lliwgar a hynod ddoniol i sut y cafodd **ci rhech** ei deitl. Honnai mai o gyfnod y byddigion a'r landlordiaid y daeth i ddisgrifio llu o gŵn bach dibwrpas mewn plasty. Dyma'r adeg pan oedd y byddigion yn arfer gwledda ar nifer o gyrsiau o fwydydd maethlon, drudfawr a sbeislyd gydag amrywiaeth o winoedd gyda phob cwrs – roedd presenoldeb y cŵn yma yn yr ystafell yn hanfodol. Yn hwyr neu'n hwyrach byddai un neu fwy o'r gwahoddedigion crachlyd yn sicr, yn ystod y ddwy neu dair awr a dreulient yn **storgatsio**, yn torri gwynt – o'r pen mwyaf annerbyniol, sef taro rhech uchel neu ddrewllyd. Yna, i sbario embaras i seiniwr y sŵn neu bensaer y drewdod, fe orchmynnai'r gwestywr mewn tôn o atgasedd, i un o'r gwŷr traed neu forwyn alltudio rhyw gi anffodus a rhoi'r bai arno fo fel bwch dihangol. Gan fod llawer o wahoddedigion mewn gwledd fe gedwid nifer o gŵn yn yr ystafell giniawa i sicrhau bod bwch dihangol ar gyfer bron bob un a oedd mewn perygl o seinio'i utgorn yn ystod y wledd. Wel, dyna ddehongliad fy nhad, o leiaf, a rhaid cofio, i fod yn wrthrychol, fod ganddo atgasedd enfawr at y landlordiaid a'u tebyg a'i fod yn hanu o linach hir o denantiaid a ddioddefodd adeg Rhyfel y Degwm.

Rhoi'r pump – rhoddi clustan neu fonclust.

Rhyw ddydd Gwener – dywediad fy nain, Kate Owen, sy'n parhau ar ddefnydd gan ei mab, fy ewyrth Albert Owen. Defnyddid hwn yn yr ystyr yma – *mi gânt eu haeddiant rhyw ddydd Gwener*, neu *ddoith hi'n ddydd Gwener arno fo (neu hi)*. Hynny ydi, mi ddoith dydd ei gosbedigaeth pan ddoith ei bechodau, neu ei gamweddau, i'r golwg yn annisgwyl a llym fydd y gosb. Rhaid holi mwy ar fy ewyrth i geisio dod o hyd i wraidd y dywediad yma ond fe dybiaf mai cyfeiriad at Ddydd Gwener y Groglith ydi hwn. Nid, wrth gwrs, yn dynodi haeddiant am fod pechodau Crist wedi dod iddo ar ddydd Gwener, ond bod ei dynged wedi ei chyflawni ar y diwrnod hwnnw. I'r rhai sydd o'r farn bod y fath beth â rhagordeiniad fe ddoith tynged y drwg i'r amlwg a chyflawnir eu tynged hwythau o gael eu dal a'u cosbi. Gyda llaw, y tro olaf i mi glywed Albert Owen yn defnyddio'r dywediad yma oedd adeg ymchwil yr heddlu i honiadau o lygredd 'mysg aelodau a swyddogion Cyngor Bwrdeistref Môn!

Ciando – gair hynod o boblogaidd ym Môn i ddisgrifio gwely – 'Mae'n amser i mi fynd i'r *ciando*.' [*ciando*, dan y gair cando yng *Ngeiriadur Prifysgol Cymru* ac efallai o cefndo. Yno dywedir ei fod ar lafar yn Arfon ac ardal Ffestiniog ond mae'n gyffredin ym Môn hyd heddiw; yr ystyr yw gwely – Gol.]

Siambar sori – yn yr ystyr 'Chewch chi fawr o sgwrs ganddo fo (neu hi); mae *yn y siambar sori*', hynny ydi, yn sorllyd neu wedi pwdu am ryw reswm heb awydd i siarad ag unrhyw un. Deillia y dywediad yma o Rosyr ac fe'i dysgwyd i mi gan Iris Owen Jones. Tarddiad y dywediad yw cyfnod y Bwthyn Cymreig efo cegin, siambar (ystafell gysgu drws nesa i'r gegin), a chroglofft uwch ei phen. Yr unig fan preifat i fudo iddo i bwdu yn fud oedd y siambar. Mae'r gair **sori** yn air sy'n gyfyngedig i Fôn ac yn golygu bod rhywun wedi pwdu, sef 'Mae o **wedi sori** ers meityn,' neu '**sora** ta'r diawl, dim ots gen i.'

Dywediad arall da iawn a glywais gan Iris Jones na chlywais mono yng ngogledd-ddwyrain na chanolbarth yr ynys ond sy'n boblogaidd iawn yn Rhosyr ydi – ***mae siswrn bach yn torri'n bell***. Hynny ydi, pwysleisio'r perygl o drafod unrhyw beth cyfrinachol neu sensitif o flaen plentyn sydd i'w weld i bob pwrpas yn chwarae yn ddistaw wrth draed yr oedolion a ddim yn rhoi'r argraff ei fod o neu hi yn cymryd unrhyw fath o sylw o'r drafodaeth. Y gwrthwyneb sy'n wir, gan fod gan bob plentyn y ddawn anhygoel i gofio sgwrs hir air am air, a'i hailadrodd oddi cartref.

Beulan – gair a gariodd fy nhaid John Jones o Lŷn/Eifionydd, yn golygu clustan neu ddwrn. Ond yn hen iaith Môn **beulan** oedd dwrn gan ddyn llaw chwith (*southpaw* yn y slang Americanaidd) sy'n gallu rhoi ergyd lawer mwy grymus hefo'i law chwith nag y gall dyn sy'n naturiol law dde ei roi hefo'i law dde.

Homar – dim ond ar yr ynys y clywais i hwn. Gair i ddisgrifio rhywbeth mawr neu enfawr fel **homar o ddyn, homar o ginio, homar o gweir** ac yn y blaen. Ys gwn i all hwn fod yn tarddu o Homer y bardd Groegaidd ac awdur yr Iliad a'r Odyssey? Wedi dweud hynny, nid arwr anferthol ei faint oedd Homer, ond cerddor a llenor dall crwydrol. Er hynny roedd yn fawr ei ddawn. Mae'r gair **homar** yn digwydd yn amlach ar ochr orllewinol yr ynys nag unman arall ac yn hollol fyw ac iach ei ddefnydd. [**homar**, mae *Geiriadur Prifysgol Cymru* yn awgrymu, gydag ansicrwydd < bardd Homer – Gol.]

Swllt ernas neu **yrnast** – sef y swllt a roddai amaethwr i was fferm oedd newydd ei gyflogi am y tymor yn y ffeiriau Pen Tymor fel blaendal symbolaidd fod y ddau yn gytûn ar y gontract chwe mis. Roedd dau dymor i flwyddyn amaethyddol a dwy ffair gyflogi. **Tymor Gwilihengal** (Gŵyl Fihangel, o'r 13eg o Dachwedd hyd y 13eg o Fai y flwyddyn ganlynol), a'r tymor haf, sef **Glamai** (Calan Mai) o'r 13eg o Fai hyd y **Gwilihengal**.

Gweini oedd y gair am weithio ar fferm fel gwas neu forwyn – '**Gweini ffarmwrs** oeddwn i pan oeddwn i yn fengach,' y dywedai llawer o'r hen do; byth yn gwasanaethu neu weithio i hwn a hwn, ond **gweini** i hwn a hwn neu **gweini** yn lle a'r lle.

Cist weini – cist bren, neu fetal, oedd yn cynnwys holl eiddo a dillad y gwas fferm pan âi i weini. Roedd hi'n rhan o'r cytundeb rhwng y meistr a'r gwas y buasai'r meistr yn anfon ceffyl a throl i gludo'r gist i'w chartref newydd.

Cael llian glân am y cig – sef gwas fferm yn mynd adref i'w gartref ar nos Sadwrn i nôl dillad glân erbyn yr wythnos ganlynol. Er eu bod yn cael bwyd a gwely, ran amla gyda matres llawn o ŷd mewn llofft stabl, nid oeddynt yn cael golchi eu dillad ar y fferm fel arfer.

Yn sgut neu **yn sgit am ….** – fel **yn sgut am hela**, sef yn frwdfrydig dros hela.

Sgipar, a'i ferf **sgiperio** – un yn gofalu am redeg tŷ fferm (ran amla) yn tarddu o **howscipar** (*housekeeper*).

Hen wraig fy mam – ffurf gwrtais a llawn o barch a glywir yn aml gan rai tros ganol oed ar yr Ynys pan fyddant yn cyfeirio at eu mamau. Ond yn rhyfedd iawn, fyddan nhw byth yn cyfeirio at eu tadau yn yr un modd trwy ddweud hen ŵr fy nhad, ond bob tro fel **hen fachgen fy nhad**. Od ynte? Yn gyffredinol, pan mae pobl Môn yn cyfeirio at yr henoed fel **yr hen wraig druan** dydyn nhw byth yn cyfeirio at ddyn oedrannus fel yr hen ŵr druan, ond bob amser fel yr **hen fachgen truan**.

Tynnu llaw hyd ben ci brathog, sef defnyddio tact mewn geiriau eraill gyda'r egwyddor o fynd ati i wneud ffrindiau â chi mileinig. **Rhoi caws i gi** ydi'r fersiwn arall sydd yn hynach ac yn cael ei defnyddio lawer ers talwm gan yr hen do. Mae ci yn sgut am gaws a byddai gwas ffarm yn rhoddi danteithion bach o dameidiau o gaws i gi cas i wneud mêts.

Sbloitsh – gwneud arddangosfa anghyffredin o grand. All hwn ddod o'r Saesneg *explode* neu *exploit*?

Seiat diafol – i ddisgrifio cynulliad yn dod at ei gilydd i gynllwynio drwg neu ddireidi. Defnyddid hwn hefyd i ddisgrifio cymdeithas tafarn.

Boddi cathod bach mewn dŵr cynnes – fersiwn arall o **hitio'r post i'r pared glywed** neu gyfeirio cerydd i rywun yn anuniongyrchol.

Hogia – yn ôl arfer Ynys Môn fe gyfeirir at blant fel ei gilydd, genethod a bechgyn, fel **hogia**, ac mae hyn yn peri dryswch mawr i Gymry'r tir mawr. Ond **hogia** y deil pobl Môn i'w ddweud o hyd. Gelwid genethod yn **hogia merched** gan yr hen do. R.R. Parry, Bryn Alaw, Gwalchmai oedd yr olaf i mi ei glywed yn defnyddio'r term yma yn ystod y 60au.

Corgi neu **cwrgi** – porthmyn ac amaethwyr oedd llinach fy nhad a fy nhaid tadol, hynny ydi, hen borthmyn trwyddedig a yrrai'r Gwartheg Duon o Wynedd i Gaerlŷr a Llundain. Arhosodd y ddawn a'r traddodiad o borthmona, sef prynu a gwerthu da byw, yn fy nheulu hyd heddiw, ond fy hen daid Herbert Jones oedd y porthmon trwyddedig olaf oedd yn cerdded yr hen lwybrau porthmonaidd tros Glawdd Offa. Er i'r gwartheg gael eu hanfon i ben eu taith yn Lloegr gyda'r rheilffordd (pan ostyngwyd prisiau cludo da byw yn yr 1890au), rhaid, yr un fath, oedd cerdded gwartheg o ardal i ardal gan y porthmyn lleol, yn enwedig mewn ardaloedd lle nad oedd rheilffordd, hyd nes dyfodiad lorïau gwartheg yn y 50au cynnar. Rhaid oedd i fy nhad ymadael â'r ysgol yn 13 oed i weithio gartref gyda'i dad, a'i brif waith oedd nôl gwartheg a brynwyd gan fy nhaid, heb ddim math o gymorth ond y cŵn. A dyna hefyd oedd gwaith fy nhaid pan oedd yn ei arddegau. Doedd hi ddim yn eithriad cerdded gwartheg 15-18 milltir y dydd yn ystod yr haf a chyda'r nosau golau. Gyda llaw, 15-18 milltir yw'r cyfan y gall gwartheg ei gerdded mewn diwrnod – hanner pellter ceffyl da ac ystwyth. Roedd gan yr hen borthmyn trwyddedig, a'u holynwyr, ddau fath o gi i fynd â gyrr o wartheg i ben eu taith – sef y *ci cwr* neu *cwrgi*, a *chi cyrraedd*, cŵn o frid cŵn defaid oedd wedi eu dysgu i hel a nôl gwartheg. Gwaith hwn oedd bugeilio'r gyrr, yn enwedig ar gychwyn y daith pan fyddai'r gwartheg yn fywiog a gwyllt, a buasai *ci cyrraedd* yn ddigon hirgoes a heini i basio gwartheg ar garlam a'u troi yn ôl drwy frathu eu trwynau – *ci trwyn*, sydd hyd heddiw yn fil gwaith mwy effeithlon na *chi sawdl*. Y *cyrraedd* oedd rheng flaen y gyrr, a'r tu ôl oedd y *cwr*. A fan honno oedd safle y *cwrgwn*, i sodlu y gwartheg pan oeddynt yn arafu ar ôl blino. O'r ddau frid corgi ceir y Penfro, byr ei flewyn – *ci llathan* yw'r term am y rhain oherwydd eu cyrff hir – a'r Ceredigion, sydd yn llai ac yn flewyn hir gyda llawer mwy o ynni na'r Penfro trwsgl. Rhain, y Ceredigion neu'r *Cardigan Corgi*, oedd y cwrgwn, ac maent yn cael eu defnyddio hyd heddiw yn y canolbarth a Cheredigion ar ffermydd gwartheg. Fyddai fy nhad byth heb gwrgi a theimlai fod lle i un o'r rhain pa mor loyw bynnag oedd ei **gŵn ffarm** – hynny ydi, cŵn defaid sydd yn gweithio gyda gwartheg a defaid.

O'i gwr i'w gyrraedd – er i'r term yma gael ei ddefnyddio ar sawl achlysur yn y byd amaethyddol, fel 'Mi feda'i y cae gwair yna *o'i gwr i'w gyrraedd* cyn noswyl,' honnai fy nhad mai term porthmonaidd oedd hwn yn wreiddiol.

Slensio – herio rhywun i gwffio. Mae'n amlwg mai o'r Saesneg to *challenge* y daw'r gair yma. Defnyddid ef ledled Môn.

Iwsio – yn yr ystyr yma fe ddefnyddid **iwsio** i ddisgrifio y dasg hir o ddysgu ceffyl ifanc i'r amrywiaeth o waith roedd yn rhaid iddo ei feistroli ar y tir. Ni ddefnyddid y term dysgu *ceffyl* neu *arfer ceffyl* ym Môn ond **iwsio ceffyl**.

Twsu neu **dysgu ebol i dwsu** – y dasg gyntaf un wrth dorri ebol i mewn. Hynny ydi ei ddysgu i ddod i arfer ac ufuddhau i benffyst; tasg galed ond difyr pryd y rhwymid rhaff hir i gortyn y penffyst a'i chlymu mewn **cylch twsu** – cylch haearn wedi ei osod ar barad allanol cwt fferm. Yna âi dau neu dri dyn i dynnu ar y rhaff a thynnu'r ebol yn nes atynt o hyd a phan oeddynt eisiau seibiant clymid y rhaff yn y **cylch twsu** i wneud i'r ebol feddwl mai nerth y dynion oedd yn ei ddal ymlaen. Mwya'n y byd yr oedd yr ebol yn strancio cynta'n y byd y gildiai'r frwydr a dod i arfer cael ei dywys fel oen bach.

Wedi mynd i'r gwellt – wedi methu ar y dasg, neu yn fethdalwr. Cyfeiriad yw hwn at wenith sydd wedi cael ei adael yn rhy hir heb ei fedi, nes gwywo'r coesyn sydd yn syth o dan y brigyn a pheri i'r brigyn grawn gwympo i'r ddaear.

Llan llwgu – disgrifiad o fferm lle roedd y bwyd yn gynnil a phrin i ddyn ac anifail. Defnyddid yr un disgrifiad i gaeau pori llwm neu i fferm oedd yn isel ei safon ffrwythlonder o achos diffyg gwrtaith a hwsmonaeth addas.

Wrthi fel lladd nadroedd – gweithio â'r holl egni yn ddi-baid. Daw'r disgrifiad neu'r gyfatebiaeth yma o'r anhawster i ladd neidr, yn enwedig y wiber, sydd fel arfer yn swil, gyda gallu anhygoel i ymladd am ei bywyd pan fydd unrhyw beth yn ymosod arni. Tydi un trawiad â ffon ymhell o fod yn ddigon i'w lladd, er nad yw byth fwy o faint na 18 modfedd i 2 droedfedd o hyd. Hyd yn oed pan mae ei chefn wedi'i dorri fe barhaith i daro allan i geisio brathu ac mae angen cawod o drawiadau i'w lladd – trawiadau aml a di-baid.

Mistar ar Fistar Mostyn – gellith y mwyaf grymus daro ar ei well. Ys gwn i beth yw tarddiad hwn? A ellith Mistar Mostyn gyfeirio at fyddigion, y Mostyniaid? [**Mistar Mostyn**, gyda'r ystyr yng *Ngeiriadur Prifysgol Cymru* 'every master has his superior.' – Gol.]

Mae o'n rêl bwli barlat – fel arfer nid am fwli ond plentyn bach hyderus a di-ofn. Yn wir, roedd cymeriad hanesyddol morwrol, yn ôl y meddyg John Owen, ewyrth fy nhaid, o Gemaes, a fu'n feddyg llong am flynyddoedd. Barlett oedd enw'r unigolyn oedd yn gapten clipars te Lerpwl i Tsieina. Gelwid y mwyafrif o gapteiniaid y clipars yn **fwli** – yr enwocaf oedd Bully Dawson, capten y *Sea Witch* a dorrodd y record am hwylio o Tsieina i Lerpwl. Roedd y rhain ar gyfran helaeth o elw y cargo gwerthfawr ac o dan gontract i gwblhau'r teithiau mor fuan â phosibl.

Esgid crydd ydi'r sala – yn tystio'n berffaith i'r dirmyg gan grefftwr at ei grefftwaith ei hun – pa well esiampl na mecanic yn yr oes yma gyda'i fodur swnllyd wedi hanner ei baentio! Pwy sydd fwy esgeulus o'i brydau bwyd ei hun na gwraig tŷ neu gogydd proffesiynol?

Plentyn ail lin – plentyn hwyr i gwpl ar ôl cyfnod hir o amser rhwng hwn a'r agosaf ato. Clywais fwy nag un hen werinwr oedd yn siarad hen dafodiaith Môn yn cyfeirio at y tywysogion Andrew ac Edward yn blant ail lin yn y 6oau. Dwn i ddim am fath o darddiad arall i hwn heblaw yr 'ail hin' o ffrwythlonder (*second flush*) porfa ym mwynder Medi a chychwyn Hydref. [**ail-lin**, sef ail linach, neu *second brood* – Gol.]

Adlodd – yr ail dwf, ifanc a hynod o faethlon o borfa a ddaw i gae o wair wedi ei gasglu ar ôl ychydig o law.

Aelod o'r Capel Gwyn – hen ddisgrifiad digri gan bobl Llannerch-y-medd i ateb y cwestiwn – aelod o ba gapel oedd rhywun. Os gwell oedd gan yr unigolyn orffwys yn ei wely rhwng y ddwy gynfas gotwm wen yna fe atebai '**Aelod o'r Capel Gwyn.**'

Yr hen gefn – hen gyfarchiad cyfeillgar: *sut mae hi yr hen gefn?* – talfyriad o gefnder. Fe ddefnyddid hwn nid i gyfarch cefnder o waed ond fel term o gyfeillgarwch fel mae'r Saeson heddiw'n defnyddio *bro* fel talfyriad o *brother*.

Brodyn – hen gyfarchiad cyfeillgar cefn gwlad arall – *sut mae hi yr hen frodyn?* Talfyriad o *brawd*.

Cobennydd. Pan oeddwn yn blentyn chlywais i neb erioed yn cyfeirio at *pillow* fel *clustog*. *Cushion* ar gadair neu setl oedd *clustog*, ond **cobennydd** (gobennydd) oedd y gair am *pillow* gwely.

Wedi ei dorri arno – wedi ei gyweirio (ceffyl neu fustach, byth am foch).

Bwlcath – bastardeiddiad o'r Saesneg *polecat* (*mustela putorius*), y **ffwlbart wyllt** nid y ffured fawr amryliw ddof. Erbyn hyn ni ddefnyddir y gair **bwlcath** ond **pwlcat** ym Môn a **ffwlbart** ar y tir mawr. Mae hon yn hynod o gyffredin ar Ynys Môn, ond wedi dweud hynny'n hynod o guddiedig a chyfrwys ac yn bresennol hyd yn oed mewn rhanbarthau adeiledig. Mae bob amser yn trigo yn agos i gymunedau llygod Ffrengig (*llygod mawr*) a dyma yw ei hoff fwyd ers tranc y cwningod gwyllt yn y 50au o'r clwyf *mycsomatosis*. Er ei bod yn achlysurol yn lladd ffowls nid yw fawr o broblem i amaethwyr, ond mantais, o achos ei hoffter o lygod Ffrengig. Mae amryw o ddywediadau am **bwlcath** – **yn drewi fel bwlcath**, o achos y chwarenlif mwsg drewllyd mae'n ei chwistrellu o chwarren yr anws, sydd yn fath o amddiffynfa ac i nodi terfynau ei chynefin. **Yn ffyrnig fel bwlcath, yn ystwyth fel bwlcath ac yn gudd fel bwlcath**. Dyma ddywediadau cywir iawn gan mai hon yw'r ffyrnicaf o'r teulu *mustelidae*, bron i 2 droedfedd o hyd heb ei chynffon droedfedd, yn hynod o ystwyth a chastiog, ac yn gallu byw a bridio am genedlaethau mewn buarth fferm heb gael ei gweld.

Ci dŵr yw'r gair am y **dyfrgi** yn Ynys Môn, er ei fod yn brin iawn yma bellach.

Rêl ceiliog bronfraith – hen ddywediad o ogledd Môn i ddisgrifio tad sydd lawn mor ofalus a sylwgar o anghenion lleiaf ei blant â'i wraig. Mae'r ceiliog bronfraith yn rhannu'r

baich o ddeor a bwydo'r cywion yn gyfartal â'r iâr fronfraith.
Llid yr ysgyfaint neu **llid y fynwes** – hen ddisgrifiad hen do
Môn am *pneumonia*.

Dyma hen ddihareb o Rosyr a gyflwynwyd i mi gan Gwynfor
Jones –

> **Gwynt Chwefror a chwyth**
> **Cyfyd y neidr oddi ar ei nyth**
> **Mawrth cadarn a'i cyfyd hi allan**

Hynny ydi, gyda dyfodiad gwynt y dwyrain a diwedd cyfnod
y rhew fe gychwynnith y neidr ddeffro o'i gaeafgwsg (**y
wiber**, nid y **neidr ddefaid**). Pan ddoith haul cynnar mis
Mawrth a hindda (Mawrth cadarn) fe gyfyd hi allan. Y **wiber**
yw'r gynharaf o'r tair neidr sy'n frodorol i Gymru – y lleill
yw'r **neidr fraith** (*grass snake*) a'r **slorwm** neu'r **neidr
ddefaid** (*Slow worm*).

Er fod neidr angen gwres yr haul i gynnal gwres ei chorff ac
nad yw'n gallu cynhyrchu gwres corff o galorïau bwyd, mae'r
wiber Ewropeaidd yn gallu dioddef llawer mwy o oerni na'r
ddwy arall ac yn gynefin ymhell i'r gogledd o'r Cylch Arctig.
Hon yw'r unig un o'r tair sy'n geni cywion byw (ym
Mawrth–Ebrill) ac nid yn deor o wyau – felly gwir yw'r
ddihareb. Am ryw reswm fe elwir y *grass snake* yn **neidr
ddefaid** ar Ynys Môn, a rhannau o Wynedd, ond y **neidr
fraith** a geir yn y Geiriadur. Mae **nadroedd brith** a **defaid** yn
deffro'n hwyrach o'u gaeafgwsg na'r **wiber** a gwn hynny o
weithio yn y fforestydd.

Gwrtaith drain ei dorri – dywediad arall gan hen do Môn
sydd yn berffaith wir ac yn llawn mor gymwys i'r ddraenen
ddu ag i'r ddraenen wen. Pan sigid y ddraenen wen – hynny
ydi torri'r bonyn ¾ ffordd drwodd â bilwg, ei ddymchwel yn

wastad ar ei ochr, ac yna ei blethu rhwng pyst o onnen ifanc i wneud gwrthglawdd, byddai'n drech hyd yn oed na'r defaid mwyaf barus. Yn sydyn iawn fe gynhyrchai lu o frigau bach newydd a dyfai'n unionsyth a thrwchus. Wrth dwtio'r ddraenen wen, am ei bod yn tyfu dros ffos neu lwybr, fe dyfith hanner dwsin neu fwy o frigau newydd lle torrwyd yr hen gangen yn fyrrach. Hyd yn oed pan dorrir draenen wen yn ôl i'r boncyff, yn fuan iawn daw nifer o ganghennau newydd i dyfu o'r boncyff i'w hadfer yn goeden newydd. Nid oes sigo ar ddraenen ddu ac nid yw'n hawdd o gwbl ei dofi, ond gadael iddi lonydd yn ei chynefin. Nid yn unig y daw, o doriad y gangen neu fonyn, liaws o frigau bach newydd, yn llawer mwy trwchus na hyd yn oed y ddraenen wen, yn ogystal fe yrrith nifer o flaen-wreiddiau tanddaearol o'r gwreiddyn mamog – y prif wreiddyn – i godi a lledu'r llwyn hefo tyfiant o ganghennau unionsyth newydd i adfer y difrod. Trwy had y ffrwyth, yr eirin bach coch sydd yn cynnal adar yn y gaeaf, yr ailgenhedlith draenen wen, fel yr afal, y dderwen ayyb – ond nid y ddraenen ddu. Er bod y ddraenen ddu yn cynhyrchu ffrwyth – eirin duon bach neu **eirin Mair** fel y cânt eu galw ym Môn, *sloes* yn Saesneg, sydd yn cael eu defnyddio i wneud jam a gwin (*sloe gin*) – nid eu pwrpas yw ailgenhedlu'r planhigyn yr un fath â'r ddraenen wen, gan mai blaenwreiddreg ydyw fel y *rhododendron* sydd yn datblygu ei hun droeon. Gall prif wreiddyn neu wreiddyn mamog (*tap root*) y ddraenen ddu gynnal 10-12 neu fwy o blanhigion newydd, a phob un yn ei dro yn taflu gwreiddyn mamog newydd.

Cadw'r ddyletswydd – hen draddodiad oedd wedi diflannu bron yn llwyr ar ôl cyfnod y Rhyfel Byd Cyntaf ond yn parhau ar gof John Williams (Siôn Goch Rhos-y-bol), Jac Sachins a Siôn William, ynghyd â fy nain, Kate Owen (a gychwynnodd ei gyrfa yn forwyn fach yn fferm Coedana, Llannerch-y-medd yn 10 oed). Wedi brecwast ar y rhan fwyaf o'r ffermydd fe ymgynullai'r aelwyd i gyd, gweision a morynion, i glywed y meistr yn darllen rhan o'r Ysgrythur a chau gyda gweddi dros y diwrnod o'u blaen.

Pensiwn Lloyd George – disgrifiad yr hen do o'r pensiwn henoed, a gyflwynwyd gyntaf gan Lloyd George pan oedd yn Ganghellor y Trysorlys, yn Neddf Pensiwn yr Henoed 1908.

D'ewyrth a Modryb – Yn ôl Siôn Goch Rhos-y-bol, Siôn William, Jac Sachins, Kate Owen fy nain, Gruffydd Owen ei chefnder ac eraill – y cyfan wedi'u geni yn 80au cynnar y 19eg ganrif, ac i gyd (ac eithrio Gruffydd Owen, oedd yn fab fferm) wedi cychwyn gweini ffarmwrs yn 10-11 mlwydd oed, nid arferai gweision na morwynion oedd yn fengach na'r amaethwr a'i wraig eu galw'n **Feistr a Meistres** – ond **D'ewyrth** a **Modryb**, o ran parch ac yn arwydd o'r agosrwydd rhwng y teulu a'r cyflogedig. Dyma, meddai'r hen do, oedd y dull, ac fe barhaodd hyd gyfnod y Rhyfel Cyntaf, yn arwyddocaol o'r hen drefn **dylwythol** oedd yn dal i fod yng nghefn gwlad Cymru. Wrth edrych ar ystadegau amaethyddol Cymru, gwelir mai ffermydd gweddol fychan yn eiddo'r landlordiaid ac yn cael eu hamaethu gan denantiaid oedd yr uned amaethyddol fwyaf cyffredin. Er bod rhai ffermydd mawr, lleiafrif oedd y rheini a phrin y ceid amaethwr oedd ddim yn denant. Gyda maint fferm lawr gwlad ar gyfartaledd rhwng 40-80 erw a'r byd amaethyddiaeth yn wynebu dirwasgiad difrifol bob 12 mlynedd ar gyfartaledd rhwng 1845-1936, gyda rhenti uchel, yn dibynnu ar gynhyrchu yn ddwyslafurus ac angen o leiaf un dyn llawn amser ar gyfer pob 12-15 erw, caled ac ansicr oedd bywyd a bywoliaeth yr amaethwr ei hun, a'r un ymborth ac amodau gwaith oedd gan y meistr a'r gwas.

Yn wir, fe anfonid meibion fferm (fel Gruffydd Owen) gan

eu rhieni i weini fel gweision bach ar ffermydd eraill yn aml i'w hyfforddi o'r cychwyn yn nisgyblaeth gwaith. Dim ond un mab oedd â gobaith o ddilyn ei dad yn denant. Rhaid oedd i'r gweddill fynd yn weision eu hunain os nad oedd gan eu teulu arian wrth gefn i dalu prisiad tenant a phrynu stoc iddynt. Roedd yr amaethwr a'i wraig bron yn rhieni maeth i'r gwas bach a'r forwyn fach gyda llawer ohonynt yn aros i weini'r un teulu gydol eu hoes. Roedd bron bawb o'r hen do yn credu bod gwas yn llawer gwell ei barch, a'i amodau byw, ar y ffermydd llai, yn bwyta wrth yr un bwrdd â'r teulu ac yn gweithio ochr yn ochr â'r meistr ym mhob tywydd. Roedd yna awyrgylch *dylwythol* yn y cymunedau bach yma i'r graddau bod morynion yn cael eu brecwast priodas ac yn priodi o'r fferm yn hytrach nag o'u cartrefi. Roedd y term *d'ewyrth a modryb* yn adlewyrchu'r awyrgylch clòs a thylwythol yma, ac atgofion yr hen do yn llawer mwy melys o'u dyddiau ar aelwydydd y tenantiaid nag ar y ffermydd mwy. Roedd Siôn Goch yn cofio'r ffermydd a weithiodd arnynt fel 'Bûm yn was bach i d'ewyrth Huw, Bryn Pabo, wedyn es at d'ewyrth Dafydd Ynys Gwyddel yn borthwr...' ac yn y blaen. Ni cheid hyn ar y ffermydd mawrion a chofir amdanynt yn aml iawn am eu cynildeb, amarch ac amodau gwaith llymach o lawer, bron hyd at fryntwch. Doedd dim ysbryd *tylwythol* fan yma lle roedd y teulu yn bwyta ar wahân i'r gweision a'r morynion – doedd pawb ddim yn *bwyta o'r un badell* (dywediad arall hen iaith Môn) â'r teulu, a gâi ymborth llawer mwy moethus a maethlon na'r cyflogedig. Fel arfer, yn y *briws* (cegin allan tu draw i'r gegin goginio wedi'i dodrefnu'n foel, dim ond bwrdd hir a meinciau, a lle a ddefnyddid hefyd i gorddi menyn a halltu moch) y bwytâi'r gweision a'r morwynion o dan ofalaeth yr hwsmon, dyn cadarn y meistr. Gyda hwsmon i orchmynnu dros y gweision, gallai'r meistr gael llawer gwell amodau byw na'r amaethwr bach. Nid oedd fawr o agosrwydd personol rhyngddo fo a'i gyflogedig, gallai aros yn hwyrach yn ei wely yn y boreau, roedd yn is na'i urddas iddo fo wneud llawer o'r gwaith ei hun, ac roedd ei fywyd personol ef a'i deulu yn hollol ar wahân a phreifat. Roedd gan rai o'r ffermydd mawrion yma forgeisi trymion ar ôl y dirwasgiadau cyson ac i raddau helaeth nid oedd ganddynt lawer o arian i chwarae â fo, a llog uchel i'w dalu'n flynyddol oedd yn llawer iawn uwch na lefel rhenti'r ffermydd bach. Felly roedd rhaid i'r dyn mawr fod yn fforddiol 'run fath â'i gymydog y tenant, ond fel arfer ar bron bob fferm fawr roedd yr amodau'n warthus iawn. Er enghraifft, yn Ucheldre Goed, Mynydd Mechell, fe ddyfrid hyd yn oed y llaeth enwyn di-werth, cysgai'r dynion ar welyau matresi prysgwyn yn llawn o lau, ac yn ôl Owen Roberts, rhoddid cig moch iddynt fwyta oedd yn llawn o gynrhon am na chafodd ei halltu'n iawn.

Roedd *sgipar* Chwaen Goch, Llannerch-y-medd, mor fudr a'r bwyd mor warthus fe gyfansoddwyd baled llofft stabl i gofnodi'r ffaith –

> *Os ewch i Chwaen Goch leni, ewch yno fel es i*
> *Cewch fara llaeth i frecwast bron ffieiddio calon ci*
> *A llgada mawr rhen Ema fel cocos ar y traeth*
> *Yn sbïo ar y llancia yn llowcio'i bara llaeth*

Cenir hon hyd heddiw yn nhafarndai y Llan i alaw *Ffarwel i Blwy Llangywer a'r Bala Dirion Deg*.

Mae gen i lawer iawn o esiamplau o gofnodion yr hen do yn ymwneud ag amodau gwaith ar y ffermydd mawrion ac nid ydynt yn atgofion melys o bell ffordd. Er hynny, roedd eithriadau gyda gweision yn cystadlu am gyfle i weini yn Gemaes Fawr, Cemaes, a Neuadd, Cemaes lle bu Bob Hughes (Bob Bach Neuadd) yn gweini o 11 mlwydd oed hyd oed pensiwn henoed. Yn eironig iawn, erbyn heddiw Chwaen Goch Llannerch-y-medd sydd â'r amodau gwaith a'r cyflog uchaf ym Môn, os nad yng Nghymru!

Gini hyntar – o'r Saesneg *guinea hunter*. Hen derm porthmonaidd/amaethyddol am ddyn fyddai'n hela bargeinion i borthmon ar hyd y ffermydd – nid yn borthmon ei hun ond un fyddai'n dod o hyd i dda byw ar werth, neu addas i'r porthmon i roddi cynnig arnynt. Mae **gini hyntars** ar fod heddiw – nid ydynt wedi newid, gyda chymeriad ffals a dan-din a hynod o gelwyddog a thwyllodrus. Tyddynnwr neu ddyn rhy ddiog i weithio oedd **gini hyntar** fel arfer, a chafodd yr enw ar ôl y ffi o **gini** – punt a swllt – a delid iddo am gyfryngu rhwng yr amaethwr a'r porthmon a sicrhau bargen i'r porthmon.

Siag neu **siagwch** – cynanir yn **shag**, er nad yw o darddiad Saesneg. Gair Môn am borfa wedi rhedeg yn welltog a dryslyd ydi **siag**. Mae'n fuddiol adeg y gaeaf ond yn cynnwys fawr ddim o faeth. [**siag**, yn y *Shorter OED*, dan y gair *shag*, ceir *a tangled mass of shrubs, trees, foliage etc.* 1836. Yn *Geiriadur Prifysgol Cymru* mae'r enghreffttiau yn gyfyng ond ceir yr ystyr gwlân garw – Gol.]

Yn nhoriad ei fogail – peth sydd mewn unigolyn o'i enedigaeth. Cofiaf fy nain Kate Owen yn ei ddefnyddio yn aml – **roedd ticiau ynddo fo yn doriad ei fogail, neu mae'r felan ynddo ers toriad ei fogail**, pan fyddai rhywun yn etifeddu salwch o'i dylwyth a'i achau. Meddyliais mai term i ddisgrifio salwch cynhenid oedd hwn nes clywed y diweddar Twm Parri Jones yn disgrifio anner (heffar) drom o lo – **mae llaetha da yn hon o doriad ei bogail**, sef bod hon o linach o fuchod llaethog. Tybiaf ei fod wedi cynnwys y dywediad yma yn ei waith yn rhywle.

Troi ei wyneb i'r parad – wedi rhoi i fyny ar y frwydr, yn enwedig i ddisgrifio rhywun yn wael o pneumonia ac wedi rhoi'r gorau i'r ewyllys i fyw. Hefyd fe ddefnyddid hwn i ddisgrifio'r pruddglwyf neu'r felancolia sef **clefyd y felan** neu **gyfnod y felan** gan ddweud – *sut mae John ofynnoch chi? Mae'r hen gyfnod o felan wedi dod heibio fo eto.* Soniodd fy nhad wrthyf droeon fod clefyd y felan yn waeledd hynod o gyffredin yng nghefn gwlad Môn, ac yn llawer mwy o broblem ar yr ynys nag ar y tir mawr. Nid eithriad oedd i un a drawyd gan **glefyd y felan** encilio i'w wely a chefnu ar y byd yn gyfan gwbl am gyfnodau o 3-4 mis **wedi troi ei wynab i'r parad** ac mewn cyflwr o anobaith meddyliol ac ysbrydol dwfn iawn, yn fwriadol fud a byddar i bawb, mor ddwys oedd y pruddglwyf. Mor ddirfawr oedd iselder eu hysbryd roedd yn drech ar y reddf sylfaenol i godi a gweithio er mwyn ennill ceiniog ac osgoi mynd ar y plwyf neu i'r wyrcws. Damcaniaeth fy nghyfaill Dr Richard Williams, Bodorgan oedd fod y **felan** yn gyffredin drwy Gymru o achos natur emosiynol y Celt, gan fod hwn yn gyffredin hefyd yn yr Alban, yn enwedig yr ynysoedd, ond, fel ynysoedd yr Alban, yn llawer mwy cyffredin ym Môn o achos mewnfridio helaeth ymhlith y boblogaeth sefydlog. Doedd Môn erioed wedi denu llawer o Gymry'r tir mawr i ddod i weithio i'w chymdeithas gefn gwlad – roedd yn fwy o draddodiad i lanciau o Fôn fudo i weithio i'r tir mawr o achos sgiliau arbenigol hogia 'Gwlad y Medra', yn enwedig hefo ceffylau a gwartheg. O'r gorau, fe roedd mewnbriodi eang rhwng gweision o un rhanbarth a morynion o ranbarth arall o'r ynys ond ar ôl canrifoedd o hyn doedd fawr o waed ffres. Roedd tylwyth fy nhaid, William Owen, oedd yn enedigol o Garreg-lefn, mor eang nes y gallaf hyd heddiw gyfrif disgynyddion yr hen deulu Owen yn eu dwsinau yn gefndryd a phellach o'r un gwaed yn deuluoedd mawrion o Rydwyn i Gemaes a draw i Burwen, Carreg-lefn, Rhos-goch a rhannau helaeth o Fro Alaw a Llannerch-y-medd. Roedd 14 ohonynt gyda'r un gymysgedd gwaed yn Ysgol Gyfun Thomas Jones Amlwch ar un pryd. Nid yn dylwyth bellach ond yn llwyth, a llwyth sydd yn fregus iawn i *glefyd y felan*, ac yn parhau i fod. Am ryw reswm nid oedd *clefyd y felan* yn fawr o broblem i gymdeithas forwrol yr ynys, er gwaethaf y mewnfridio eang yn nalgylchoedd pentrefi arfordirol Moelfre, Amlwch a Chemaes, ond yn gyfyngedig ran amlaf i'r gymdeithas amaethyddol a chrefftwyr y pentrefi. Dwn i ddim pam roedd hyn yn llai o broblem i'r byd llongau, os nad oedd dull eu bywydau a'u bywoliaeth yn wahanol a bod mwy o sbeis mewn bywyd morwr. (Gweler *Hen Iaith Amlwch*, llyfryn difyr sydd yn ein goleuo ac yn tystio mai *joinio* llong fyddai llongwr, nid *ymuno* na gweini). Aent ar long newydd yn weddol aml a chael ymestyn eu gorwelion i fannau pellaf y byd yn lle bywyd sefydlog ac undonog. Dim ond yn y cyfnod diweddar, yn 80au'r ganrif hon, y darganfuwyd S.A.D. (*seasonally acquired depression*) fel cyflwr ynddo'i hun, cyflwr yr wyf fi fy hun yn dioddef ohono, a llafn deufin sy'n taro yn y gwanwyn. Dyma pryd y ceir rhyw fath o noethni a hiraeth am dywyllwch cysgodol y gaeaf, ac wedyn i'r gwrthwyneb ar ddechrau'r gaeaf pan ddaw *claustrophobia* a hiraeth am y goleuni, yn ogystal ag effaith hinsoddol ar gemegau'r ymennydd. Doedd hwn ddim yn dod i ran morwr oedd wastad yn arfer â phrofi haf a gaeaf sawl gwaith yr un flwyddyn ar fordeithiau – rhai a olygai ei fod un mis yn glanio yn nhywydd Arctig Murmansk yn Rwsia, ac ymhen mis yng ngwres a hindda y trofannau.

Roedd gwanwyn a Glangaeaf yn berygl bywyd am godi *cyflwr y felan*, ynghyd ag unrhyw atalfa neu siomiant i'r gymdeithas gefn gwlad a ymfalchïai gymaint yn ei doniau a'i sgiliau arbennig. Roedd cystadlu tragwyddol rhwng ceffylwyr un fferm a'r ceffylwyr ar y fferm gyfagos am bwy oedd gyda'r *turnout* gorau, hefo'r wedd wedi ei pharatoi bron i safon primyn a'r *drecs* (*harnais*) yn sgleinio a'r addurniadau pres yn ddisglair fel aur; barnu llym gyda'r nos ar ba geffylwr o ba fferm oedd wedi **garddio** (aredig) dwtiaf, gan bwy oedd y rhesi rwdins sythaf ac yn y blaen. Roedd y rhain ynghlwm wrth eu gwaith ac yn enwedig eu ceffylau gwedd, a oedd bron yn cael eu haddoli, a cheid syndromau profedigaeth pan fyddai caseg neu geffyl cel farw neu dorri ei choes a gorfod cael ei difa. Clywais o atgofion Siôn William am gyd-geffylwr yn Bod Deiniol, Llantrisant (fferm hynod o boblogaidd i weithio arni) yn cael ei rwystro rhag crogi ei hun ar ôl marwolaeth un o'i gesig, ac wedi hynny yn **troi ei wynab i'r parad** gyda **chlefyd y felan**, a gwrthod codi o'i wely yn y llofft stabal am wythnosau. Dywedai fy nhad wrth glywed am amaethwr arall mewn argyfwng neu wedi cael siomiant, bod y newydd yn **ddigon i rywun fynd i'w wely a pheidio codi**, sef encilio'n llwyr o'r byd a'i boenau. Y rheswm dros yr encilio yma yn nhyb fy nhad oedd diffygiad llwyr y corff, yr enaid, a'r ysbryd i ddynion oedd yn gweithio 14 o oriau y dydd ar gyfartaledd ym mhob tywydd yn cyflawni gwaith corfforol trwm oedd angen medrau gloyw – nid labrwr mo was fferm ond crefftwr yn ôl ei hawl ei hun; a hefyd roedd ei fwyd yn wael ac annigonol i waith corfforol a cheid diffyg fitaminau yn ystod y gaeaf. Ynghlwm wrth hyn yr oedd poen meddwl a rhwystredigaeth, i feistri a gweision, a ymfalchïai yn safon eu gwaith ac a deimlai eu hunain ar felin droed ddiddiwedd o beidio gweld gwelliant o unrhyw fath er gwaethaf eu hymdrechion caletaf a mwyaf gloyw. Ansicr iawn oedd yr hinsawdd economaidd i amaethwr hefo'r dirwasgiadau amaethyddol cyson ac nid oedd dyn, yn ôl yr hen ddywediad, yn codi'n uwch na baw sawdl ar ôl ymdrech oes; bob tro y deuai cyfnod o ffyniant economaidd o dro i dro fe godid y rhenti gan y landlordiaid ac ni chaent eu gostwng wedyn adeg dirwasgiad. Yn ôl Dr Dafydd Alun

Jones, ceir cyfeiriad at y felan yn un o lythyrau William Williams, Pantycelyn at ei fab, yn ei rybuddio i osgoi amodau all 'godi cyflwr y felan arnat'. Roedd y *felan* yn gynhenid yn nhylwyth Pantycelyn, a dioddefai yn ddirfawr ohono ei hun. I ddod yn ôl i Fôn, clod mawr i ysbryd cymdogol, brodorol y gymdeithas amaethyddol oedd y cydymdeimlad a'r cymorth ymarferol i gyd-amaethwyr oedd *wedi troi gwynab i'r parad dan gyflwr y felan*, a chlywais gan lawer o'r hen do am ardal gyfan yn cadw pethau i fynd ar ran y clwyfus. Ac i ddod yn ôl i'r berthynas dylwythol rhwng ffermwyr llai a'u gweision, clywais fwy nag unwaith am amaethwyr yn parhau i dalu cyflog gweision oedd wedi *troi eu gwynebau i'r parad* tra bod y cyflwr arnynt, ar adeg pan nad oedd math o reidrwydd cyfreithiol i wneud hynny. Adroddodd fy nhad droeon am d'ewyrth Bob, cyfaill agos i Lloyd George, oedd fwy nag unwaith wedi cynnal mwy nag un gwas oedd yn dioddef o'r *felan*, neu salwch arall, a doedd Bob ddim yr unig un o bell ffordd oedd yn dangos tosturi o'r fath – roedd hyn yn nodweddiadol o awyrgylch tylwythol fferm fechan. Clywais yr hen Jac Sachins yn adrodd am yr amser y torrodd ei ffêr yn ei waith, a'i gyflogwr, teulu Pencefn Mawr, Llannerch-y-medd (fferm sylweddol ei maint), nid yn unig yn ei gludo at y meddyg esgyrn yn Mharc Glas, ond hefyd yn ei gynnal ef a'i deulu am fisoedd hyd nes y gallai weithio eto. Roedd hyn oll cyn cyfnod y budd-dal salwch yn yr 1920au. Damcanai Dr Dafydd Alun Jones mai'r un cyflwr yn union â phruddglwyf clinigol yr oes yma oedd y *felan* yn yr hen oes, ac nid oedd math o adnoddau na meddyginiaeth i godi'r iselder. Doedd dim math o ysbyty ar gael heblaw gwallgofdy Dinbych, oedd ynddo'i hunan yn ddigon o fwgan i rwystro teulu'r claf rhag galw am y meddyg. Ond haws ydi i mi yn bersonol dderbyn esboniad fy nhad fod y *felan* yn wahanol i'r cyflwr a elwir yn yr oes yma yn iselder clinigol. Roedd y *felan* yn cyd-ddigwydd gyda chyflwr corfforol sâl, rhwystredigaeth a diffyg llwyr y meddwl a'r ysbryd. Nid yw'r rhai sydd yn glaf o bruddglwyf clinigol yr oes yma yn dangos yr un symptomau, sef yr encilio llwyr, oedd yn nodwedd o'r *felan*. Roedd milwyr yn ffosydd y Rhyfel Byd Cyntaf yn dioddef yn enbyd o'r *felan*, cyflwr sydd bellach yn cael ei alw'n *combat fatigue* ac yn gyfuniad o ddiffyg cwsg a gorffwys, bwyd israddol, poen meddwl cyson, a gweld dim diwedd i'r sefyllfa. Meddyginiaeth llywodraeth Lloegr a'i swyddogion milwrol didostur ato oedd y *firing squad*, neu dreulio oes mewn gwallgofdy. Teimlaf bod *felan* yr hen oes yn debycach i'r hyn a elwir yn *combat fatigue* yn hytrach na phruddglwyf clinigol. Diddorol oedd clywed gan Dr Richard Williams, Parc Glas, am y tonicau oedd ar gael yn yr hen oes at godi'r *felan* ac oedd yn cael eu hysbysebu yn y *Lancet* a hen gylchgronau meddygol. Prif gynhwysyn y tonicau patent yma oedd *cocaine*.

Yn ei dŷ fel lleian – dywediad hynafol o ardal Rhosyr a glywais gan Gwynfor Jones eto'n disgrifio rhywun oedd dan **glefyd y felan**. Yn yr ystyr yma, *nun* ydi **lleian**, ac wrth gwrs mae encilio o'r byd a chymryd llw mudandod yn rhan o fywyd a disgyblaeth ysbrydol lleian. Rhyfeddol, yntê, i ddywediad â tharddiad Catholig fod wedi goroesi 450 mlynedd o Brotestaniaeth brwd, yn cynnwys tair canrif o Galfiniaeth sydd wedi parhau yn ardal Rhosyr!

Aeth y diweddar Owen Roberts i lofeydd y de yn 15 oed, a heblaw cyfnod yn y fyddin yn ystod y Rhyfel Byd Cyntaf, bu yn löwr tan ei ymddeoliad pan ddaeth yn ôl i'r Ynys, pryd y clywais ganddo'r gair **pabwr** – gair am wic lamp olew. Bu fy chwaer Ann Jones, un gyda gradd prifysgol yn y Gymraeg, yn dadlau gyda'r hen ŵr mai *pabwyr* nid **pabwr** oedd y gair cywir. Er hynny, roedd Owen Roberts yn dadlau yn frwd mai disgrifiad gwawdlyd sydd yma, yn ôl ei gyd-lowyr yn Llwyn y Piau, Dwyrain Morgannwg, o dynged pabyddion yng nghyfnod Harri'r 8fed i Siarl yr 2il, sef cael eu clymu i ystanc a'u llosgi'n fyw, ac mai dyma darddiad **pabwr**.

Llaid, lleudio – gair Môn sydd hyd heddiw'n cael ei ddefnyddio gan amaethwyr a milfeddygon. Llid septig yn y cnawd meddal rhwng carnau gwartheg ydi **llaid**. *Foul in the foot* yn Saesneg, ac nid i'w gamgymryd am y **llid llafniog** sydd yn taro ceffylau'n unig *(laminitis)*. **Lleudio** ydi'r ferfenw i **llaid**. Ymddengys **llaid** yn y *Geiriadur Mawr* fel mwd, baw, llaca, ac ysgwn i ai'r term brodorol gwreiddiol oedd **llid y llaid** gan mai sepsis o'r croen meddal rhwng y carnau ydi hwn ac mae gwartheg sy'n sefyllian mewn caeau mwdlyd neu gorsydd yn ei ddal os oes toriad bach neu ddolur rhwng y carnau.

Dyma hen rigwm o ardal Llaneilian –

> **Blew ar flew a'r crwn i mewn**
> **Neithiwr fe wnaethom a heno mi wnawn –**
> **beth ydi o? CYSGU.**

Glas – Yn ôl y *Geiriadur Mawr* yr agosaf i'r gair yma ydi *ifanc* ond mae'n hen air i ddisgrifio rhywun di-lun – **un glas ydi hwnna**.

Ysgol Glan-gors – beth ar y ddaear ydi tarddiad **Ysgol Glan-gors**? Hen ddywediad doniol gan bobl y Llan oedd hwn i gyfaddef na chafodd rhywun ysgol – **I Ysgol Glan-gors es i.**

Sglaffio – mae pawb yn adnabod y gair yma sy'n disgrifio rhywun (neu anifail) yn llowcio bwyd yn llwglyd a brwd. Dwn i ddim beth yw ei darddiad ond mae'n air sy'n hynod o ddoniol pan ddefnyddir ef gyda naws ac acen cefn gwlad Môn. Bythgofiadwy o ddoniol oedd clywed Owen Jones, Glasgraig Fawr, Rhos-y-bol yn disgrifio hen werinwr o dyddynnwr oedd wedi cael mynd am dro i Gaer ac yn stopio gyda'i gyd-deithwyr am fwyd yn un o'r Little Chefs ar y ffordd adref, ac yn codi cywilydd arnynt wrth '*Sglaffio'r* becwn a'r ŵy efo'r bysedd, a thwrw *fatha hwch yn bwyta maip.*' [*sglaffio*, ni chynigir tarddiad yng *Ngeiriadur Prifysgol Cymru* dim ond ystyr, sef llowcio bwyd – Gol.]

Gras – o'r Saesneg gross. Hen gerydd i blant gan eu mamau oedd **Mae eisiau gymaint o ras efo chdi â gras o hoelion clocsia** – sef chwarae ar yr un gair hefo dau ystyr.

Cadi merch – dyn merchetaidd, ond nid o anghenraid yn disgrifio dyn hoyw.

Cadi ffan – yr un ystyr eto.

Chwilat – hen air Môn am glustan neu **glets**.

Ci sgrwff neu **gi llwyn** – daeargi, fel arfer, sydd yn cael ei weithio ar y cyd gyda milgi neu lartsiar (*lurcher*) i ddal cwningod a phryfaid mawr. Gwaith y **ci sgrwff** ydi **marcio'r** helwriaeth, sef dod o hyd iddo a'i ddychryn o'i gêl yn y drysni a'r mieri i'r **ci hir** gael ei ddal a'i ladd. Defnyddid y term **ci sgrwff** hefyd yn ddilornus i ddisgrifio ci bychan, brid cymysg, blêr.

Clogydd – Clywais y gair yma gan Siôn William a Twm Parri Jones. Yn arwynebol buasai rhywun yn meddwl mai gair arall am grydd clocsia ydi **clogydd**, ond er syndod esboniwyd i mi mai *clockmaker* oedd **clogydd** – nid y saer oedd yn gordro mecanwaith cloc mawr ac yna'n llunio'r câs o bren, fel y gwelir heddiw ar wynebau clociau mawr sydd â *John Jones Llannerch-y-Medd* neu *William Price Amlwch* wedi ei baentio neu ei argraffu ar y gwyneb. Enw'r saer a gydosododd y cas a'r mecanwaith sydd ar wynebau'r clociau. *Clockmaker* neu *watch maker* fyddai'n teithio i drin clociau oedd **clogydd**. Ronnie Davies, Rhos-y-bol yw'r **clogydd** olaf ym Môn heddiw.

Tasa'r gwartheg yn y gwenith, a'r hwch yn y pot llaeth – dywediad gan d'ewyrth Bob, hynny ydi, 'Mae'n rhaid gwneud peth a'r peth **tasa'r gwartheg yn y gwenith a'r hwch yn y pot llaeth.**' Mae gofyn rhoddi'r flaenoriaeth uchaf bosib i'r dasg hyd yn oed ar draul y ddwy sefyllfa argyfyngus tu hwnt, sef gwartheg yn sathru'r gwenith gwerthfawr neu'r hwch yn llowcio'r llaeth a roddwyd o'r neilltu i dwchu cyn corddi.

Yn seitan – gair Môn am rywbeth wedi ei wasgu allan o siâp fel 'Eisteddais arno fo nes oedd o **yn seitan.**'

Gwas i was neidr – rhywun mewn swydd neu sefyllfa lle mae o neu hi yn ddirfawr isel eu parch.

Llyfnu – ni ddefnyddir y berfenw **ogedu** ym Môn am ddefnyddio **og. Llyfnu** ydi'r gair a ddefnyddir i ddau bwrpas og, sef (i) creu mwydion a thorri'r tywyrch yn fanach a manach i greu mwydion mân fel tywod ar gyfer hau: gyda'r og fawr y cyflawnid hyn, sef og â ffrâm solad o ddur gyda dannedd hir dur wedi eu gosod yn igam-ogam; a (ii) glanhau wyneb porfa yn y gwanwyn a chrafu ymaith unrhyw dwf marw ac awyru'r pridd oddi tano gydag **og lincs** neu **og gadwyn** sy'n garped o linciau dur efo pigau cam dur yn cael eu llusgo tu ôl i **bobran**, sef peipan haearn neu, yn yr hen oes, trawst o dderw. Er mai **llyfnu** mae **og fawr** yn llythrennol, crafu mae **og lincs** neu **og gadwyn** ond **llyfnu** y gelwir hynny 'run fath.

Tatsiad – gair Sir Ddinbych a Sir Fflint am glusten neu drawiad gyda dwrn.

Coes wen – cyflwr meddygol, sef tolchyn (*clot*) yng ngwythïen fawr y goes sy'n rhwystro cylchrediad y gwaed ac yn peri i'r goes wynnu a mynd yn ddiffrwyth. Mae hyn yn gyffredin mewn menywod canol oed ar ôl geni plentyn.

Coes las – hegl coes eidion (*shin beef*), y rhan rataf. Defnyddir y term **coes las** i ystyron eraill fel 'Fferm dda at ei gilydd, ond mae ganddi dipyn o **goes las**,' sef bod ganddi gyfran helaeth o dir gwael fel ponciau neu gors.

Coesau dal mochyn – coesgam neu goesgrwm (*bow legged*).

Coes glec – coes anystwyth a chloff.

Sgôr – ugain pwys; defnyddid **sgôr** fel mesur i bwyso moch. O'r Saesneg *score*.

Dyfnyn – lluosog **dyfniad** – mochyn bach newydd ei ddyfnu o'r hwch.

Cnegwarth – gwerth ceiniog (ceiniog-werth), neu i ddisgrifio mymryn bach neu ychydig.

Cledran – yn llythrennol, caled ran, sef cal neu gala (*penis*) stalwyn. Byth i ddisgrifio cal ci, tarw neu fyharen – i'r rheini defnyddir y gair **gwialen**. Defnyddir y termau yma am aelodau a rhannau corfforol anifeiliaid fferm o hyd yn hollol ddiembaras a hollol naturiol hyd yn oed yng nghwmpeini benywod a phlant ar aelwyd fferm yn rhan o iaith 'dechnegol' amaethyddiaeth. Cywilydd mawr oedd gennyf yn 10 oed, wrth fynd â merlen o Lannerch-y-medd i Walchmai, gyda nhad, at ferlyn ar fferm lle bridid merlod pedigri, ac wedi i'r marchio gael ei gwblhau, cael paned yng nghegin y ffermdy lle roedd pedair o enethod ifanc. Cyrhaeddodd yr hen amaethwr braidd yn hwyr a gofyn yn hollol naturiol i'w fab – 'Oedd y ferlen yn *marchio*'n iawn?' – hynny ydi oedd hi'n ymofyn stalwyn o ddifri – 'Oedd,' meddai, 'roedd hi'n *marchio'n bowdwr*,' – hynny ydi, ar uchafbwynt ei chylch oestrws, 11 diwrnod ar ôl dod â chyw. Mor bryderus oedd yr hen ŵr rhag ofn i'r ferlen ailofyn, hynny ydi peidio cnawdoli cyw a dwyn sen ar ffrwythlondeb y merlyn, fe ofynnodd eilwaith i'w fab, 'Gymerodd hi'r *gledran* yn llawn?' Atebodd y mab eilwaith i dawelu ei bryder. 'Do nhad, mi *twliais* i o.' Hynny ydi fe arweiniodd y *gledran* i'w lle gyda llaw, sef *twlio* y merlyn. Defnyddir y gair *twlio* gyda baeddod hefyd, gweithred a chymorth angenrheidiol. [*cledran*, mae yng *Ngeiriadur Prifysgol Cymru* dan y gair. cledren lle rhoddir cytrasau Gwyddeleg a Llydaweg; yr ystyr ffon, gwialen, astell etc – Gol.]

Maneg – term amaethyddol, milfeddygol am *vagina* anifail benywaidd. **Llawes** neu **llawes goch** ddefnyddir gan amaethwyr y tir mawr, ond **maneg** ydi term Ynys Môn. Eto, 'mysg hogia hela Ynys Môn fe gyfeirir at *faneg* gast, yn hollol dechnegol, fel **basged**.

Torllwyth – defnyddid y gair bob amser yn Ynys Môn am *litter* o foch bach neu gŵn bach – byth *ael* fel ar y tir mawr. **Cwlin** wrth gwrs yw'r lleiaf a'r gwannaf o'r torllwyth sydd fel arfer yr olaf i'w eni a daw i'r byd 'run pryd â bwrw'r brych (*afterbirth*), a dyna darddiad y disgrifiad *tin y nyth* i'r fengaf mewn teulu.

Jibar – benywaidd *jiberan* – rhywun sydd yn gwrthod cadw at ei air y munud olaf, pan fo plant, er enghraifft, yn cynllwynio direidi, neu ddyn yn osgoi talu ei 'rownd' mewn tafarn ac yn y blaen. Nôl yr hen Garadog Jones, Cemaes, tarddiad *jibar* oedd capten sgwner hwylio yn mynd ati i rasio am y porthladd gyda nifer o rai eraill ac yn gweld y gwynt yn ormod o straen ar yr hwyliau a'r mastiau ac yn cilio o'r ras trwy ollwng yr hwyliau i lawr i gyd ond y *jib* (yr hwyl isel flaen, dri chongol) ac arafu i ddod i mewn yn hwyrach ond yn ddiogel. [*jibar*, mae yng *Ngeiriadur Prifysgol Cymru* dan y gair. Jibiaf, pan fo ceffyl yn diffygio dywedir ei fod yn jibio – Gol.]

Haws cynna tân ar hen aelwyd – hen ddywediad Ynys Môn ei bod yn haws ailadfer perthynas gyda hen gariad na chychwyn perthynas o'r newydd.

Ceg fochyn – term am gyflwr cynhenid mewn cŵn lle mae'r ên isaf yn llawer byrrach na'r uchaf – fawr o anfantais i gi defaid ond yn annerbyniol mewn milgi neu ***lartsiar*** sydd yn peri iddynt wneud llanastr ar bry mawr neu gwningen wrth ei dal.

Mae blewyn da arnat ti – canmoliaeth i rywun sydd hefo'i ddillad gorau amdano.

Mae ganddo blu i'w llosgi – hen ddywediad o Fro Goronwy a glywais gan Dic Bach Pen-rhyd y potsiar godidog, hynny ydi cuddio tystiolaeth potsio drwy losgi plu y ffesant a'r betrisen ar ôl eu pluo. Defnyddid y dywediad yma am rywun â rhywbeth i'w guddio – er enghraifft lladrata neu odinebu ac yn y blaen.

Wnaiff hwnna ddim hela – idiom arall o Fro Goronwy ac yn gyfeiriad at filgi heb fath o anian hela, ac am rywun yn dweud stori gelwyddog neu stori ddi-sail.

Ardal y bedair c – clywais hon gan Bob Jones, Tai'r Cyngor, Llanfair-yng-Nghornwy, yn enedigol o Fro Goronwy, am bedwar hoff ddifyrrwch hogiau'r fro werinol, liwgar yma sef – cŵn a canu, cwrw a cwffio.

Bwrw ei fol – yr unigolyn yn cael cyfle i gyfaddef beth sydd ar ei feddwl.

Arnor – sef **arnodd**, ffrâm gwŷdd, a elwir bob amser yn **arnor** ym Môn. Clywais Siôn Goch, Rhos-y-bol yn defnyddio'r gair yn un o'i ddywediadau, **cryf fel arnor**.

Mifi Mahafan – yn wreiddiol i ddisgrifio anifail fel **ceiliogiar**, sef anifail ag organau rhywiol gwryw a benyw yn gyfun. Tybiaf ei fod yn dod o'r Lladin neu Roeg a gwelais y gair mewn llyfr Saesneg yn *mahava mavi* i ddisgrifio unigolyn hefo organau rhywiol y ddau ryw. Ond i ddisgrifio dyn merchetaidd a hoyw y defnyddir ef ym Môn. [**mifi mahafan**, mae yng *Ngeiriadur Prifysgol Cymru* fel amr. ar mihifir-mahafar ond ni chynigir tarddiad; am oen nad yw'n wryw na benyw – Gol.]

Stalwyn cwmni – yn nyddiau'r ceffylau gwedd fe ddeuai 3-4 o amaethwyr cefnog at ei gilydd i brynu stalwyn gwedd o'r safon uchaf bosib, efallai am gymaint â 500 gini. Roedd bustych tew y dyddiau hynny'n werth £12 y bustach sydd yn £800 heddiw, felly mae'r stalwyn yn gyfwerth heddiw ag £35,000. Amrywiai pris styd (*stud*) yn yr hen oes o 5 gini i fyny i 50 gini yn ôl safon y stalwyn, ac roedd rhoddi stalwyn o'r safon uchaf bosib yn fuddsoddiad doeth iawn yn oes y ceffyl ac yn gwella'r stoc yn aruthrol. Roedd talu 500 gini, neu fwy, yn fuddsoddiad da iawn a chymryd i ystyriaeth y gall stalwyn yn ei breim *serfio* hanner cant o gesyg mewn *sesn* a dod â phroffid da i'r cwmni. Nid eithriad oedd i rai cwmnïau dalu 1000-1500 gini am stalwyn da, pris ffarm 40 erw – ond roedd yr elw yn aruthrol. Defnyddir y disgrifiad **stalwyn cwmni** hyd heddiw am ddyn tinboeth sy'n hoff iawn o hel merched, o achos roedd rhaid i **stalwyn cwmni** weithio'n ddiwyd yn y **sesn**. Roedd **canlyn stalwyn** yn swydd gyfrifol ac yn uwch ei safon na chrefftwr cyffredin. Disgwylid i'r canlynwr fod yn hynod o broffidiol a chyfrifol a byddai'n crwydro o ardal i ardal yn symudol trwy'r sesn. Clywais straeon difyr a helaeth yn ddiweddar gan Twm Jones, Y Tyddyn, y Llan am ei gyfnod hir yn canlyn stalwyni drwy'r ynys. Hawdd oedd trefnu rhaglen gan fod caseg, ar yr unfed diwrnod ar ddeg ar ôl dod â chyw, yn **marchio**, a byddai'r amaethwyr wedi archebu gwasanaeth y stalwyn ymhell o flaen llaw. Anfonid llythyr at berchennog/ berchnogion y stalwyn gan amaethwr yn dweud fod caseg wedi cael cyw a gofalai'r perchennog fod y **canlynwr** yn derbyn rhestr wythnosol o le i fynd.

Yn big y frân – fel **mi adnabwn o yn big y frân** – hynny ydi, ym mha bynnag gyflwr mae rhywbeth colledig, mi adnabodith y perchennog o.

Gwyn y gwêl y frân ei chyw – dywediad sydd yn cyfleu cariad mam at ei phlentyn. Ni waeth pa mor ddrygionus ac afreolus ydi'r plentyn, hyd yn oed os yw wedi cyflawni trosedd ddifrifol, mae'r fam bob amser yn hel esgusion drosto.

Yn flin fel tincar – dywediad cymwys iawn i rai sydd yn adnabod disgynyddion yr hen dinceriaid, yn tarddu o ddisgrifiad yr hen do ohonynt. Hyd heddiw mae gwahaniaeth aruthrol rhwng **tinceriaid** a **sipsiwn**, er y disgrifiant eu hunain fel '*travellers*'. Disgynyddion yr hen Sipsiwn Romani gyda chymysgedd o Gorgios (Romani – am ddeiliaid tai) a Thinceriaid Gwyddelig ydi Sipsiwn heddiw, sydd gyda rhywfaint o'r iaith Romani ar ôl yn eu disgrifiad o bethau a dywediadau. Roedd, ac mae, y rhain yn dibynnu yn llwyr ar ewyllys da y Gorgio – yngenir y gair fel **Goja** – am eu bywoliaeth a'u mannau gwersylla. Maent yn dueddol o wneud ffrindiau â phobl o'r tu allan, a'u swyno i ennill ceiniog oddi arnynt fel ymarfer **Durekin** – dweud ffortiwn, gwerthu nwyddau 'lwcus' a chrefftwaith o fasgedi celyn addurniadol adeg y Nadolig, yn ogystal ag ymarfer llu o sgiliau at eu byw fel prynu sgrap, ac yn y blaen.

Yn gryno nid ydi sipsi eisiau cau y drws ar ei ôl ond cadw cwsmeriaid cyson. Maent yn bobol weddol wareiddiedig, cwrtais a chyfeillgar. Ond nid felly'r tinceriaid. Gwyddelod pur ydi'r tinceriaid, y mwyafrif ohonynt yn ddisgynyddion y tenantiaid tyddynnod a ddifeddiannwyd adeg Newyn y Tatws yn yr 1840au, ac o gyfnodau eraill o argyfwng cymdeithasol. Ni siaradant Romani, ond mae'r mwyafrif yn parhau i siarad ychydig o Wyddeleg. Roeddent, ar un cyfnod, yn grefftwyr penigamp yn gallu trin tegellau, sosbenni ac yn y blaen, a dyna darddiad eu henw yn dinceriaid. Maent o gymeriad hollol wahanol i'r sipsiwn, yn ffiaidd bron o ran hyfdra, bron â bod yn fygythiol, yn hynod o gwerylgar ymhlith ei gilydd, a bob amser yn creu llanastr a difrod yn eu mannau aros. Erbyn heddiw maent wedi gorfod goleddfu ychydig ar eu hymddygiad, yn enwedig wrth ennill bywoliaeth yn prynu a gwerthu *antiques*. Er hynny maent yn hynod o gystadleuol a chwerylgar 'mysg ei gilydd ac yn hynod o lwythol yn cau rhengau'n syth os oes bygythiad o'r tu allan. Nid ydi sipsiwn yn hoffi gwersylla yn agos iddynt nac yn cymdeithasu llawer â nhw, dim ond i bwrpas gwneud dipyn o fusnes o dro i dro. Yn ôl straeon yr hen do, a cheir hanesion cyffelyb yn llyfrau George Borrow, roedd hi'n achlysur arbennig pan gyrhaeddai sipsiwn ardal neu bentref gyda'u gwisg a'u traddodiadau lliwgar a'u cymeriadau hoffus a swynol. Ond stori arall oedd y tinceriaid gyda'u troliau asynnod, eu gwragedd a'u lliaws o blant lladratlyd ac afreolus. Roedd Jac Sachins a Siôn Goch ac eraill yn cofio eu hyfdra gyda'u plant a'u gwragedd.

Gwae i unrhyw wraig tŷ neu wraig fferm fod adref ar ei phen ei hun pan alwai'r tinceriaid heibio ar sbec. Roeddent yn mynnu cael gwaith trin llestri metel, neu werthu eu nwyddau israddol mewn modd bygythiol, tra oedd eu plant yn brysur o olwg y wraig druan yn lladrata ffowls a hyd yn oed foch bach. Roedd y dywediad **blin fel tincar** yn hynod o addas. Pam, mi ofynnais i mi fy hun, roedd dau grŵp o bobol symudol mor annhebyg? Efallai am fod y sipsiwn, yn enwedig yr hen Romani, yn hil os nad yn genedl unigol gyda chymeriad llawer mwy hoffus oedd wedi perffeithio, ers canrifoedd lawer, y modd o fod yn dderbyniol i gymdeithas gan wybod am yr angen i ddychwelyd i ardaloedd yr ymwelwyd â nhw droeon. Dyna eu treftadaeth gynhenid, neu buasent wedi eu llwyr ddifa ganrifoedd ynghynt. Pobol weddol ddiweddar ydi'r tinceriaid, yn annerbyniol gan eu cenedl eu hunain hyd yn oed, ac yn chwerw a dirmygus o bawb oherwydd y rheswm gwreiddiol am eu gorfodi i grwydro.

Gialchan – yn y dywediad *mae o fel gialchan* – enw Môn am y biodan (*pica pica*), heb os nac oni bai yr aelod mwyaf praff a challaf o deulu'r frân. Mae'n amlwg sut cafodd hon ei henw yn iaith lafar yr ynys sef o'r enw *gwalch*, y fenyw yw *gwalchen* a ddaeth i'w chynanu fel **gialchen** – nid o'r ystyr *gwalch* sef cudyll neu hebog ond o'r ystyr *gwalch* sef *cenau* neu *adyn*. Ni chlywais erioed neb o'r ynys yn disgrifio hebog neu gudyll yn **walch**, er mai enwau hollol gywir yw gwalch glas, y *peregrine falcon (falco peregrinus)*, gwalch y grug neu'r corwalch, sef *merlin*, a gwalch y penwaig (tydi hwn ddim o deulu'r hebog ond o deulu'r *awc* – adar môr) sef y *razor bill (alca torda)*. Nid wyf yn dadlau nad enw cywir a hanesyddol yr hebog neu gudyll yw gwalch – ond nid yn iaith lafar Môn. I'r amaethwr a'r cipar, **gwalch** neu **gialchen** o ran cymeriad yw'r **biodan** sy'n hynod o hoff o fwyta wyau o bob math, a chywion adar eraill, hyd yn oed cywion ieir a hwyaid ifanc iawn. Mae gan hon arferiad haerllug o hedfan a sboncian o flaen heliwr yn rhybuddio'r helwriaeth am berygl agosáu – nid o ran trugaredd â'r helwriaeth yn bendant ond bron o ran sbeit a direidi. Honnai Dic Bach Pen-rhyd yn bendant bod **gialchan** yn gallu amcanu amred gwn hêls *(shotgun)* i'r fodfedd a tydi hi byth yn mynd trwy'i phethau oddi mewn i amred gwn hêls, a chlywodd Dic erioed am yr un **gialchan** yn cael ei saethu yn ystod ei hymgyrch bryfoclyd. Honnai Dic mai dwyn perygl oddi wrth ei chywion y mae'r **gialchen** bryd hynny, am fod hon yn eithriad ymysg y byd adar yn cadw'i chywion efo hi tan y flwyddyn ganlynol er mwyn eu haddysgu'n drwyadl sut i oroesi a gwneud drygioni. Yn aml fe welwch deulu cyfan o **wialchod** o bob oed gyda'i gilydd. Tarddiad y dywediad **mae o rêl gialchan** ydi arferiad yr aderyn o ladrata unrhyw beth o liw arian, neu hyd yn oed fotymau lliwgar a phapur arian, i'w celcu yn ei nyth cryndo dirgel, a rhoddid yr enw i unigolyn bachog sy'n sgut am hel pethau a pheidio â'u gadael o'i feddiant – neu i rywun sydd eisiau pob peth am ddim. Gyda llaw, nid oedd gan yr hen do ofergoeliaeth obseslyd fod un **gialchen** yn anlwcus, a dwy ddim, ac yn y blaen. O hen rigwm Saesneg ac o Loegr y daeth y nonsens yma. I'r hen do, roedd pob un aderyn o deulu'r *frân* yn lwcus, a'r **gialchen** yn enwedig. Mae llawer i hen amaethwr ar ôl heddiw yn gwahardd neb rhag difa brain – roedd fy nhad yn un. Nid eithriad ydi i **wialchan** ddod i ddeall wrth reddf fod dioddefgarwch tuag ati a dod yn gyson i ffenestri i guro pig ar y gwydr am fwyd.

Llur – o'r enw Saesneg *lure* – cnawd pwrs buwch (gyda mawr ddiolch i Dr Gareth Morris am ddarganfod hyn trwy ymchwil). **Llur**, yn wreiddiol **lur** neu **lyr**, ydi'r chwarennau llaeth oddi mewn i bwrs buwch lle cynhyrchir y llaeth o'r celloedd yn y chwarennau. Clywais droeon gan Jim Francis Hughes fod tlodion yr hen do (y rhai hynod o dlawd) yn hoff iawn o **lur** fel ffynhonnell ddiguro o brotin ac yn arfer ei gael am ddim gan gigydd am ei gynorthwyo i lanhau lladd-dy ar ôl bod yn lladd da tew. Roeddent yn ei ferwi mewn llefrith ac roedd yn berffaith wyn a meddal, o dewdra rhwng cig gwyn (braster wedi ei goginio) a jeli, yn dyllau mân fel crwybr mêl ac yn hynod o flasus. Roedd yn fwyd hynod o bwysig i blant bach newydd eu dyfnu fel ffynhonnell maeth a phrotin, ac ar un cyfnod roedd yn ddanteithfwyd poblogaidd. Hyd heddiw, mae Jim yn hynod o hoff o **lur** pan gaiff gyfle i'w gael. Roedd yn un o hoff fwydydd oer Dic Pen-rhyd y **dyn caled**, a fyddai yn mynd â darn o **lur** gyda brechdanau efo fo i fwyta amser cinio tra'n llafurio yn y ffosydd, y cloddiau a'r gwrychoedd. Roedd yntau'n argyhoeddedig fod **llur** yn llawer mwy maethlon na'r cig gorau.

Buwch Las neu **Fuwch Dyddyn** – hon oedd ffefryn y tyddynnwr bach, yn **gasol** (graenus), trwm a hynod o laethog, a hynod o addfwyn a hawdd ei thrin. Gallai'r **Fuwch Las** gynhyrchu llaeth aruthrol – nid oedd yn eithriad iddi gynhyrchu 7-8 galwyn y dydd pan oedd ar ei llaethu uchaf. Croesiad ydi'r **Fuwch Las** rhwng y Fuwch Ddu Gymreig a'r *Shorthorn*. Yn ôl yr hen do, y fuwch laeth wreiddiol ar Ynys Môn oedd y Fuwch Ddu Gymreig. Roedd dau fath o Fuwch Ddu Gymreig, sef yr *Anglesey* – buwch hirgoes, gasol a laethog, a'r *Castlemartin* – buwch ddu eto o'r un brîd ond ei bod yn fwy o gyfansoddiad bîff. Erbyn heddiw maent wedi eu croesi a'u datblygu yn un math, clodwiw ac ardderchog, ond wedi colli tueddiad laethog ac yn cynhyrchu lloi da ar gyfer eu darfod yn wartheg tew. Gwartheg brith, coch a gwyn, ydi'r *Shorthorn* wrth gwrs, yn enwog am eu haddfwynder. Wedi eu croesi efo'r Teirw Du Cymreig, ceir croesiad da sef y **Fuwch Las**, liw llechen, a ddaeth lawn mor boblogaidd â'r *Shorthorn* ei hunan fel buwch dau bwrpas, yn llaethog dros ben ac yn cynhyrchu lloi biffiaid gorau'r deyrnas. Roedd y da tew **Glas** yn boblogaidd iawn gyda chigyddion Seisnig a ddeuai i'r Ynys i brynu da tew. Tua diwedd y 19eg ganrif, mewnforiwyd y brid o'r Alban – yr *Ayrshire* – i'r Ynys. Buchod llai o faint na'r Fuwch Ddu Gymreig a'r Fuwch Las yw'r rhain; da coch a gwyn llaethog, gweddol galed i'r tywydd, a dipyn bach yn fwy mwyn o ran natur i'w godro na'r *Shorthorn* a'r Fuwch Las. Buwch laetha yn unig yw'r *Ayrshire* ac nid yw hon yn cynhyrchu lloi – hyd yn oed wedi ei chroesi â bridiau bîff – sy'n addas i'w magu yn biffiaid. Dim ond ar ffermydd gwerthu llaeth y cedwid y rhain, i werthu eu llaeth i'r ychydig ffatrïoedd llaeth. Prif bwrpas cynhyrchu llaeth o'r Fuwch Las, y *Shorthorn* a'r Fuwch Ddu Gymreig oedd cynhyrchu menyn fferm; dyna brif fenter y ffermydd llai o'u buchesi – nid gwerthu llaeth ffres. Wedyn daeth y *Friesian* ddu a gwyn hollbresennol, a oedd bron yn gyfan gwbl wedi disodli'r hen fridiau erbyn 50au'r 20fed ganrif. Prin iawn yw Buchod Gleision er eu bod lawn mor llaethog â'r Friesian. Tasg syml yw eu hadfer – dim ond mater o groesi'r fuwch *Shorthorn* a Tharw Du Cymreig. Ond beth sydd yn hynod o boblogaidd gyda ffermwyr magu biffiaid heddiw ydi'r buchod un llo sugno Glas, a elwir yn *Blue Greys* – sef croesiad o un ai'r *Galloway* neu'r *Aberdeen Angus*, y ddau frîd du o'r Alban, gyda'r *Shorthorn*. Buchod llai eu maint na'r hen Fuwch Las, ond gyda chyfansoddiad bîff da ac yn benigamp am fagu lloi bîff gyda'r gorau, wrth eu croesi gyda'r bridiau cyfandirol fel y *Charolais* a'r *Limousin*. Ond does 'run ohonynt o unrhyw frid na chroesiad mor amlbwrpas ac ardderchog â'r hen **Fuwch Las**.

Naddwr – o'r ferf **naddu**. Clywais y gair yma gan Robat Williams Crydd. Yn oes yr hen gryddion roedd galw mawr am wadnau clocsiau, bob amser o bren onnen, ac roedd y **naddwr** yn grefftwr unigol a phwysig fyddai'n hunangyflogedig, ac efallai'n cyflogi un neu ddau o ddynion. Ei bwrpas oedd prynu coed onnen aeddfed, eu dymchwel a'u hollti gyda chynion a gordd ac wedyn sgwario'r planciau gyda **nedda** (*Adze*) cyn eu llifio ar draws a naddu gwadnau clocsiau efo celfi llaw arbennig yn wadnau gorffenedig i'r cryddion. Yn ôl Robat Williams roedd y landlordiaid a'r byddigions yn plannu coed onnen yn bwrpasol ar gyfer eu gwerthu'n aeddfed i'r **naddwyr**.

Sbydu – o'r gair **disbyddu**, sef gwacáu, gwagio. Clywais lawer tro am rai yn **sbydu ffynnon**, sef ei gwagio yn llwyr a'i glanhau o waddod a baw bob yn ail flwyddyn. Ond ym Môn fe ddefnyddir **sbydu** i lawer ystyr. **Mae o wedi sbydu ei bres** – wedi gwario'r cyfan yn ffôl. **Rhaid i mi ei sbydu hi** – rhaid gadael ar frys. **Sbyda hi o'ma** – dos o fy ngolwg i. **Mi sbydodd hi o'ma** – aeth oddi yma ar frys. Ceir yr ystyr gwacáu hefyd, fel 'Does fawr yn y cwpwrdd, mae'r plant 'ma wedi **sbydu** bob peth oedd yna.'

Tocio – (*to dock*). h.y. byrhau cynffon ceffyl, oen neu ddaeargi.

Cyweiriwr – hen grefft arall cefn gwlad sydd wedi marw allan erbyn heddiw. Dyn hunangyflogedig oedd y **cyweiriwr**, ac fel ystyr y gair, yn **torri ar** (**cyweirio**) ceffylau, gwartheg, hyrddod a moch bach – ond yn ogystal â hynny, roedd yn gallu cyflawni mân lawdriniaethau fel tynnu codennau a thyfiant ar y croen, pwytho anafiadau, tocio a thrin traed da byw. Twm Jones Cyweiriwr, Llangefni a Wil Jones Talwrn yw'r ddau olaf i mi eu cofio. Nid **ffariar** oedd y **cyweiriwr**.

Gof a meddyg ceffylau, heb fod yn filfeddyg, ydi **ffariar**, crefft sydd yn dal yn fyw ac yn iach heddiw.

Fflethar – o'r gair **llyffethair** – rhaff o wellt neu dennyn a ddefnyddid i rwystro dafad farus rhag torri dros y terfyn. Roedd dau gwlwm rhedeg ar **fflethar**, a gâi ei gosod o droed ôl i droed flaen y ddafad ar hytraws i'w harafu a gwneud gwthio a dringo caeadau cae yn anodd iddi. Nid yw defnyddio **fflethar** yn gyfreithlon ers yr 1960au. Cofiaf fy nhad bob amser pan fyddai'n prynu defaid magu o'r newydd yn syllu yn ofalus ar eu gyddfau, ac wrth weld dafad efo ychydig o dwf o wlân ar ei gwddf yn gorchymyn i mi 'Yli, **dafad wddw alarch** ydi honna, doro **fflethar** arni rŵan.' Ystyr **gwddw alarch** wrth gwrs oedd bod ganddi wlân cwta ar ei gwddf ar ôl bod wrthi'n gyson yn gwthio ei phen trwy wrychoedd a ffensys yn ceisio cael bwlch i ddianc.

Fflethar sipsi – (*hobble*). Nid cortyn na gwellt mo ddeunydd hon, ond cengl ledr arbennig wedi ei llunio gan grefftwr lledr, i'w gosod ar ddwy egwyd flaen ceffyl neu ful, i'w rwystro rhag crwydro ymhell wrth bori dros nos. Roedd hen dyddynwyr bach yn gosod **fflethar sipsi** ar y fuwch i ganiatáu iddi bori ochr y ffordd ond ei rhwystro rhag mynd yn rhy bell.

Drofar – nid **porthmon** mo **drofar,** er mai'r enw Saesneg ar **borthmon Lloegr** yw *Welsh Drover*. **Drofar** oedd rhywun hunangyflogedig yn gyrru gwartheg a defaid o ardal i ardal ar ran porthmon neu amaethwr. Yn enwocaf, a'r olaf ym Môn, oedd Jac Beti, a fu efo'i fam Beti Jones Tan y Grisiau, Llangristiolus (m. 10 Chwefror, 1940), yn treulio oes wrth y gwaith yma. Gwaith caled iawn, ym mhob tywydd, oedd y dasg yma a threuliodd yr hen Jac a'i fam lawer noson yn cysgu mewn ysguboriau ymhell o gartref. Mae'r Archifdy yn olrhain mwy o hanes Jac Beti (m. 31 Ionawr, 1958) imi; gwn ei fod wedi ei gladdu ym mynwent gyhoeddus Llangefni.

Symol – hen air Môn am rywun sy'n wael iawn. **Mae o yn symol iawn**, neu'n **symol o wael**.

Ciami – hen air arall a ddefnyddir pan fo rhywun yn wael – **mae o reit giami**. Tybed ai gair a gariwyd i'r Ynys gan hen forwyr yw, yn tarddu o'r gair Saesneg *gammy*?

Twl lal neu **dw lal**, neu **dwlali** – ym Môn, gair i ddisgrifio rhywun ynfyd, ffŵl, neu rywun di-lun; yn wreiddiol roedd yn disgrifio rhywun gwallgof ac ecsentrig. Yn ôl fy hen ewythr John Jones (Jac Fawr), a wasanaethodd yn India o 1906-1913, mae ei darddiad yn hen fyddin Imperialaidd India; enw lle ydi Deolali yn un o rannau poethaf India, lle y gyrrid troseddwyr o'r Fyddin am flwyddyn fel cosb. Yn ôl Jac Fawr lle cythreulig oedd Deolali yn un o ddiffeithychau India, mor boeth fel bod petrol yn anweddu rhwng y jar a'r tanc modur; nid oedd yno fath o adloniant na seibiant i'w gael, ond dril caled a'r rhaglen gosbol a disgyblaeth lem yn effeithio ar iechyd meddwl llawer a fu yno. Gelwid y cyflwr yn **Deolali Tap**, ac roedd yn syndrom gweddol gyffredin ymysg hen filwyr fu yn India. **Twtsh o'r haul** oedd o, meddai Jac, **yn llacio'r randrin**. Roedd y rhai a oedd yn dioddef o'r **Deolali Tap** yn cael cyfnodau ecsentrig ac anufudd er eu bod yn filwyr penigamp ac ufudd fel arfer. Nid yn Deolali yn unig yr oedd posib cael y syndrom yma, ond ym mhob rhan o India. 'Wedi bod allan ormod yn yr haul' oedd diagnosis arbenigwyr meddygol y fyddin, a maddeuwyd i filwyr a oedd wedi bod yn anufudd ac afreolus yn ystod eu cyfnodau **Deolali Tap**, pan fuasai rhai iach wedi derbyn cosb lymach o lawer. Wedi'r cwbl, milwyr profiadol oedd yn dioddef gyda'r cyflwr. Mae Frank Richards, DCM, MM, hen filwr profiadol a dewr a ysgrifennodd ddau lyfr gwych, *Old Soldiers Say Sahib* am ei brofiadau yn y fyddin yn India (yn yr un bataliwn â Jac Fawr), a'r anfarwol gofnod o'r Rhyfel Byd Cyntaf 1914-1918, *Old Soldiers Never Die*, yn sôn llawer am y **Deolalic Tap**. Yn Ffrainc roedd hen filwyr yr India oedd yn dioddef o'r **Deolali Tap**, ac a oedd hefyd yn ôl Frank Richards yn hen lawiau profiadol, hynod o ddewr a medrus yn y ffosydd, yn felltith ar swyddogion a oedd heb brofiad o wasanaethu yn yr India. Aent yn hollol ecsentric ac afresymol ond roedd eu profiad yn llawer rhy brin ymysg y recriwtiaid amrwd i'w colli o'r ffosydd – ac felly roeddent yn cael maddeuant. Mae'r term *dw lal* a *dwlali* yn yr iaith lafar Saesneg hefyd yn ogystal â'r Gymraeg, gyda llaw, ac yn cael ei ddefnyddio lawer yn ngogledd Lloegr.

Mi wrantai di – nid yw hwn yn cael ei glywed ddim mwy, sef **mi sicrhaf di** – o'r gair **gwarantu** (*guarantee*) mae'n debyg.

Melin godwm – ffurf o ymrafael (reslo) Cymraeg, tebyg iawn i reslo Cernywaidd neu *Cumberland Wrestling* lle mae'r naill gystadleuydd yn rhoi ei ddwylo o amgylch cefn ac ystlys y llall a cheisio ei daflu i'r ochor yn ddigon i'r llall golli ei gydbwysedd, a'r ornest. Roedd *felin godwm* yn hynod o boblogaidd 'mysg gweision fferm, ac yn y gymdeithas wledig, hyd at 20au y ganrif ddiwethaf.

Tynnu torchan – (Tywarchen) – hen gystadleuaeth nerth eto. Fan hyn byddai dau yn eistedd ar y llawr a'u coesau yn syth allan ar eu hyd, gyda gwadnau eu clocsiau yn gwasgu'n dynn ar ei gilydd. Wedyn rhoddid coes picwarch iddynt afael yn dynn ynddi, yna tynnu atynt â'u holl nerth. Y sawl dynnai'r llall oddi ar ei din oedd y buddugol.

Carreg Gamp – cafodd yr hen gystadleuaeth yma ei hadfer yng Ngŵyl Mabsant Bodedern yn ddiweddar (y Garreg Orchest). Cant a hanner oedd pwysau **Carreg Gamp**, hynny ydi tri 56 pwys, sef 168 pwys. Y gamp ydi codi'r garreg o'r llawr gyda'r nod o'i rhoi ar yr ysgwydd. Y cyflymaf ydi'r pencampwr. Roedd **Carreg Gamp** mewn llawer pentref yn yr hen oes a chan fod glaslanciau'n hoffi cystadlu gyda'r **Garreg Gamp** yn lle mynychu'r addoldai fe'u claddwyd nhw mewn llefydd dirgel i atal yr hwyl. Darllenais ddyfyniad Saesneg rywdro oedd yn dweud mai i wahardd y gwylwyr rhag plesera y gwaharddwyd herio teirw gyda chŵn, nid i atal creulondeb i'r tarw. A dyna oedd yr agwedd Galfinaidd at hen draddodiadau'n cenedl.

Brecwast ceiliog chwyaden – anodd iawn ei esbonio. Cymerwn, fel esiampl, ŵr ifanc newydd briodi ac yn deffro'n hynod o gynnar, ac yn lle codi i baratoi brecwast iddo'i hun gan gynnau tân i gael paned, yn cael cyfathrach rywiol gyda'i wraig a ffendio nad oedd dim amser i ddim ond diod o ddŵr cyn mynd i'r gwaith.

Fatha 'sa ti wedi bod yn sugno'r hwch – cerydd i blentyn â gwyneb budr ar ôl bod allan yn chwarae.

Linshad – had llin, *Linseed*. Hen gynnwys ffîd gwartheg a cheffylau yn enwedig. Bwyd hynod o ddrud a than glo yn yr ysgubor, a'r allwedd gan neb ond yr amaethwr ei hun. Hen dric Twm Jones y Tyddyn, fel ceffylwr eisiau'r gorau i'w wedd, oedd dryllio twll yn ochor y gist. Tyfid had llin ym Môn hyd ddiwedd yr Ail Ryfel Byd. Ar ôl ei fedi cynullid ef a'i wneud yn ysgubau, a'i dasu, wedyn ei ddyrnu gyda'r dyrnwr mawr pan oedd yr hadau'n sych.

Troad y rhod – hen gyfeiriad at newid hinsoddol y gwanwyn a'i ailddyfodiad cyson, pan oedd tyfiant yn y ddaear a'r golau'n hirach gyda'r nos. Fel yr ysgrifennais am y **ddraenen ddu yn wych**, yn ôl arwyddion hinsoddol, ac nid y calendr, yr âi'r hen amaethwyr ati i drin y tir a hau had. Roedd y tyndir wedi ei aredig yn barod yn ystod y gaeaf i ganiatáu i'r rhew freuo'r cwysi a lladd gwreiddiau chwyn.

Trin – paratoi'r **mwydion** yn wely addas i'r had, gwaith oedd yn cael ei gychwyn ar arwyddion cyntaf **troad y rhod**. Mae cychwyn **troad y rhod** yn dibynnu ar natur yr hinsawdd, ond fel arfer tua diwedd Mawrth, ac wedi ei gwblhau, fel cyfnod, ar ôl i berygl y barrug olaf fynd heibio, sef mis Mai, adeg galwad y gog a phan flodeuith y ddraenen wen.

Gwneud erwad onast – gwneud diwrnod diwyd a gonest o waith. Ystyr **erwad** ydi'r ffaith bod eisiau garddwr da iawn i aredig erw (800 llath wrth 800 llath) o dyndir mewn diwrnod o ddeg awr – a cheffylau da hefyd! Mae aredig erw o dir â chwysi chwe modfedd o led yn golygu 21 milltir o gerdded, heb sôn am y gwaith corfforol o ddilyn y gwŷdd a thorri cwys syth a rheoli llwybrau'r wedd i fod llawn mor syth a chydio yn yr awenau a chyrn y gwŷdd 'run pryd. I ychwanegu at y pellter rhaid hefyd oedd troi ar gyrraedd y dalar a gyrru'r ceffylau lawr y dalar i'r gŵys nesaf. Dyma darddiad **gwneud erwad onast**.

Bwfi a Cichle – Mae yna fferm fechan ym Miwmares o'r enw **Tyddyn Bwfi**, a hefyd fferm o'r enw **Cichle**. Olrheiniwyd yr enwau yma gan y *Daily Post* i fod o darddiad estron. **Cichle** yw'r cynaniad brodorol Cymraeg o'r gwreiddiol *Keighley*, sef tref yn Swydd Efrog, a *Keighley* sydd yn ymddangos ar y gweithredoedd gwreiddiol ond **Cichle** ar giât y fferm. Nid enw Cymraeg ydi **Bwfi** ond cynaniad brodorol Cymraeg o'r gwreiddiol *Tyddyn Boivee*. O'r Ffrangeg y daw *Boivee*, gair sy'n golygu mesur neu faint o dir y gall gyrr o ychain ei aredig a'i drin mewn tymor, sef 25–30 erw. Dyna beth yw maint **Tyddyn Bwfi**. Mae'n amlwg bod *Boivee* yn tarddu o'r

Lladin *Bovidae*, sef aelod o'r teulu gwartheg, fel ych. Mewn rhannau o Ffrainc a'r Eidal hyd heddiw, yn yr ardaloedd twym ac ir, ni cheir caeau unigol ac ni thriga'r amaethwyr bach gwerinol ar y tir ond mewn pentref cyfagos a phawb yn dod allan o'r pentref i drin eu stribedi hir o dir llafur yn ddyddiol. *Boivees* y gelwir y rhain hyd heddiw. Mae'n amlwg mai grantiau o dir i Saeson a milwyr hur Ffrengig ynghlwm wrth gastell Biwmares oedd **Cichle** a **Thyddyn Bwfi**. [**Cichle**, ceir esboniad gan Glenda Carr yn *Hanes Enwau o Ynys Môn* lle dywedir mai cyfenw Saesneg ydyw *Kyghley* o'r cyfnod 1411, ac mae'n enw ar annedd erbyn 1586/7, *Kichlley* – Gol.]

Yn weddol ddiweddar, yng nghanol y 19eg ganrif y daeth y ceffylau gwedd i'w bri gan gymryd lle'r ychain ar y tir. Araf iawn oedd ych wrth ei waith a heb nerth aruthrol y ceffyl gwedd na'i gallineb a'i fedrau, anhygoel bron, o ddod i arfer yn sydyn â gofynion gwaith, fel cerdded yn syth yn y rhych a'r caledwch i aredig cwys berffaith syth a derbyniol, mesur ongl mynediad porth wrth dynnu trol heb orfod cael ei dywys yn ofalus ac yn y blaen. Nid celwydd oedd ymffrost yr hen geffylwyr wrth adrodd am gallineb eu ceffylau gwedd, ac am eu hegni a'u nerth aruthrol. Creadur hynod o dwp a diog ydi gwryw teulu'r gwartheg, mae'r fenyw yn llawer callach a chastiog. Tasg hollol wahanol oedd aredig a thrin y tir gyda gyrr o ychain, a safon wael iawn oedd i'w llafur yn ogystal â'i fod yn araf a chostus. Isel iawn ei barch oedd gyrrwr y gwartheg yn ôl hen faledi Morgannwg a Gwent fel **Cân Gyrrwr y Gwartheg**, ac ni châi ei gyfrif yn grefftwr arbenigol a gloyw fel y ceffylwr diweddarach. Roedd angen o leiaf ddau ddyn, efallai gyda chymorth ychwanegol y gwas bach, i aredig a thrin tir gyda gyrr o ychain. Blêr a hanner gorwedd oedd y cwysi, a byth yn syth, ac arferai'r gyrrwr gadw matog neu gaib pen llydan ar arnodd y gwŷd i dwtio'r cwysi ar ei ôl. Cofnododd Sais a oedd yn ymweld â

Morgannwg gyflwr cae wedi ei arddio – '*as if it has been moiled by a herd of swine*'.

Roedd angen y **garddwr** rhwng cyrn yr arad, y **gyrrwr** i lachio'r ychen ymlaen i ymdrechu'n well gyda'r llach, a **symbil**, sef pren miniog i **symbylu'r** ychain drwy eu procio, ac wedyn y **tywyswr** i'w harwain. I gymhlethu pethau, y **gwŷdd main** oedd y math a ddefnyddid bryd hynny, nid y **gwŷdd rowlio**, lle roedd posib addasu dyfnder y gŵys. Efo'r **gwŷdd main**, nerth y **garddwr** oedd yn rheoli dyfnder y gŵys, ac nid yr olwynion fel y gwŷdd diweddarach.

Tymor gwaith ychain oedd yn syth wedi Glangaeaf pan gychwynnid yr aredig a thrwodd i ddiwedd Ebrill neu ddechrau Mai pan heuid yr had – cyfnod solet o waith am chwe mis cyfan i aredig a thrin **Bwfi** o 25-30 erw ac yn mynnu dau os nad tri dyn llawn-amser bob dydd drwy gyfnod y tymor. Yn ychwanegol, roedd yr ychain, bob un oddeutu 11-12 cant (112 pwys) o bwysau, angen ymborth aruthrol, gymaint ag yr oedd ceffyl gwedd ei angen i'w ymgeleddu – ac roedd 7 o ychain mewn gyrr. Ar y llaw arall, gallai **garddwr** profiadol gyda gwedd dda arddio erw bob dydd a chochi maint **Bwfi** mewn ychydig dros fis yn ystod y gaeaf, oedd yn ei ryddhau i gyflawni gwaith amrywiol arall gyda'i wedd. Roedd y trin yn cymryd llawer llai o amser gan geffylwr â gwedd brofiadol, a gellid troi tir wedi ei arddio yn fwydion glân i hau had arno, yr un mesur â Bwfi, mewn chwe wythnos. 'Does ryfedd i'r ychain ildio eu gwaith i'r ceffylau gwedd.

Cwartans – hen air Môn a ddefnyddir o hyd yn yr ymadrodd **chaiff o ddim cwartans gen i** – sef '*chaiff o ddim maddeuant* (neu dosturi) gen i dros hynna.' Byddai **cael cwartans** yn golygu cael maddeuant neu osgoi cosb. Tybiaf fod hwn yn dod o'r Saesneg *to give quarters* neu *give no quarter*, hen derm o ymladd ar faes y gad?

Hafin – hen air Môn yn golygu rhywun rheibus a barus, eisiau popeth am ddim, sef **mae o yn greadur hafin iawn**. Ydi hwn yn dod o'r gair Cymraeg haff, hafflo, hafflau ynteu o'r Saesneg *having, to have*?

Troi tu min – rhoi cerydd llym neu gymryd safiad o ddisgyblu yn bendant yn hytrach nag ymresymu rhagor. Yr unig gyfatebiaeth sy'n dod i feddwl ydi milwr neu farchog yn ceisio cadw rheol ar dorf afreolus ac yn cadw gwahardd wrth daro efo cefn neu fflant y cledd i roddi trawiad fel gyda phastwn, a phan mae'r sefyllfa'n gwaethygu, yn **troi tu min** i niweidio. Wedi dweud hynny, beth sydd yn dod i'r meddwl ydi **dyn caled** yn **sigo a phlethu** drain gwyn ac yn tapio'r ddraenen wedi sigo i orwedd yn wastad rhwng y stanciau onnen y plethir hi drwyddynt gyda chefn y **bilwg bach** (**y bilwg un llaw**) ac yn **troi tu min** i sigo canol bonyn draenen gam i wneud iddi orwedd yn wastad.

Tynnu'r gwinedd o'r blew – fel mae cath wrth roi'r gorau i chwarae yn gostwng ei ewinedd allan o'r blew i fynd ati i ymladd neu hela o ddifri. Nid yr un ystyr sydd i hyn â **troi tu min**, ond mynd ati o ddifri i wneud rhywbeth pwysig a pheidio gwamalu mwy dros y dasg, dim ond bwrw ymlaen â'i gyflawni.

Rafin – rhywun afreolus, anfoesol, meddw efallai – *hooligan* yn Saesneg.

Ciaridym(s) – yr un ystyr â **rafin**. Wn i ddim beth yw ei darddiad. [**ciaridyms**, yng *Ngeiriadur Prifysgol Cymru*, tybir y gall fod yn gamddeall a chamynganu clêr y dom – Gol.]

Pwcs – fel 'Ges i **bwcs caled** heddiw' neu 'Mi wna'i **bwcs go lew** fory,' hynny ydi, cyfnod o waith prysur ac egnïol.

Ffatsh – Cael cyfle, neu 'Mi alwa'i draw os ga'i **ffatsh**.' Seibiant oddi wrth waith prysur i gymryd y cyfle i weld rhywun, neu i wneud rhywbeth arall.

Glasdwr – llaeth enwyn wedi ei ddyfrio i'r eithaf. Defnyddir i ddisgrifio hylif tenau.

Gŵyl y Diafol – diwrnodau glanhau tai yn achlysurol yn ystod y gwanwyn (*spring cleaning*), pryd y câi y dynion eu halltudio i fwyta yn y tŷ llaeth, a'u hymborthi ar fwyd oer fel brechdanau ac yn y blaen. Defnyddid y dywediad yma hefyd am y gorffwylltra o lanhau, golchi a thwtio sy'n dod dros wraig feichiog ychydig cyn genedigaeth ei phlentyn.

Catshap Caws Llyffant – un o'r hen ddanteithion hynod o flasus oedd yn cael ei baratoi â chaws llyffant a chaws ceffyl – rhywbeth rhwng *picalili* a saws, tywyll a thrwchus ei gyfansoddiad, a oedd yn ffefryn gyda chig oer a thatws wedi'u ffrio ar nos Sul. Ysgwn i a ydi **catshap** yn dod o'r gair *ketchup*?

Cyflaith – un o hen ddanteithion y Nadolig, yn dal yn boblogaidd iawn ym Môn. **Taffi triog** yw'r gair ar y tir mawr. Cynhwysion cyflaith (dull Llannerch-y-medd) ydi treiog du, siwgwr, menyn hallt a mymryn o finegr wedi'i doddi a'i dywallt ar hambwrdd i galedu.

Cawl Llygoden Fach – 'dwn i ddim a wnaethpwyd y ffasiwn gawl erioed! Ond yn Llannerch-y-medd roedd cred (hyd at y 6oau) fod **Cawl Llygoden Fach** yn atal rhywun rhag gwlychu'r gwely. Cofiaf wraig tŷ yn brysur yn taenu cyfnasau gwely dros y gwrych i sychu ar ôl eu golchi, ac yn troi i ddweud wrth fy nain, a minnau, 'Mi feddwodd yr hen ddyn 'ma neithiwr a phiso llond y gwely – **Cawl Llygoden Fach** mae o eisiau.'

Berw'r Dŵr – *Water Cress*. Roedd hel berw'r dŵr a'i anfon i ffwrdd i Loegr ar y trên yn dod â swllltyn neu ddau ychwanegol i wragedd tlawd hyd at y 40au, yn enwedig yn ardal Llannerch-y-medd. Asiant gwerthu berw'r dŵr oedd y ddiweddar Marged Ann Jones, a gelwid hi'n Farged Ann Berw'r Dŵr.

Troi clos – mynd i gachu. Un o ddywediadau mwyaf lliwgar ac anweddus Gruffydd Owen Tan-llan pan oedd ar frys eisiau mynd i droi ei glos oedd 'Rhaid i mi fynd rŵan – **mae ei phen hi ar y wlanen.**'

Sgoth – gair cyffredin am *diarrhoea*. Term o'r byd amaethyddol ran amla ydi **sgoth** a'i ferfenw **sgothi**. Cofiaf Gruffydd Owen ar y teliffon hefo'r milfeddyg ac yn dweud 'Dowch i weld y llo 'ma, mae o'n **sgothi** ddeunaw llath yn groes i'r gwynt dwyrain!'

Sgoth Wen – *White Scour*, cyflwr perygl mewn lloi lle mae'r sgothi yn cael ei achosi gan y feirws *e bacilli*.

Mae'n rhyfeddol, ac ar adegau'n embaras mawr, sut mae gan yr un gair ddau wahanol ystyr mewn bröydd gwahanol trwy Gymru. Cymerwn er enghraifft y gair **pibo**, sydd yn golygu **sgothi** neu *diarrhoea* ym Môn, ac yn golygu ysmygu pibelliad o faco yn y De. Roedd yr anfarwol **ddeudwr** (gair ym Môn am rywun gyda dywediadau lliwgar a ffraethineb chwim) Jac Pen Padrig yn nai i'r hen Owen Roberts a fudodd i lofeydd y de yn 15 oed a dychwelyd ar ôl ymddeol yn niwedd y 40au.

Gwahoddwyd Owen Roberts i swper nos Sadwrn ym Mhen Padrig i'w groesawu adref i'r ardal a pharatowyd sbloets, swper tun samon, teisennau ac yn y blaen yn ôl yr hen groeso tŷ fferm, gan Sera Jones, gwraig Jac. Dynes hynod o lân a pharticlar oedd Sera, er yn wraig garedig iawn fel ei gŵr, ac ni allai ddioddef y mymryn lleiaf o faw'r buarth yn y tŷ a gwaharddwyd Jac rhag gwisgo ei esgidiau hoelion mawr ymhellach na'r tŷ llaeth gerllaw y drws cefn. Wrth eistedd a siarad yn yr hen gegin fawr neilltu'r tân, a Sera yn y pantri yn agor y tuniau samon a ffrwythau, yn hollol ddiniwed fe dynnodd yr hen Owen Roberts ei getyn a'i bwtsh baco o'i boced a gofyn i Jac, 'Ma *moin pibo* arna i. Gaf fi bibo fan yma?' Neidiodd Jac i'w draed fel mellten a chydiodd yng ngwar Owen Roberts a'i lusgo o'r gadair a'i redeg allan drwy'r drws i gyfeiriad y tŷ bach yn yr ardd. 'Dwn i ddim be da chi'n wneud tua'r de 'na ddyn annwyl. Ond tyda ni ddim yn cachu'n tŷ yn Sir Fôn 'ma. Fasa Sera yn eich lladd chi am gario i mewn fymryn o fwd, heb i chi *sgothi* yn y cadeiriau!'

Yn dawal i ti – fe'i defnyddid gyda'r ystyr **Mi sicrhaf di** fel yn '**Fydda i ddim yno heno, yn dawal i ti.**'

Roedd gan John Williams Erw'r Delyn (JW) drysorfa o esboniadau o hen lyfrau am ystyron enwau lleoedd a ffermydd. 'Dwn i ddim a oes cywirdeb yn ei esboniadau ond fe'u rhestraf 'run fath.

Chwaen – tir ar odrau neu ymylon cors, fel Chwaen Goch, Llantrisant ar ymylon Llyn Alaw a oedd, cyn boddi'r lle, yn Gors-y-bol.

Clegyrog (Carreg-lefn), hen enw am garreg ydi **Cleg** meddai, a fferm garegog y tu hwnt ydi Clegyrog gyda llaw.

Clegyrdy – tŷ tywyrch ac eulennod pleth a mwd, yn steil hen werin y 16eg ganrif, cyn dyddiau Tŷ Unnos cyfnod ailddosbarthu tir comin, wedi'i ailgodi o gerrig ar adeg mwy ffyniannus.

Ynys fel **Ynys Bach, Ynys Fawr, Ynys Groes, Ynys Meirch, Ynys Yr Hwch** ac **Ynys Wen**, oedd ynys o dir uwch a sych yng nghanol corsydd, oedd bryd hynny yn llawer gwlypach a thonennog na heddiw.

Tre – honnai JW mai clwstwr o dai tywyrch oedd *tre* lle amaethai teulu sylweddol y tir, neu glwstwr o dai'r werin fel *clachan* yn yr Alban, ond aeth yn fferm unigol gydag amser. Roedd hen *dre* meddai yn llawer llai na phentref, nid yn ystyr heddiw lle mae Rhos-meirch yn bentref a Llangefni yn dref.

Caer – hunanesboniadol meddai JW – os yn *cae'r* neu *gaer*, fel mae **Ty'n/Tyddyn**, a **Hafod**. Hendy meddai oedd y brif annedd ar y fferm a *hafod* yn ychwanegol ar gyfer yr haf.

Bod, meddai'r hen ŵr, oedd annedd pendefig ac yn llawer hynach enw nag annedd o oes y Tywysogion – y plastai neu lysoedd bro'r pentylwythi neu benaethiaid y llwyth a oedd yn trigo yn yr ardal, oherwydd nid system gymdeithasol ffiwdal oedd yn bod yn yr hen Gymru ond system lwythol, fel Iwerddon ac ucheldiroedd yr Alban, gyda llwyth neu dylwyth i gyd gyda hen daid cyffredin, neu hen hen daid cyffredin i bawb o'r aelodau. **Bod** yn ôl JW ydi *lle* neu **drigfa** y pennaeth a ddyry ei enw at y *bod* – i greu enw ac mae Môn yn frith o'r rhain, fel **Bodegri, Bodteunod, Bodowain, Bodrhun** (a gynenid yn **Bodrwyn**), **Bodewryd** (annedd pendefig o'r enw Erwyd Fychan o'r 12fed ganrif). Honnai JW mai hen enw **Rhos-goch**, a phlwyfi **Bodewryd** a

Rhosbeirio, oedd **Bro Ewryd** a cheir yr enw **Ewryd** mewn llawer o enwau ffermydd fel **Llwyn Ewryd** a **Glyn Ewryd**. Ceir **Bodelis, Bodorgan** (o darddiad Gwyddelig yn nhyb JW), **Bodenlli** a **Bodedern**, i enwi dim ond rhai ohonynt. Sylwodd JW nad ydi ffermydd â'r rhagddodiad **bod**- byth yn agos at ei gilydd, ac nad oes ond un ym mhob ardal, sy'n rhoi hygrededd i'w ddamcaniaeth mai hen annedd pendefig bro oedd **bod**. Yr unig eithriad i hyn, yn nhyb JW, ydi **Bodgadfa**, Pen-rhyd, Amlwch sydd yn golygu **maes brwydr**, ac yma y gorchfygodd Gruffydd ap Cynan fyddin o Saeson yn ei gyfnod. Mae hanes y frwydr hon yn adnabyddus yng ngogledd-ddwyrain yr Ynys. Damcanodd Gruffydd ap Cynan yn hollol gywir y byddai'r Saeson yn glanio yn Amlwch, a chuddiodd ei fyddin ym **Mhengorffwysfa**, a gafodd yr enw oherwydd mai yno y **gorffwysodd** byddin Gruffydd ynghudd er mwyn ymosod ar ystlys byddin y Saeson. Gadawodd iddynt anrheithio pentref bach Amlwch a gorymdeithio lai na milltir i safle Bodgadfa tra y caddrefnodd ei fyddin ei hun i lawr o Bengorffwysfa a thros Fynydd Parys i'w taro yn annisgwyl yn eu hystlys ym Modgadfa, a oedd bryd hynny yn rhostir uchel. Yn hollol annisgwyl i'r Saeson, fe laniodd llynges o Wyddelod (Daniaid, yn fwya tebygol) o Ynys Manaw a Dulyn, a oedd yn gynghreiriaid i Gruffydd ap Cynan, llosgi llynges y Saeson ac ymosod arnynt o'r tu ôl a'u cau rhag dianc i'r môr. Mor ffyrnig oedd cyflafan y Saeson fel yr enwyd y rhyd a lifa heibio Bodgadfa, trwy Hafod Onnen ac Ysgellog, yn **Rhyd Gwaed y Gwŷr**, ac mae'r enw'n dal i ymddangos ar hen fapiau o'r ardal. Gyrrwyd y Saeson ar ffo ar hyd rhediad y rhyd i'r gogledd-orllewin, trwy Hafod Onnen, Ysgellog, Hafod Llin a phlwyf Bodewryd cyn eu difa'n llwyr ar lethrau'r Myrwydd, cefn uchel o dir sy'n gwahanu Bro Ewryd a Bro Mechell. Mae hanes y frwydr yn chwedl fyw yn yr ardaloedd hyn, sydd wedi cerdded yn fyw am bron i fil o flynyddoedd.

Penrhyn a blaen, meddai'r hen ŵr, ydi tafod o dir gweddol sych ac ir, sy'n cyrraedd fel tafod i ganol corstir, a cheir ddim gwell esiampl o hyn na Phenrhyn Mawr, Rhos-y-bol, sy'n ymwthio ymhell i Lyn Alaw, hen safle Cors-y-Bol.

Meifod, y damcanodd ef, yw'r gair am dir pori'r haf lle'r oedd yr **hafod,** a lle y symudid y da byw ar Galan Mai o'r hendy, neu'r **hendre.** Anghytunai'n llwyr ag esboniad y *Geiriadur Mawr* o'r gair **rhos** fel **morfa, gwaun** neu **wastadedd** a'i gyfieithiad i'r Saesneg yn *moor* neu *plain.* Honnai fod **rhos** yn dir ir heb ei drin o gwbl lle ceir tyfiant trwchus o eithin, rhedyn, drain a phorfa dda, sy'n weddol sych. Wedi'r cyfan, nid gwastadleoedd gwlyb fel gweunydd ydi Rhos-meirch na Rhos-goch, ond cefnau uchel o dir amaethyddol da. Roedd JW a minnau mewn arwerthiant fferm yn Abergwyngregyn yn yr 1970au, a tharodd yr hen ŵr ar Tom Elis, Y Wig, Abergwyngregyn, un o amaethwyr gorau Cymru, sy'n meddu ar 200 erw o dir ir llawr gwlad a 2,000 erw neu fwy o dir mynydd (cynefin defaid). Edrychodd yr hen ŵr ar draws ar y tir ir Tom Elis a sylwi ar ddarn helaeth o lethr a oedd yn las ffyrnig o borfa dda, o'i gyferbynnu â'r llethrau grugog eraill a dywedodd **mae eich ffridd yn edrych yn dda, Mr Elis.** Gwenodd Tom Elis ac aeth ymlaen i adrodd hanes y ffridd irlas, sef nad ffridd mohoni, ond rhos wedi ei thrin ganddo pan ddaeth gyntaf i'r Wig. Aeth ymlaen i esbonio dywediad ei hen fugail am rinweddau rhos dros ffridd, sef **lle ceir drain ac eithin, yn ei wraidd ceir aur** (sef pridd ir a dyfn), **lle ceir rhedyn, yn ei wraidd ceir arian** (sef tir gweddol ddyfn ac ir, ond nid cystal â phridd dan ddrain ac eithin), **lle ceir y gerddinen ceir copr** (pridd bas a llai ir) **ond o dan y grug, ceir llwgfa.** Hynny ydi, nid oes fawr o ddim pridd dan y grug, ond carreg y mynydd ei hunan. Archwiliodd Tom Elis y **rhos** lethrog a phrodio'r pridd gyda gwialen ddur a sylweddolodd pa mor gywir oedd dywediad yr hen fugail ac aeth ati'r tymor canlynol i'w thrin.

Rhwng defnyddio tractor, lle'r oedd y llethrau'n llai serth, a cheffylau gwedd, fe driniodd y **rhos** dros gyfnod o dair blynedd, yn ddiwyd yn dadwreiddio'r ddraenen ddu a'r eithin a dofi'r rhedyn gyda thân, a gorbori gyda defaid pan oedd yn ifanc yn y gwanwyn. Wedi aredig, heliodd lu o wartheg yn gyson hyd y cwysi am nad oedd posib defnyddio rowler oherwydd natur serth y tir, ac wedyn ei lyfnhau'n drwyadl a hau had gwair o'r safon uchaf bosibl, wedi ei orchuddio trwy yrru gwartheg eto dros y mwydion. Dygodd ymdrech Tom Elis ffrwyth diguro a heddiw mae'n pori biffiaid (gwartheg tew) ar y llethr. Yn gryno, tir da wedi ei esgeuluso ydi **rhos**. **Ffridd**, meddai Tom Elis, a llu o amaethwyr mynydd eraill gyda llaw, yw'r tir pori sydd rhwng y caeau amgaeedig a godre tyfiant y grug ar y llethrau uwch. Mae'r *Geiriadur Mawr* yn hollol gywir wrth ei ddehongli fel **pordir mynyddig** ond hollol wallus ac anghywir yw'r esboniadau ychwanegol fel **porfa defaid**, gan fod **ffridd** yn pori gwartheg hefyd – cynefin y Gwartheg Duon Cymreig ydi'r **ffridd**. Cynefin defaid mynydd ar yr ucheldiroedd uwchben y ffridd ydi **cynefin** neu *sheep walk*. Ni ellir cyfieithu **rhos** yn *heath* ychwaith – **crindir** ydi *heath* yn Gymraeg. Unwaith yn rhagor, anghytunai JW yn ffyrnig pan noda'r *Geiriadur Mawr* fod **rhos** yn **forfa** – does fath o debygrwydd rhyngddynt. Corstir sydd yn aml dan ddilyw dŵr môr, neu ddŵr tir, ydi **morfa**, e.e. **Cors y Morfa**, Rhos-y-bol sy'n gyson dan ddŵr. *Seamarsh* neu *fen* ydi **morfa** yn Saesneg, ac yn ddisgrifiad llawer agosach na **rhos**.

Moelfre, yn ôl esboniad JW, ydi tirwedd uchel ac agored ar lethr yn rhedeg lawr o **foelyn**, sef copa mynydd crwn a phlaen, heb fod yn garnedd o sbardun caregog ond bron fel pen dyn moel. Mae llawer i fferm o'r enw **Moelfre** yng Ngwynedd a phob un ohonynt ar lethr, serth ac agored heb fawr o gysgod a chyda'r graig yn agos i'r wyneb yn rhwystro coed mwy o faint a llwyni rhag tyfu. Yn ôl fy nghyfaill Eifion Jones o Foelfre (y pentref) mae'r dehongliad yma'n disgrifio'n dda safle'r pentref pan welir yr olygfa o'r môr. Ac yn wir, nid oes fawr o ddyfnder o bridd yma. Pentref yn ddibynnol ar y môr ydoedd Moelfre, ac mae'r tir o'r briffordd i'r môr yn llethr weddol serth ac agored. Roedd yr hen ŵr yn cytuno'n llwyr â'r diweddar Athro Bedwyr Lewis Jones ar gywirdeb **Llannerch-y-medd** fel enw yn hytrach na **Llanerchymedd.** Cytunai'r ddau mai tarddiad enw **Llannerch-y-medd** oedd llecyn agored yng nghanol coedwig lle bregid **medd** o'r nythod gwenyn a geid yn yr hen goedwigoedd. Gyda llaw, mae amryw o enwau tai a ffermydd cyfagos yn dangos mai ardal goedwigog oedd hi yn yr hen oes. Ceir dim llai na phedwar **Bryn Collen** yn agos i'w gilydd, i gyd ar lethrau ochr orllewinol y pentref, yn awgrymu bod tyfiant helaeth o goed cyll fan yma yn gorchuddio 200-300 erw, ceir dau **Ty'n Coed**, tri **Ty'n Goeden**, un **Bryn Medd** (er mai diweddar yw hwn) yn ogystal â dau **Lwydiarth**, ayb.

Tai Sunsur – yn ystod y 19eg ganrif, pan ddaeth deddfwriaeth fwy llym yn erbyn gwerthu cwrw o dai oedd heb eu trwyddedu, canfuwyd dihangdwll yn Llannerch-y-medd, yn ôl diweddar brifathro'r ysgol gynradd, Mr Idwal Roberts, i osgoi torri'r gyfraith. Yn lle gwerthu peintiau neu chwartiau o gwrw, roeddent yn gwerthu bisgedi sunsur am yr un pris â pheint neu chwart o gwrw, a rhoi'r cwrw am ddim efo'r fisged. Roedd y Llan yn ystod y 19eg ganrif yn fan masnachu prysurach na Llangefni, nac unman arall ym Môn. Roedd yn gweini holl anghenion canolbarth dwyreiniol Môn gyda ffeiriau, marchnadoedd, canolfannau prynu a gwerthu grawn a gwlân, yn ogystal â bod yn gartref i amryw o grefftau, fel y cryddion enwog. Cynhelid marchnad bob wythnos a ffair bob mis, a hynny'n denu cannoedd o bobl a oedd angen lluniaeth. Amcangyfrifwyd bod rhwng 45 a 65 o dafarndai yn y pentref ar un cyfnod – ond nid tafarndai confensiynol oedd y rhain ond diwydiant cartref, o bosib yn hanu yn ôl i oes y *medd* (gweler uchod), efo bron pawb ym mhob tŷ yn prynu haidd, ei *fallio* (*malt*) a'i fragu'n gwrw a chrogi ysgub o haidd uwchben drysau i hysbysu bod cwrw a chroeso ar gael. Yn ôl Robat Williams Crydd a Jac Sachins, goroesodd y grefft o fragu yn y Llan ymhell i'r 20fed ganrif. Roedd y cwrw a fragid yn y Llan yn cael ei ddisgrifio fel *cwrw coch* ac yn hynod o gadarn. Ym mis Hydref y mellid ac y bregid y cwrw erbyn y flwyddyn ganlynol, ar ôl dyrnu'r teisi haidd a chael grawn ffres. Rhaid cofio, wrth ddarllen hen ddyddiaduron a chroniclau am rai yn feddw ar ôl chwart o gwrw, neu ryw unigolyn yn cofnodi iddo yfed tri pheint gyda'r nos, nad cymedroldeb oedd yfed cyn lleied o bell ffordd. Yn 1915, deddfodd Lloyd George, a oedd bryd hynny yn Weinidog Arfau Rhyfel (*Minister of Munitions*), i ostwng dwysedd sbesifig cwrw (*specific gravity*) i 6% – dros hanner ei nerth, ac felly yr arhosodd ar ei uchafbwynt byth mwy. Y rheswm dros hyn oedd meddwdod aruthrol ymysg gweithwyr yn y ffatrïoedd arfau a mwyafrif y *shells* yn y gynnau mawr yn gwrthod ffrwydro pan gaent eu tanio ar y Ffrynt. Beth felly oedd lefel yr hen *gwrw coch* a yfid yn **Nhai Sunsur** y Llan? Rhaid bod **Cwrw Coch y Llan** yn 12-14% o lefel alcohol, gan ei wneud cyn gryfed â'r gwin cryfaf – does ryfedd mai dim ond chwart neu 3-4 peint o *gwrw coch* oedd traul noson yn yr hen oes – doeddynt ddim yn gymedrol o bell ffordd! Erbyn hyn nid oes modd bwrw amcan faint o **Dai Sunsur** oedd yn y Llan, ond cofiai Jac Sachins, Kate Owen fy nain a'i brawd Jac Fawr enwau llawer ohonynt – sef y Bulkeley Arms (Y Bwcla), Farmers Arms, Bull, Ship, Bluebell, Y Winllan, King's Head, Menai, Central Hotel (Glanadda), George, George Bach, Britannia (Bryn Tannau), Bryntirion a'r Twrcuhelyn, heb sôn am Highgate (fy hen gartref, a elwid Y Bragdy) lle'r oedd bragdy olaf y pentref. Roedd y rhain i gyd yn dafarndai trwyddedig yn agored yn yr un cyfnod. Sut ar y ddaear roedd y Calfiniaid yn ymdopi? **Harthio** – chlywais i erioed y gair hwn y tu allan i'r ynys. **Cecru** yn ddi-baid a ffiaidd yw ystyr **harthio**.

Toll y melinydd neu **doll melin** – byddai melinydd yr hen oes, meddai llawer i hen amaethwr a gwas fferm, yn lladrata peint o flawd o bob sach 112 pwys, neu chwart allan o begaid 186 pwys (1.75 cant). Roedd hon yn gyfrinach i'r melinydd, ond roedd y cwsmeriaid yn gwybod ac yn ei oddef gan ei alw'n **doll y melinydd** neu **doll melin** – clywais un yn ei alw'n **doll malu**. John L. Griffith (Jac Neuadd) a glywodd hon gan ei daid. Gallwch amcanu cyfnod ei daid i fod yn yr 1850au ymlaen. Roedd gan Jac ddywediad arall gan ei daid y mae a wnelo â'r pwnc. **Tew fel moch melin** (a besgodd ar y **doll malu** yn sicr). Buasai cymryd toll beint o bob sach o waith diwrnod o falu yn gildio pegaid a hanner o leiaf yn ychwanegol at y ffi arferol. Cerddodd **toll melinydd** yn iaith Môn hyd y 70au, cofiaf fy nain yn fy siarsio wrth fy anfon i'r siop i nôl chwarter o bethau da, 'paid â mynd â **tholl melinydd** ohonyn nhw y diawl bach.' Ac yn wir onid ydi syndrom **toll melinydd** yn fyw ac yn iach yng ngwleidyddiaeth heddiw?

Tin oer a phastai dafod – un o hoff ddywediadau Jac Fawr, Pencefn pan oedd yn disgrifio sut groeso a gafwyd gan ei wraig ar ôl dychwelyd o'r dafarn yn **hanner sianel** (yn feddw) neu petai wedi'i phechu am rywbeth. Ystyr hyn wrth gwrs oedd y câi gyfnod o dafodi ac edliw (**y bastai dafod**) a'r wraig yn troi ei thin ato yn elyniaethus am nosweithiau.

Pastai lau (**lleu**) – 'does gen i ddim ond **pastai lau** i gynnig i ti,' – heb fath o gynnwys i lenwi crwst y bastai ond y llau teuluol, hynny ydi, does gen i ddim i gynnig i ti. Dywediad oedd hwn gan Annie Prydderch, fy hen fodryb.

Chwipio chwain – dywediad amaethyddol a ddefnyddid i ddisgrifio cae neu fferm lwm i'r ddaear – **mor llwm 'sa chi'n medru chwipio chwain**. Mae hwn yn dal ar gerdded heddiw.

Tinw – hen lysenw cyffredin yn Llannerch-y-medd a draw at Amlwch – efallai ei fod wedi bod ar ddefnydd yn lledaenach ond chlywais i mohono yn 'run man arall yn fy nghyfnod i. Roedd 'na deulu cyfan ac eang yn Amlwch gyda'r llysenw **Tinw**, y cyfan yn fychan o ran taldra a maint corfforol. Meddyliais, yn hollol resymegol, mai gair benthyg o'r Saesneg ydoedd ac wedi ei fabwysiadu a'i droi o *tiny* > **tinw** gyda'r -w ar ddiwedd y gair, yn null Pen Llŷn, sydd yn troi Beti yn Betw, Siôn yn Sionw a Dic yn Dicw, ôl-ddodiad yn dangos agosrwydd a chyfeillgarwch fel yr oedd yr hen do yn Iwerddon yn rhoddi -er neu -ser ar ôl enw fel Mick > Mickser, James > Jameser ac yn y blaen. Wedyn darganfûm mai **Tinw** oedd llysenw y diweddar Isaac Owen, Hafod-y-Myn, y Llan, a doedd yr hen Isaac ddim yn fychan ond o daldra cyffredin o'i genhedlaeth, tua phum troedfedd a phum neu chwe modfedd, a dechreuais golli ffydd yn fy namcaniaeth wreiddiol, felly gofynnais farn Robat Williams Crydd, Jac Sachins a JW a chael esboniadau amrywiol. Yn ôl JW, oedd genhedlaeth yn fengach na'r ddau arall, roedd fy namcaniaeth wreiddiol yn gywir ac fel y ddau arall fe restrodd nifer o gymeriadau gyda'r un llysenw. Yn ôl Robat Williams, **Tinw** oedd y llysenw arferol i ddyn bychan gyda thin sylweddol ei faint ac roedd yn boblogaidd fel llysenw 'mysg ceffylwyr. Am ryw reswm anesboniadwy dynion byr a stwclyd oedd llawer o geffylwyr, a phorthwyr yn dueddol o fod yn ddynion mwy. Pam, wn i ddim. Ond gwn o gofio hen geffylwyr, a disgrifiadau o rai eraill, bod llawer iawn ohonynt yn fyr, tua phum troedfedd i bum troedfedd a thair neu bedair modfedd. Beth a ychwanegai at ddamcaniaeth Robat Williams oedd y ffaith fod ceffylwyr bob amser yn goesgrwm o ddilyn yr aradr a'u bod yn gyson yn gorfod cerdded â'u coesau ar led i gadw eu cydbwysedd wrth fod yn barod i ddefnyddio eu nerth i reoli awenau ceffylau mawrion a chryf. Roedd cerddediad coesgrwm y ceffylwyr yn osgo yr oeddent yn ei fabwysiadu i hysbysu i'r byd eu bod yn geffylwyr a bob amser yn ymffrostgar a balch o'u crefft, ac wrth bwyso ymlaen, yn rhoddi'r argraff bod ganddynt dinau mawr. Ond yn ôl Jac Sachins, oedd hyd yn oed yn hynach byth na Robat Williams Crydd, doedd wnelo **tinw** ddim byd o gwbl â thaldra dyn, ond â maint ei din. **Tinw**, mynnodd Jac Sachins, yw cyfeiriad at gyfansoddiad corfforol unrhyw greadur oedd yn ffolennus, hynny ydi yn drwm ei chwarter ôl, neu ei din. Teyrnged i amaethwr oedd dweud 'Mae gynnoch chi biffiaid da, mae nhw'n **dinw**' neu'n fwy byth i loi sydd, os magwyd ar y bwced, yn foliog, 'Mae gynnoch chi loi da, yn **dinw** a heb fawr o fol.' (Gall y llo teneuaf fod gyda bol mawr – lled y cefn a datblygiad da o'r ffolennau, neu'r tin sydd yn rhinwedd). Yn ôl Jac Sachins roedd **tinw** yn golygu, o'i gyfieithu i'r Saesneg, *buttocky*.

Tinllach – gair poblogaidd yng ngogledd-ddwyrain Môn am ddyn *slei, dan din, a dauwynebog*. Gair dirmygus, sarhaus sydd yn cyfleu'r un ystyr â'r Saesneg *rat*, *weasel* ac yn fwy modern *creep*.

Rhagluniaeth y famol – dywediad unigryw a glywais gan y diweddar John Williams Ynys Groes. Dyn agos iawn i'w le, gonast a charedig oedd yr hen John Williams yn ogystal â bod yn amaethwr diguro a gloyw, un na fu erioed yn berchen tractor, modur na moto beic, ond yn amaethu i'r diwedd yn yr hen ddull gyda'r wedd. Er ei fod yn gymeriad athroniaethol a dwfn yn ei bethau ei hun, nid oedd yn gapelwr nac yn eglwyswr a byddai'n osgoi trafod crefydd – hynny ydi, Cristnogaeth. Byddai'n sôn o hyd am *ragluniaeth y famol*, fel 'Mae gen i fwy na digon o wair da i barhau'r gaeaf, *diolch i ragluniaeth y famol*,' neu 'Mae gen i gnwd trwm o datws eleni *diolch i ragluniaeth y famol*.' Byddai'n defnyddio *rhagluniaeth y famol* yn yr un modd a chyda'r ystyr *diolch i Dduw* neu *diolch i'r drefn*. Gofynnais iddo ychydig cyn ei farwolaeth beth oedd ystyr *rhagluniaeth y famol*. Dywedodd bod y dywediad yma ar ddefnydd yng nghefn gwlad Môn yng nghyfnod ei dad a'i daid, ac esboniodd ei ystyr. Cychwynnodd ei ddehongliad trwy gymhwyso'n gyntaf, 'ellwch chi ddim mynd yn groes i drefn natur, buasai dyn yn gweld a derbyn hynny' ac aeth ymlaen i ddweud 'natur ydi'n mam ni a'i rhagluniaeth hi yn unig sydd yn ein cynnal. Mi ddweda i wrtho chi fel hyn, os heuwch begaid a hanner o had ŷd i'r erw fe gewch ddwy dunnell yn ôl – darpariaeth ylwch. 'Run fath y mae'r *rhagluniaeth famol* yn gofalu bod y tymhorau yn dilyn ei gilydd mewn trefn a gwanwyn bob amser yn dod heibio yn ddi-ffael. Mae'r gofal a'r ddarpariaeth yda ni'n gael yn famol.'

Dyna fo, am rai blynyddoedd fe gymerais yn ganiataol mai athroniaeth yn deillio o werthfawrogiad o drefn natur ydoedd gan un oedd yn methu â derbyn bod 'na drefn oruchaf, mwy grymus na threfn natur ei hunan. Wedi'r cyfan dyn â *gwŷdd gloyw* oedd John Williams, sef dywediad Môn am amaethwr sydd â'i wŷdd bob amser yn loyw – hynny ydi, gyda thuedd at gadw tir llafur ac aredig yn aml heb roi cyfle i'w wŷdd fagu rhwd, am ei fod yn cael ei ddefnyddio'n aml. Dyn medrus yn tyfu amrywiaeth o gnydau a'r rheini'n gyson drwm – tatws, gwair, ŷd, haidd, rwdins, moron, moron gwyn, maip a llu o lysiau i'w gwerthu'n lleol i gwsmeriaid cyson; dyn hynod iawn o sylwgar a gwybodus, nid yn unig am fyd natur, ond hefyd yn methu ehangu ei orwelion ysbrydol ymhellach na daioni trefn natur, ymhellach na'i bod yn ôl ei eiriau ei hun **yn fam i ni**, sef yn rym syml ei ddeall yn darparu maeth yn famol. Cymerais, yn hollol anghywir a gwallus, nad oedd John Williams yn ddigon o ysgolhaig i gydio yn y ddysgeidiaeth Gristnogol, fel y'i portreadwyd yn ei gyfnod.

Mewn amser, deallais pa mor blentynnaidd oedd fy marn ar gred yr hen ŵr, yn enwedig wrth i mi ei farnu'n ddyn rhy syml i ddeall dim cred ymhellach na'r hyn oedd yn syml a chyfyngedig a chyfatebol i'w fyd bach ei hun. Roeddwn wedi ei gollfarnu yn fy symlrwydd i fy hun nes clywed, yn gyntaf, fod gan John Williams gasgliad aruthrol o lyfrau ar ddiwinyddiaeth a phregethau athronwyr mwyaf pob enwad a gwae i unrhyw un, boed berson, weinidog neu athronydd, ddadlau gyda'r hen ŵr; roedd yn eu chwalu'n llwyr gyda'i esboniadau, a'i ddadleuon deallus. Wfftiai'r syniad o Dduw gwryw Iddewig dialgar a chenfigennus ac arswydus fel nonsens llwyr, meddai ei hen gyfaill Dic Gruffydd (1904-81), Garnedd Isa, Rhos-goch. I John Williams, benywaidd oedd Duw, ac nid yw dyn wedi ei eni â Phechod Gwreiddiol, a does ond angen ei achub o'i gamgymeriadau ei hun a'i agweddau at ei gymdeithas a'i gyd-ddyn. Roedd yn hallt ei farn yn erbyn y syniad fod Duw yn anfon profedigaeth i'n temtio. Yn hytrach, roedd yn daer ei ddadl mai dyn ei hun sy'n gyfrifol am farwolaethau chwerw ymysg yr ifanc a chanol oed, o achos ei fodlonrwydd ei hun i dderbyn tlodi, ychydig faeth, amodau gwaith annioddefol, a salwch, ac roedd yn ffyddiog mai anwybodaeth feddygol oedd yn peri i'r ifanc ac eraill farw'n gynamserol, a buasai datblygiad gwyddoniaeth a meddyginiaeth yn concro'r rhain. Yn ei dyb ef, defnyddid y ddysgeidiaeth Gristnogol i gynnal grym y byddigion dros y werin, a'u hannog i blygu i'r drefn yn hytrach na'i newid er gwell. Nid Duw fel yna mo Dduw (neu Dduwies) John Williams. Roedd wedi llwyddo i adfer Hen Grefydd ein cyndadau Brythoneg a Cheltaidd yn y *pneuma*, sef agweddau a phriodoleddau benywaidd o Dduw fel mam drugarog a rhagluniaethol sy'n darparu pob peth ar ein cyfer, ond i ni ddysgu sut i gydio ynddynt. Fel y dywedodd, yn ôl Dic Gruffydd, wrth ddiwinydd enwog gan ddyfynnu'r Ysgrythur yn ôl iddo – 'Ysbryd yw Duw – a fy musnes i a neb arall ydi ei dderbyn fel menyw neu wryw!' A dyna fu diwedd y mater, ac os oedd gyrfa o lwyddiant a chynyrchioldeb hael, bodlon ac unol â'i gynefin, a phasio oed yr addewid o ugain mlynedd yn dystiolaeth o ffrwyth ffydd yn **rhagluniaeth y famol** yna roedd yn agosach i'w le na'r mwyafrif o'i gyd-ddynion. Roedd yn hysbyseb wych o'r rhagluniaeth hon ar waith. Roedd esboniad yr hen ŵr o'r Fam Dduwies yn cydredeg bron yn union â llenorion athronyddol a chyfriniol a Robert Graves, awdur *The White Goddess*, a chredo ein cyndadau cyn-Gristnogol. Wedi i mi fy hun ddod yn rhydd o Bentecostaliaeth a mynd yn ôl i ddilyn cyfriniaeth, fe sylweddolais faint o ysgolhaig oedd John Williams. Beth sydd yn syndod mawr i mi yw fod olion yr Hen Grefydd wedi goroesi yng nghefn gwlad Cymru, mewn dywediad a pharch at yr hen Dduwies yn **rhagluniaeth y famol** trwy ganrifoedd o Brotestaniaeth, Piwritaniaeth, a Chalfiniaeth ddwys, anhyblyg ac anoddefgar at unrhyw dueddiad o 'Baganiaeth' a 'heresi'. Nid John Williams yn unig a honnai glywed y dywediad **rhagluniaeth y famol**, ond hefyd Dic Gruffydd a Grace Parry, Corn Cam, Rhos-y-bol (1900-1993), oedd yn chwedleuwraig wych gyda'r ddawn o ddoethineb anhygoel.

Caer person – nid **cae'r** ond **caer**. Term hynafol iawn a esboniwyd i mi gan Gwynfor Jones, sydd yn arbenigwr ar hanes eglwysi a phlwyfi Môn. Yn y cyfnod tir comin, cyn y deddfu i amgáu tir a phan oedd y person plwyf yn gorfod bod, bron iawn, yn hunangynhaliol ac o hynny yn dlawd, darparai plwyfi faint tyddyn o dir i'r person gael ychydig gwell bywoliaeth, ac wedyn amgaeid y tir gyda gwrthgloddiau neu waliau uchel o gerrig i rwystro'r da byw ar y comin rhag rheibio porfa a chnydau'r person. Dim ond Rheithor, neu offeiriad uwch wedyn, allai dderbyn cyllid o'r Degwm, nid oedd person yn elwa dim o Ddegwm ei blwyf.

Clem a **phirio** – mae sawl ystyr i **clem**, ond fan yma, **pedol flaen** clocsiau neu esgidiau hoelion mawr. Byddai llanciau ifanc yn eu cyfnod oed ymosodol yn gofyn yn gyson i'r crydd **osod y glem ddigon allan**, hyd nes y byddai ymylon allanol y **glem** yn estyn allan tu draw i'r wadn: arfau peryglus iawn, a defnyddid nhw i **birio**. Hynny ydi, y dull lleol o ymladd, nid yn unig yn Llannerch-y-medd ond hefyd yng Nghaernarfon, Sir Gaerhirfryn ac yng nghymoedd glofeydd de Cymru. Gwynebai y ddau ornestwr ei gilydd a chydio yn arddwrn y naill a'r llall yn gadarn, ac wedyn dechreuent gicio ei gilydd hyd nes yr oedd un yn disgyn neu'n ildio. **Pirio** y gelwid y math yma o gwffio a chyfeirir ato yn ne Cymru fel *purring*. Cae Pen-dre, Llannerch-y-medd oedd maes y gad **pirio** yn ôl Jac Sachins, a byddai llawer yn cael niweidiau difrifol i esgyrn eu coesau yn y gornestau anghonfensiynol yma – arfer a barodd tan 30au y ganrif ddiwethaf. O atgofion fy hen ewyrth, Jac Fawr, Pencefn Bach, bu ef ei hun yn **pirio** lawer gwaith. Cyn mynd ati i gwffio fe arferai un ofyn **dyrnau ynta pirio**? A **pirio** oedd y dewis mwyaf poblogaidd. Cofiai Jac adeg, pan fu mewn Gwersyll Gorffwys am gyfnod o seibiant o'r ffosydd yn y Rhyfel Mawr 1914–18, pryd yr oedd cymysgedd o fataliwns gwahanol gatrawdau yno. Wedi i fechgyn de Cymru, a chynulliad o'r Llan oedd yn Ffiwsilwyr Brenhinol Cymreig, gyfarfod y Lancashire Fusiliers yno, fe drefnwyd cystadleuaeth **birio** yn y fan a'r lle nes y cafodd hyn ei wahardd gan uwch awdurdod o achos bod yr arfer yn achosi mwy o glwyfedigion na'r ffrynt ei hun!

Haul i fodrwy, glaw i arch – hen ddywediad o Rosyr gan Iris Jones. A tydi hi'n gyd-ddigwyddiad cyson cael hindda adeg priodas a bwrw glaw adeg angladd?

Grinjan dannedd – i ddisgrifio **llifanu'r dannedd**, hynny ydi eu gwasgu'n dynn a'u cnoi yn erbyn ei gilydd.

Pawb â'i fys ble mae ei ddolur – dywediad gwych sy'n dangos bod gan bawb ei gwynion unigol a bod problemau pawb yn wahanol. Welais i erioed well esiampl o **bawb gyda'i fys ar ei ddolur** na digwyddiad doniol iawn o'r 60au pan oedd Llafur wedi ennill yr Etholiad Cyffredinol ac wedi llywodraethu ers tair blynedd, a llawn mor aneffeithiol a di-lun ag arfer, yn codi treth incwm a chyflwyno llu o ddeddfau cyllidol llym a newydd. Roedd criw wedi ymgynnull ym mhen Four Crosses, Rhos-goch ar fore Sul i sincio a damio'r llywodraeth. Cwyn fy nhad oedd Treth Incwm, cwyn Now Cae Coch oedd y torri grantiau a allai fod o gymorth iddo drin ei ffermdy. A phwy gyrhaeddodd ond dau arall – Dr W. Owen, Amlwch ar ei ffordd adref o ymweld â chlaf, a Dafydd Jones, Bangor, cymeriad lliwgar y dywedai'r Saeson ei fod yn *lovable rogue*. Enillai ei fywoliaeth yn gwerthu stanciau ffensio. 'Does ryfadd bod y wlad yma yn y stat mae hi...' oedd agoriad pob pregeth unigol oedd **gyda'i fys ar ei ddolur**. A 'Does ryfedd bod y wlad yma mewn stat ond i chi weld y cwtogi sydd ar ein cyllid ni,' meddai Dr Owen. Erbyn hyn, wedi i dri gychwyn ar eu pregethau gyda 'Does ryfadd bod y wlad yma yn y stat mae hi,' ceisiodd Dafydd roi ei fys ar ei ddolur ei hun gan ddweud – 'Does ryfadd bod y wlad yma yn y stat mae hi – wyddoch chi be? Erstalwm cawn fynd at y *Forestry Commission*, rhoi puntan yn llaw y fforman a chael llwytho faint bynnag o stanciau oeddwn i isho. Ond rŵan! kids bach-newydd-adael-coleg yn dweud wrtha chi – *oak poles at five bob each, take them or leave them ... and remember we've counted them ourselves.* Does ryfadd bod y wlad yma yn y stat mae hi...'. Dechreuodd pawb chwerthin gan ofyn i'w hunain 'Onid gwell stat mae'r wlad ynddi pan mae Dafydd a'i debyg yn gorfod talu am eu nwyddau?' Ond dyna fo, roedd gan Dafydd hawl i fod â'i fys ar ei ddolur ei hun hefyd!

Clwt – gair Môn am ddarn o dir. Yn y *Geiriadur Mawr*, gwelir bod **clwt** yn *llain*, cae bychan. Ond ar yr ynys fe'i defnyddir fel hyn: 'Mae Ty'n Rhos yn dipyn go dda o **glwt**, tua'r dau gant mi dybiaf.' Hen enw Warren Niwbwrch sydd nawr yn warchodfa natur oedd **Clwt Gwlyb**. Hefyd defnyddir **clwt** i ddisgrifio y rhan agored o gae heb gynnwys y dalar: 'Daeth yr hen fuwch wirion 'na â'r llo ar ganol y **clwt** yn lle ei bod hi wedi dod â fo yng nghysgod y dalar.'

Taran – gair Môn am wythïen eang o bridd o'r un safon yn cynnwys nifer o ffermydd, neu ardal gyfan. Fel 'Mae Brynsiencyn yn **daran** dda iawn,' neu 'hen **daran** ddigon gwlyb ydi Rhos-y-bol,' neu 'fuaswn i ddim yn cymryd fferm yn y **daran** yna tasa chi'n talu i mi,' neu 'mae Ty'n Rhos, Fferam Gyd a Fferam Uchaf yn **daran** go dda am gnydau.' Ni ddefnyddir **taran** i ddisgrifio fferm unigol. Tybiaf mai **daearen** ydi tarddiad daran. [**taran**, ceir yng Ngeiriadur Prifysgol Cymru dan y gair. daearen ceir 'haen uchaf y ddaear, sef y pridd a'r gweryd' – Gol.]

Gini pen rhaw – roedd **gini**, sef punt a swllt, yn ddarn o arian mewn cylchrediad yn yr 19eg ganrif. **Gini pen rhaw** yw gini o gyfnod Siôr y Trydydd efo cerflun o darian arni oedd yn edrych fel pen rhaw. Arferai'r hen amaethwyr a phorthmyn gario **gini pen rhaw** ar giard (cadwyn) wats boced fel addurn a oedd hefyd yn cael ei chyfrif yn beth lwcus.

Lefran – gair Môn am gariad neu ferch ifanc ddel, yn cyfateb i **fodan** yng Nghaernarfon neu *wedjen* yn y de. Wn i ddim beth yw tarddiad **lefran** – yr unig air tebyg iddo yw **llefren**, sef ysgyfarnog ifanc. [**lefran**, merch ifanc, cariad yn ddieithriad, o'r Saesneg leveret. Am fachgen ifanc ceir lefryn – Gol.]

Carreg gloi – mae dau fath o **garreg gloi**. Y gyntaf ydi'r garreg sydd union yng nghanol bwa cerrig, a'r olaf i'w gosod i gloi y bwa. Mae **carreg gloi** bwa cerrig yn tapro at i mewn a'r rhan letaf uchaf i fod yn lletem i gloi yn gadarn os llithrith a chadw'r bwa yn gyfan. Gelwir y **garreg gloi** yn *keystone* yn Saesneg. Yr ail fath o **garreg gloi** ydi carreg hir sydd yn rhedeg yn un darn ar draws lled wal gerrig sych i'w chryfhau. I'r **dynion caled** oedd yn codi neu'n trin wal gerrig sych am hyn a hyn o bres wrth y llathen o hyd, telid dimai'n ychwanegol am bob **carreg gloi**. Ar y waliau sych yn yr ucheldiroedd ceir llawer mwy o **gerrig cloi** o achos uchder y rheini. Camgymerai ymwelwyr y rhain am gamfeydd am eu bod yn sticio allan yn llu, bron fel grisiau yn rhedeg yr un ffordd â'r llethr, ac mae eu camgymeriad yn gadael difrod a bylchau sy'n felltith i'r amaethwyr.

Yn ôl Jac Sachins a Jac Fawr Pencefn, y ddau yn godwyr waliau cerrig sych gloyw iawn, **sawdl** y gelwid sylfaen y wal a'r **brig** oedd y rhes uchaf. **Llathan o waith** oedd y mesur y telid wrtho i godi wal ar gontract. Mesur **llathan o waith** oedd dwy droedfedd ar draws y **sawdl**, a deunaw modfedd ar draws y **brig** gydag uchder bedair troedfedd o'r sawdl i'r brig.

Mesurau Tâl Contract **dynion caled** oedd codi waliau wrth lathen o waith, agor ffosydd wrth y mesur rhwd, sigo drain, gwynebu clawdd, teneuo rwdins a maip, cau adwy, traenio tir – wrth y llathen o hyd – pladurio gwair, ŷd neu ysgall, cynnull ŷd a rhwymo ysgubau wrth yr erw.

Pladur sais – pladur a ddefnyddid ar wastadedd llawr gwlad. Mae gan hon goes wyrgam drom. **Pladur fynydd** – pladur gyda choes syth ac ysgafnach a ddefnyddid ar y tir mawr, yn enwedig ar lethrau'r ucheldiroedd lle mae'r goes syth yn amgenach.

Stwyo – curo rhywun, **stwyad** – cweir. Defnyddid y gair **hiro** hefyd am guro rhywun, a **hirad** am gweir. Defnyddid **golchi** – curo rhywun, a **golchiad** am gweir. **Stido** – curo a **stid** am gweir.

Y crwn – gair Môn am *ringworm*. **Draegiaid** ydi'r enw ar y tir mawr.

Llyffant melyn – llid y dafod mewn gwartheg pan fo'r dafod wedi chwyddo ac yn galed fel pren ac yn glafoerio poer o achos methu llyncu'n iawn. Yn Saesneg *wooden tongue* (*Actinobacillosis*).

Pendro – clefyd defaid pan fo'r rheini'n feichiog o efeilliaid a ddim yn cael digon o faeth yn gyfartal i gyfnod o feichiogaeth. *Tocsaemia* beichiogaeth ydi'r ymadrodd milfeddygol. Gelwir ef yn *twin lamb disease* yn Saesneg.

Ffireta neu **ffreta, ffureda** – dal cwningod gyda **ffirat**. Nid *rhoddi* ffirat i lawr twll cwningen a wneid ond yn hytrach *yrru'r* ffirat i lawr y twll. Nid *gosod* y rhwydi a wna'r ffretiwr/ffuredwr ond eu **pegio**. **Rhwyd hir** neu **rwyd gadw** y gelwid y rhwyd allanol a gosodid hi'n unionsyth gyda ffyn.

Rhwyd fach neu *rwyd ddal* oedd y rhwyd a gâi ei **phegio** dros dwll y gwningen (*purse net*). **Cortyn tyrchio** oedd yr enw ar y llinyn a osodid ar goler y ffirat fel y medrai'r ffretiwr gael amcan o ddyfnder a chyfeiriad y ffirat petai honno'n gwrthod dod i'r golwg, hynny ydi gwrthod dod allan o'r twll. Fel arfer, y rheswm dros i'r ffirat oedi lawr y tyllau fyddai ei bod wedi dod o hyd i nythiad o gywion, wedi eu bwyta ac yn gorffwys. Rhaid tyllu wedyn, hynny ydi tyrchio'r ffirat allan trwy dyllu hefo **padlan**, sef rhaw goes fer gyda phen crwn. Pan roddid **penwar** (**mwsal**) ar y ffirat y term oedd **mysla**, a gelwid y penwar neu'r mwsal yn **mislyn**. Pan yrrid y ffirat lawr y twll heb golar na mislyn arferid dweud ei bod yn powltio'n rhydd neu'n **powltio'n ei phwyll**. Pe deuai'r ffirat ar ben ei hun i'r rhwyd ddal gelwid hynny'n **bowltio'n wag**. **Powltiad** ydi'r cwningod sydd wedi eu gyrru neu eu powltio i'r rhwyd fach, sef y ddalfa. **Powltio i'r dalar** – sef cwningod yn powltio o dyllau cudd heb eu pegio (gyda'r rhwyd ddal) i'r **rwydlan**, sef y stribyn rhwng y clawdd a'r rhwyd hir, neu'r rhwyd gadw lle câi'r cwningod rhydd eu dal gan ddaeargwn (**milgwn bach** neu **wipedau**). Lleddid y cwningod yn y rhwydi bach neu'r rhwydi dal gyda **chledan** – eu taro ar y gwegil gydag ymyl sawdl y llaw. Y gair am ddalfa o gwningod oedd **baich o gwningod**. Tasg olaf y ffretiwr, cyn cludo'r baich adref, oedd **twtio**, sef cau a thrin y difrod i'r clawdd ar ôl y tyllu gyda'r badlen.

Caff gwag – trawiad gwag sydd ddim yn cysylltu gyda'r garreg neu'r coedyn ac yn swingio'n rhydd a thaflu'r corff oddi ar ei gydbwysedd gyda'r ysgogiad. Profiad anghyffyrddus pan fo cyhyrau'r breichiau a'r ysgwyddau'n cael eu tynnu'n boenus. Defnyddid **caff gwag** gydag ystyron eraill, fel gwneud ymdrech ofer, neu wneud siwrnai sy'n troi allan i fod yn siomedig. Cael siomiant ar ôl gobaith brwdfrydig ydi esboniad arall ar **gaff gwag**.

Swelyn neu **swelan** – rhywun wedi ei wisgo yn ei ddillad gorau: dywedir 'rwyt ti rêl **swelyn** heddiw, ble rwyt ti'n mynd?' **Swelio** ydi'r ferf, megis 'mae hi'n **swelio**'n ddiawledig yn ddiweddar 'ma, ar ôl pwy mae hi dŵad?'

Ni elwir y **pry genwair** cyffredin (*earthworm*) yn hynny yn Ynys Môn ond yn **llyngyren ddaear. Llyngyra** y gelwir hel **llyngir daear** ar gyfer pysgota – byth 'hel llyngair'. **Hel llyngir/llyngair** oedd y dasg adeg aredig pan yrrid y gwas bach hefo tun i hel **llyngir** neu **lyngyrod** pan ddeuai'r rheini i'r gwyneb ar droad y gŵys: gwaith prysur gan fod llyngyren yn sydyn yn aildyrchio'i hun yn ôl i'r pridd. Pwrpas hel llyngair neu lyngyrod oedd i ddiben y **tyrchiwr,** hynny ydi y dyn oedd yn arbenigo ar ddal neu wenwyno tyrchod daear. Hyd at chwarter cyntaf y ganrif yma roedd y tyrchiwr yn brysur, yn ystod y misoedd pan nad oedd y twrch daear mewn gaeafgwsg, yn **gwaddio,** hynny ydi yn **maglu** neu'n **trapio** tyrchod hefo **meiglod** (trapiau springlwythog) wedi eu gosod yn ofalus yn **rhedfeydd** y tyrchod gan fod galw mawr am eu crwyn yn y diwydiant dilladu.

Bu Jac Sachins yn dyrchiwr am gyfnod ac adroddodd yr hanes am sut roedd yn gwaddio (dal y tyrchod) gan gario beichiau o faglod o fferm i fferm a'u gosod yn y rhedfeydd/rhediada oedd bob amser yn rhedeg i dalar y cae lle câi'r twrch ddŵr bob dydd. Ofer oedd gosod meiglod neu drapiau mewn rhedfeydd yn rhedeg o wâl i wâl, hynny ydi'r twmpathau pridd a godai'r twrch hyd wyneb y caeau – peth a enynnai ddialedd yr amaethwr oherwydd bod y **gwaliau** yn britho ei borfeydd, yn difetha'r borfa a hefyd yn felltith i'r pladurwyr (ac i lafnau'r injan ladd gwair) gan fod y twmpathau pridd yn pylu min y llafnau a hynny'n golygu mwy o waith hogi pan oedd brys i ladd y gwair tra bo hindda. Croesffyrdd ydi'r twmpathau, meddai Jac Sachins, yn y fframwaith o redfeydd ar hyd a lled y cae. Efallai nad ymwêl y twrch â nhw am wythnosau ar y tro ond bydd yn defnyddio'r rhedfeydd sy'n arwain at y dalar, a dŵr, bron yn ddyddiol ac yn y rhain y gosodid y meiglod bob amser a cheid dalfa dda yn ddyddiol wrth faglu neu feiglo ymylon y caeau a chanolbwyntio ar y rhedfeydd yn rhedeg i'r dalar. Ar ôl blingo'r twrch fe sychid ei groen ar leiniau fel leiniau dillad dan do cyn eu hanfon i ffwrdd mewn bwndeli. Câi'r crwyn eu graddio yn ôl eu maint a thelid rhwng **grôt** (pedair hen geiniog) a **chwech** (chwech hen geiniog) yr un amdanynt yn y cyfnod o droad y ganrif hyd ddiwedd y Rhyfel Byd Cyntaf. Hefo newid steil dillad doedd dim bywoliaeth i dyrchwr a'i waddio a chychwynnwyd ar y dull newydd o ddifa tyrchod trwy eu gwenwyno gyda stricnin – gwenwyn yr oedd angen trwydded iddo gan y Weinidogaeth Amaeth. Wedi i'r gwas bach hel llyngyrod adeg aredig cymysgid stricnin gyda nhw yn y tun i'r tyrchwr (oedd erbyn hyn wedi cael newid ei deitl i Wenwynwr Tyrchod) fynd â nhw i'r caeau a gosod pob llyngyren yn ofalus gyda gefel fain o wifren stiff yn y rhedfeydd talar. Yn y 60au dysgodd Jac Sachins fi sut i wenwyno tyrchod. Dysgodd fy nhad fi sut i ddal tyrchod gyda llaw, tasg sydd angen cryn amynedd a chwimder troed i sefyll yn hollol lonydd ar ganol y clwt a llygadu'r cryndod lleiaf yn y pridd, arwydd bod y twrch yn codi i'r gwyneb. Yna ras chwim tuag ato a gwasgu sawdl yr esgid yn drwm y tu ôl iddo a'i rwystro rhag bagio'n ôl yn y rhediad oedd wedi ei gwblhau a dianc. Wedyn turio'n sydyn gyda'r dwylo a dal y twrch cyn iddo dyrchio'n ddyfnach. Syml iawn ydi lladd twrch gan mai blaen ei drwyn yw man gwannaf ei ben, nid ei benglog – arferid eu lladd drwy roddi tap bach o bastwn ar flaen y trwyn, neu wthio'r trwyn yn rymus yn erbyn carreg.

Yn fwyd i'r tyrchod – dull gwawdlyd ac amharchus o ddweud ym Môn fod rhywun amhoblogaidd wedi marw, fel

'mae'r diawl *yn fwyd i'r tyrchod*, diolch i'r drefn.'
Ymgorfforwyd y dywediad yma yn yr hen faled ddoniol o
ochrau Llanfaethlu, o'r enw Angladd Owen Rolant Tŷ Mawr.
Yn ei phennill cyntaf am farwolaeth yr hen lanc o amaethwr
caliog, *rhaid o'r golchi'r hon sy'n hynod – cyn ei rhoi yn
fwyd i'r tyrchod*. Clywais amryw un o'r hen do wrth gofio
meistri cynnil a chreulon yn dweud eu bod bellach yn *fwyd
i'r tyrchod*. Fel arfer roedd yr hen do yn hynod ddifrifol o
ddwys yn eu hagwedd at farwolaeth ac atgofion o'r meirw, a
rhoddid pwyslais ar barchusrwydd at gyflwr cysegredig y
meirw; mwy hyd yn oed nag yng ngweddill Cymru. Roedd hi
bron yn ofergoeledd i ôl-ddodi'r fendith wrth gofio'r
ymadawedig, fel 'bûm ddeg tymor yn borthwr i'r hen
d'ewyrth Robat Thomas, Tŷ Gwyn – *parch i'w lwch o*' – neu
'mae o wedi ei gadw erstalwm rŵan, *hedd i'w lwch o*' – neu
'mae o'n dawel iawn heddiw ac *yn ei haeddiant*.' Neu wrth
gofio rhywun ag atgasedd, dywedid 'rhaid gadael i'r meirw
lonydd – ond mae'r cythraul yna'n *cael ei haeddiant* yn
rhywle heddiw.'

Cynhebrwng coc – disgrifiad sinicaidd o briodas, ac fe'i
defnyddir hefyd i ddisgrifio cyfathrach rywiol.

Defnyddid y gair *awen*, yn hytrach nag i ddynodi athrylith
neu ysbrydoliaeth farddol, mewn modd ysbrydol neu
gyfriniol ehangach, ac fel arwydd o'r reddf gyfriniol sy'n
rhan gref o gyfansoddiad cymeriad y Celt. Clywais ddefnydd
o'r gair *awen* yn aml mewn sawl ffordd wahanol gan Siôn
William Carreg-lefn, Gruffydd Owen, John Jones Bryn
Gollen Isaf, Llannerch-y-medd (1880-1968), ac eraill, fel
hyn: 'Leciais i mo'r *awen* y munud cerddais i'r gegin, roedd
'na ryw hen ysbryd annifyr yna,' neu 'Roedd 'na *awen dda*
yn y Beudy Gwyn yr holl adeg roedda ni yn gweithio yna,
pawb yn cyd-dynnu i'r dim a'r hen fistar gyda'r gorau.' Yn

ogystal, yn hytrach na bod awyrgylch ysbrydol anniddig neu awyrgylch ysbrydol o uwch hyfrydwch – y cyfieithiad a'r gyfatebiaeth orau o hynny, o ran cadw'r elfen gyfriniol ac uwchnaturiol, ydi bad *vibes* a *good vibes* – mae ystyr arall iddo. Ystyr ydi hon sy'n cyfleu i ni beth a elwir gan awduron Saesneg yn eu disgrifiadau yn *battle glow* yr arwyr Celtaidd a chan Jac Fawr Pencefn wrth ddisgrifio Brwydr Coed Mametz (1-5 Gorffennaf 1916) pan orchfygodd y 38th *Welsh Division*, a oedd gan fwyaf yn llanciau glas dibrofiad cefn gwlad, hufen y fyddin Almaenaidd mewn brwydro llaw i law yn nryswch y goedwig. Cofiaf Jac Fawr, ac yntau mewn oed mawr, yn cofio'r frwydr fel 'brwydr o uffarn dân – **roedd yr awen arna ni** ac roedda ni yn methu stopio lladd a fedra'r offisars mo'n dal ni'n ôl. Duw â'n helpo ni am y fath beth.' Clywais hefyd ystyr arall gan Jac Sachins sy'n awgrymu fod awen yn golygu ysbrydoliaeth lawer ehangach nag ysbrydoliaeth farddol a'i bod yn bresennol mewn pob math o ddoniau llai athrylithgar. Fel 'Pan oedd yr awen arna i, a chewch chi mohoni bob amser, mi godwn wal nad âi dim ond a hed drosti, ella cymaint â chwe llath y dydd.' Roedd llawer o grefftwyr, hyd yn oed yn fy nghyfnod i, ac o bosib yn dal i fod, yn ddynion hynod o oriog wrth ganolbwyntio'n ddwfn ar eu gwaith, bron yn cau y byd allan yn gyfan gwbl. Clywais Twm Bach y Blodau mewn sgwrs â Dic Huws Pen Werthyr yn sôn am hen gymeriad gweithgar a gloyw, Jim Morris o'r Llan a weithiodd fel Dyn Caled gydol ei oes (ni allaf ond bwrw amcan ar ei gyfnod heb ddod o hyd i'w feddrod, ond tybiaf ei fod tua 1870-1950) ac yn dweud am Jim, '**Pan oedd yr awen arno**, âi yn hollol fud a byddar i bawb a phopeth pan oedd wrth ei waith, a tasa rhywun yn mynd ato i ddweud bod ei fam wedi marw, fasa fo'n clywed dim arno. Ond wedi cael noswyl, ni chaech chi neb cleniach na ffeindiach.' Meddai fy nhad lawer gwaith, **chewch chi neb weithith yn well na dyn cas wrth ei waith**. Pan oeddwn i yn fy arddegau cynnar (gadewais yr ysgol i weithio ar y tir yn 15 oed), roeddwn yn ddigon ffodus i gael gweithio ochr yn ochr â Jac Sachins, Jim Francis Hughes, Robat Williams Crydd (a oedd wedi hen gefnu ar drin esgidiau ar ôl ymddeol a dychwelyd yn ôl i wneud dipyn o waith ar y ffermydd, er mwyn pleser), y tri ohonynt yn grefftwyr tir medrus iawn. Buan iawn y deuais i arfer â'u cyfnodau oriog a chreadigol, ac er na fu i mi erioed feistroli walio gyda cherrig sych werth dim (heblaw i godi ambell fwlch syml), yn sydyn iawn fe ddysgais y grefft o sigo a phlethu drain gwyn, o ffensio, wynebu cloddiau â thywyrch (feistrolais i erioed wynebu waliau â cherrig), sgwrio ffosydd (h.y. codi'r gwaddod o waelod ffos a'i roi mewn pantiau ar frig cloddiau ac wedyn naddu tywyrch yn hirsgwar a thenau gyda rhaw o ymylon y dalar a'u gosod dros y gwaddod a godwyd i wastadu brig y clawdd i'w **dwtio**).

Roedd fy nhad yn hynod o hen ffasiwn yn ei ddull o amaethu a theimlai ei bod yn bwysig i mi fedru troi fy llaw at bob crefft amaethyddol. Mae'n syndod pa mor sydyn mae plentyn 15 oed yn medru cymathu gwybodaeth o'r hen grefftau, a rhai mwy diweddar, ac yn fuan iawn yn gallu gweithio heb oruchwyliaeth. Treuliais y mwyafrif o'm dwy flynedd gyntaf ar y tir yn gweithio ar ben fy hun mewn caeau unig ac anghysbell yn nhawelwch Llanbabo a Llantrisant, ac os nad yn ymarfer rhywfaint o waith **Dyn Caled**, roeddwn ar ben fy hunan ar y tractor yn trin tir, lladd gwair ac ysgall, a llyfnu a rowlio tir pori yn y gwanwyn. Anfodlon iawn oeddwn i ymysg cwmpeini eraill pan gawn fy ngyrru i weithio mewn ciang adeg cario gwair ac ŷd, neu adeg cynhaeaf pan hiraethwn am unigrwydd a'm cwmpeini fy hun. Roeddwn i'n colli'r **awen** oedd yn disgyn arnaf yn y tawelwch, wrth imi lwyr ymbleseru yn fy ngwaith. Anodd ydi disgrifio **awen** yn gywir, mae'r effaith bron fel cyffur sy'n mynd â rhywun i lefel uwch o ymwybyddiaeth, sydd yn gyfriniol bron. Yng nghyflwr yr awen, mae bodlonrwydd llwyr, beth a elwir yr oes hon gan ddefnyddwyr cyffuriau'n *high* neu *buzz*, fel bod mewn breuddwyd neu berlewyg, mor bleserus ydi'r gwaith, tra ar yr un pryd mae'r unigolyn yn cyflawni gwaith, fel sigo drain, o'r safon uchaf bosib ac yn canolbwyntio'n llwyr ar berffeithio ei waith; mae hefyd mewn cyflwr o fyfyrdod ysbrydol dwfn iawn a deallusgar, yn pendroni dros bethau eraill. Roedd Hedd Wyn yn arddwr (aradwr) gloyw iawn, ac yn fugail medrus cyn y Rhyfel Byd Cyntaf, pan oedd yn gweithio adref yn yr Ysgwrn, Cwm Prysor, Trawsfynydd, a byddai'n hoff iawn o'i gwmpeini ei hun. Yn ôl Morris Jones, gynt o Drawsfynydd, nawr mewn oed mawr ac yn byw gyda'i ferch ym Mangor (cyfarfûm â Morris yn Ysbyty Gwynedd pan oeddwn yn cael llawdriniaeth yn 1987; roedd yn y gwely agosaf, a threuliasom oriau yn trafod pethau), roedd gan Hedd Wyn bob amser ddarn o bapur a phensel blwm yn ei boced. Roedd mewn byd bach ei hun pan oedd yr *awen* arno, ac er yn berffeithydd dawnus wrth ei waith a oedd yn dod â dedwyddwch aruthrol iddo, fe allai ar yr un pryd droi a throsi a chnoi cil dros ryw linell o gynghanedd a chymryd seibiant o'i waith i'w hysgrifennu i lawr. Yn ôl ei gyfoedion, meddai Morris Jones, ymhell ar ôl ei farwolaeth ym Mrwydr Pilkem Ridge yn Fflandrys yn 1917, byddai Hedd Wyn yn colli'r *awen* ar adegau pan ddeuai rhywun ato a thorri ar draws ei lif gwybyddiaeth a myfyrdod, ac fe allai fod yn eithaf drwg ei dymer – *siort*, a ddywedwn ni ym Môn. Ac yn ôl Morris Jones roedd llinell gyntaf un o'i benillion, sef **Gofynnais i'r creithiog fynyddoedd**, yn adlewyrchu ei ymdrech i ailafael yn ei fyfyrdodau dwfn, yr ysbrydoliaeth a'r *awen*, ar ôl iddo gael tynnu ei sylw gan rywun yn dod heibio am sgwrs. Hynny ydi, roedd yn ceisio dod yn ôl i'r cyflwr ac yn ceisio ymofyn i'r dirwedd gyfriniol fynyddig ailddychwel yr *awen* iddo.

Roedd Llew Llwydiarth, cymeriad roeddwn i yn ei adnabod yn dda iawn ac a oedd yn mynychu aelwyd fy nghartref yn aml, efo'r un arferiad o gario papur a phensel ym mhoced ei wasgod bob amser. Roedd yr hen Dderwydd, a Derwydd yn ôl yr hen ystyr o Dderwyddiaeth oedd Llew, gyda pherthynas hynod o agos â'r tir a byd natur, dyn oedd lawn mor agos at ysbryd ei gynefin ag oedd John Williams, Ynys Groes, yn amaethwr hen ffasiwn a llwyddiannus dros ben yn cynnal ei hun yn gyfan gwbl ar ei 38 erw, sef cyfanswm maint ei fferm Parc Newydd, Carmel, Sir Fôn. Nid dyn wedi colli ei ben â diwylliant ac yn esgeuluso pethau bob dydd mo'r hen Lew Llwydiarth o bell ffordd, ond amaethwr tu hwnt o dda ac yn *slafiwr* (gair arall Môn am weithiwr diwyd) ac arbenigwr yn hen grefftau'r bywyd agored. Parc Newydd oedd y fferm dwtiaf ar Ynys Môn bron iawn, gan ddangos hoel medrau a gwaith caled Llew. Er ei fod yn ddiwinydd dyfn, yn Gynghorydd Sir ac yn hynafgwr radical a diduedd, yn hynod o ddiwylliedig, bron yn orhyderus i'r pwynt y gallai fod yn or-awdurdodol a beirniadol o ddoniau diwylliedig eraill, roedd hapusaf ac yn ei elfen ar ben ei hun yng nghloddiau a ffosydd Parc Newydd ac ymysg ei dda byw penigamp. Rhaid oedd iddo wrth gyfnodau o encilio yn yr awen i ddianc o'i gyfrifoldebau allanol fel Derwydd, Cynghorydd a Llywydd y Cyfarfod Misol a derbyn ychwaneg o ysbrydoliaeth trwy'r lefel uwch o wybyddiaeth a gâi wrth amaethu. Tystiais weld Llew yn ddyfn mewn myfyrdod wrth odro'r buchod, a'i ben yn gorffwys yn ystlys y fuwch wedi'i swyno gan rythm y llaeth yn taro ochrau'r fwced laeth, cyn iddo neidio oddi ar y stôl odro a datgan 'Dwi wedi ei chael o'r diwedd!', a mynd ati i ysgrifennu rhyw linell ar y papur, cyn mynd yn ôl i gwblhau'r godro.

Cymeriad unigryw arall oedd Dafydd Huws, Tŷ-croes, y Llan a ddechreuodd ei yrfa fel chwarelwr yn y Penrhyn, Dyffryn

Ogwen cyn etifeddu Tŷ-croes gan ei ewythr. Roedd yr hen Ddafydd Huws annwyl (1910–1984) yn athrylith ac yn athronydd gwreiddiol a dawnus, yn ddyfn yn ei lyfrau, er nad oedd yn grefyddol – anffyddiwr ydoedd – nac yn ymddiddori fawr mewn diwylliant. Roedd yn sosialydd cenedlaetholgar brwdfrydig, cyn clywed sôn am Dafydd Elis Thomas, ac yn meddu ar syniadau gwleidyddol ymhell ar y blaen i'w gyfnod. Er yn cadw gwas ac yn amaethwr hen ffasiwn, gloyw, rhaid oedd iddo gael diwrnod neu ddau bob wythnos o encilio i'r caeau pellaf o'r tŷ i *slafio* ar ben ei hun a mwynhau'r awen a myfyrio yn ddyfn ar ei hoff bynciau. Edrychwn ymlaen yn fawr iawn at ymweliadau Dafydd Huws â'n haelwyd a threuliais oriau maith yn gwrando arno ac yn cyd-drafod ei bynciau hefo fo. Dafydd Huws esboniodd i fy nhad effaith a chyflwr yr *awen* pan oedd fy nhad yn pryderu am fy enciliadau – rhai allai barhau am wythnosau yn fy arddegau ac yn gaeth bron i effaith yr *awen*. Tybiaf fod cyflwr yr *awen* wedi cyfoethogi bywydau lluoedd o'r hen weision fferm yn yr hen amser a galluogi cyfnodau o waith a allai, fel arall, fod yn ddiflas iawn. Byddai pethau megis canlyn yr og yn troi'n bleserau, a does ryfedd bod Cymru wedi magu beirdd a llenorion dawnus gydag ymwybyddiaeth athronyddol ddofn a'r mwyafrif ohonynt â pherthynas anhygoel â'u cynefin gwledig – rhai fel Hedd Wyn, William Williams Pantycelyn ac Eifion Wyn.

Sa' draw – mae dau fath o **sa' draw** (< *saf/sefa draw*), y cyntaf ydi coesyn hir o bren caled hefo bachyn a thafod sbringlwythog sydd yn cael ei fachu ym modrwy drom tarw i'w dywys. Hefo tarw peryg defnyddir dau **sa' draw**, y naill ochor a'r llall fel bod y tarw, wrth droi ar un dyn, yn cael ei rwystro gan y **sa' draw** arall. Mae'n syndod pa mor wan ydi'r cyhyrau sy'n galluogi'r tarw i droi ei ben, ac felly gellir tywys y tarw mwyaf ffyrnig gyda dau ddyn. Gelwid y mwgwd a roddid dros lygaid tarw, wedi'i glymu wrth y cyrn a than y gwddf, yn *sa' draw* hefyd. Pwrpas hwn yw galluogi'r tarw i weld y fuwch sy'n gofyn tarw ar ôl iddo ei harogli, a rhaid iddo godi'i ben ar ogwydd i weld o'i flaen. Petai tarw yn gweld dyn a throi yn filain ni allai ei dolcio am na allai ostwng ei dalcen a gweld 'run pryd.

Y *sa' draw* arall ydi cerrig pwrpasol a osodid wrth sawdl ochr fewnol cilbostiau giât i rwystro peiriannau mawrion, fel y dyrnwr mawr, rhag bachu yn y cilbost a'i ddymchwel. Cyn cyffwrdd yn y cilbost buasai olwyn y dyrnwr yn bachu yn gyntaf yn y *sa' draw* gan wthio'r olwyn draw oddi wrth y cilbost. Roedd rhaid i ambell amaethwr cynnil osod *sa' draw* ar ei gilbostiau adeg dyrnu ŷd; oni thelid cil-dwrn yn ychwanegol at y ffi ddyrnu i'r rhai oedd yn dilyn y dyrnwr mawr – a'r rheini fel arfer yn weision i berchennog y dyrnwr – fe fyddent yn bendant yn gwneud ati i fachu'r cilbost a'i ddymchwel. Gwelir hyn yn llyfr Tom Pari Jones, Tŷ Pigyn, *Teisennau Berffro.*

Carreg gosi – mae llawer yn camgymryd y **garreg gosi** am y meini hirion hynafol sy'n gyffredin iawn ar yr Ynys. Yn wir ceir **cerrig cosi** mewn ambell le sydd tua 10 troedfedd o uchdwr a hawdd ydi gwneud y camgymeriad. Mae **cerrig cosi** yn llawer iawn mwy diweddar na'r meini hirion ac yn perthyn i gyfnod amgáu caeau. Ei phwrpas ydi galluogi gwartheg sy'n mendio, hynny ydi yn tyfu a phesgi ar borfa, i grafu eu hunain a thrwy hynny arbed dinistrio'r cloddiau a'r waliau terfyn. Ceir ar y **garreg gosi** sglein uchel lle mae gwartheg dros y canrifoedd wedi caboli'r gwyneb wrth grafu. Gair sy'n gysylltiedig â'r crafu a'r cosi – ac sy'n cael effaith ar wartheg o bob oed pan fo'r rheini'n mendio – ydi **ymlyfu**, ac mae hynny'n arwydd sicr bod yr anifail yn iach ac yn dod yn ei flaen. Wrth ymlyfu mae anifail yn gadael darn gwlyb a thonnog ar ei gôt ac yn sgut am grafu ei hun ar unrhyw beth hwylus – polion neu stanciau ffensio, polion trydan a *cherrig cosi*.

Llanw – un ystyr yw môr yn dod i mewn neu'n mewnlifo. Yr ystyr dan sylw yma ydi'r gordo neu'r drosgrog mewn troliad o wair rhydd neu ysgubau ŷd pan fo pob plyg unigol ychydig yn fwy allan na'r un cynt fel nad ydi'r llwyth yn bachu yn y cilbostiau. Roedd cadw **llanw** ar **daes** (tas) wair neu ŷd yn hollol angenrheidiol i gadw'r dŵr glaw yn glir o fôn y daes a rhoddai hyn i'r daes ei siâp nodweddiadol, yn gulach yn ei bôn nag yn ei brig. Wedi cwblhau'r daes rhaid oedd **toi** gyda brwyn wedi eu torri a'u sychu'n barod a'u dal yn eu lle gyda phegia.

Fel arfer caent eu gwneud o helyg, crefft arbenigol oedd yn cadw'r daes yn ddiddos, yn wrth-ddŵr. Cwblheid y gwaith trwy osod rhwyd wifren yn dynn yn erbyn sawdl y daes ac o'i hamgylch i uchdwr o 4 troedfedd i rwystro llygod Ffrengig rhag tyllu i mewn a difrodi'r ŷd.

Ysbryd dieflig – yn Saesneg, *poltergeist*, yn y *Geiriadur Mawr*, ysbryd stwrllyd ddrygionus, ond ar Ynys Môn gelwid y ffenomen yma'n **ysbryd dieflig** oedd yn llawer mwy cyffredin nag y buasai rhywun yn ei feddwl ac nid eithriad oedd anfon am berson neu weinidog ordeiniedig i fwrw'r ysbryd dieflig. Ond dim ond tawelu'r ffenomen am gyfnod a wnâi eu hymdrechion. Roedd yr hen do'n siarad llawer am eu profiadau a'u hanesion am eraill gyda'r ysbrydion dieflig. Chwedl Siôn Wiliam Carreg-lefn, roedd ysbryd dieflig yn Hafod Owen, Amlwch a hwnnw'n aflonyddu ar bawb. Disgrifiai rhai eraill fel Jac Sachins a Siôn Goch Rhos-y-bol fel y caent eu **haflonyddu** yn y nos gan rywbeth, ac ni ddefnyddient y gair aflonyddu i unrhyw ystyr arall. Mae llawer iawn o hanesion ysbrydion dieflig ar gofnod o'r hen amser ac fe wahaniaethid rhwng bwgan neu ysbryd ac *ysbryd dieflig* oedd â'r gallu i *aflonyddu* trwy symud a thaflu gwrthrychau difywyd fel llestri oddi ar y dresal, cipio dillad gwely oddi ar y rhai oedd yn cysgu a hyd yn oed guro pobol. Yn ôl yr arbenigwr ar y goruwchnaturiol, y Parchedig J. Aelwyn Roberts, Llandegái, nid ysbryd goruwchnaturiol na chythraul ydi ysbryd dieflig ond ffenomen egni cinetig yn deillio o anfodlonrwydd meddyliol ac ysbrydol unigolyn, yn enwedig plant yn y cyfnod cyn aeddfedu. Ond wedi dweud hynny mae 'na ormod o adeiladau sydd yn draddodiadol-gysylltiedig â'r ffenomen aflonyddgar yma, lle nad oedd plant na neb yn bresennol gydag anfodlonrwydd meddyliol allai godi'r egni cinetig – peth a allai yrru'r cŵn a'r ceffylau'n wallgof o ofn ac arswyd (dau anifail sy'n hynod o sensitif i'r goruwchnaturiol). Fy esboniad i fy hun, pa bynnag werth sydd i hynny, yw mai ysbryd y meirw ydi'r *ysbryd dieflig*, rhai ar goll rhwng yr ail a'r trydydd o'r saith dimensiwn ysbrydol pan fo'r ysbryd yn cynyddu o ddimensiwn i ddimensiwn hyd nes cyrraedd perffeithrwydd. Damcanaf bod yr *ysbryd dieflig* heb sylweddoli ei gyflwr ac yn ddicllon gyda'r rhai byw am ladrata ei gynefin daearol. Mewn amser fe ddaw'r *ysbryd dieflig* i dderbyn ei gyflwr a llonyddu yn barhaol. Rhaid cofio nad busnes oedd ffermio yng nghyfnod yr hen do ond ffordd o fyw, ac roedd yr amaethwr a'i deulu'n llawer agosach a chyda chyswllt dyfn gyda'r cynefin yr oeddynt wedi llafurio gydol oes i'w feithrin a gwella ei safon – dim rhyfedd iddynt aflonyddu ar olynwyr diarth. Pur anaml y clywir am *ysbryd dieflig* yn yr oes yma. Pan oeddwn yn blentyn ac yn cysgu yn llofft gefn Tan-y-foel, Llannerch-y-medd, sef y llofft ar ben y grisiau yn arwain o'r gegin gefn lle'r ymgynullai'r henoed lawer noson i sgwrsio yng ngolau'r tân, clywais lawer o sôn am ffenomenâu ysbrydol yr hen oes – profiad erchyll i blentyn ifanc hawdd gwneud argraff arno

Hŵdw – er iddo gael ei gynnwys yn y *Geiriadur Mawr* fel *hwdwch, hwdwg* gydag ystyr *bwgan* neu *fwbach*, ei ystyr yn Ynys Môn ydi melltith, er enghraifft 'Mae 'na blydi **hŵdw** arna i heddiw, wneith dim byd fynd yn iawn', neu am wraig wedi colli dau neu dri gŵr, 'mae 'na **hŵdw** ar honna'.

Bwgan neu **ysbryd**, ar y llaw arall, ydi ymwelwyr o'r dimensiynau y mae cyfrinyddion yn eu hadnabod fel bodolaeth gyson – *constant existence*, lleoliad Afallon, Tir Na N'og, Paradwys yr Iddew a'r Mwslim, Valhalla y Daniaid a'r Llychlynwyr ac yn y blaen. Ond nid efengylu cyfriniaeth yw 'mwriad yn fan'ma ond egluro y gall ysbrydion y meirw ddod yn ôl ar ddau achlysur. Yn gyntaf pan fo ysbryd rhwng yr ail a'r trydydd dimensiwn, y Cyson, gyda chyswllt aruthrol â'i hen gynefin daearol a heb dderbyn ei gyflwr yn llawn – gall y trosglwyddiad gymryd canrifoedd – ac yn dychwel i gadw llygaid ar ei hen gynefin. Yr ail ydi pan fo'r ffiniau rhwng y fodolaeth bresennol, hynny ydi bywyd ar y ddaear, a'r fodolaeth gyson yn ystofi digon i'r naill weld y llall. Eglurodd Colin Wilson yn ei lyfr *Beyond the Occult* mai math o *playback* seicig pan fo dau gyfnod o hanes yn cyd-ddigwydd yw peth o'r fath. Eglurodd y Parchedig J. Aelwyn Roberts, arbenigwr ar y byd seicig, ac Allfwriwr yr Esgobaeth (*Diocesan Exorcist*) fod yr ysbrydion yma'n hollol ddiniwed, ac nad ydynt o'r un anian o ddrygioni â chythraul neu **ysbryd dieflig**, a bod y rhain yn ffenomenâu hynod o gyffredin, yn enwedig i rai sydd â greddf gyfriniol yn deillio o gydymdeimlad a pherthynas â'r meirw. Hyd heddiw gwelir ysbryd hen wraig fechan yn ymddangos yn aml yn Ficerdy Pentir a gallwn ategu llawer mwy o esiamplau o hyn. Soniodd yr hen do lawer am ysbrydion y meirw'n dychwelyd i'w cynefin a'u bod wedi medru dod i arfer â'r ymddangosiadau yma; mae Môn yn frith o'r ffenomenâu yma. Nid ydi Allfwrwyr Eglwys Cymru erioed wedi cymryd y camau dwys a difrifol i geisio cael gwared ag ysbrydion o'r fath, dim ond eu hannog trwy weddi i orffwys.

Roedd yr hen do yn llawer mwy sensitif i'r goruwchnaturiol nag ydan ni heddiw, er bod eu greddfau a'u cred yn hyn yn bwnc gwaharddedig gan athronwyr ysbrydol yr Anghydffurfwyr ers canrifoedd. Er hynny roedd eu cred yn y goruwchnaturiol yn cydredeg gyda dysgeidiaeth eu henwadau. Roeddent yn argyhoeddedig ym modolaeth a dylanwad cythreuliaid ar bobl ac ar anifeiliaid, a sut ar y ddaear oedd eu huchelwyr diwinyddol yn gallu gwrthddweud eu hunain wrth wfftio'r fath beth pan fo llawer iawn o gyfeiriadau at gythreuliaid ac at allfwrw cythreuliaid yn y Testament Newydd? Cofiaf Siôn William Carreg-lefn yn sôn am unigolyn creulon a maleisus oedd yn ymbleseru mewn creulondeb a direidi sadistaidd '*hefo'r diafol ynddo*, ac wedi ei feddiannu gan gythraul' – unigolyn oedd hwn a gafodd **grwst**, sef andros o gweir, gan y cawr cyhyrog oedd Siôn Wiliam yn ei ddydd, a esgusodai roi o'r neilltu ei natur amyneddgar ac addfwyn – 'Aeth y gras ohonaf fi am ychydig ac fe rois i goblyn o **grwst** iawn iddo fo.' Soniai'r hen Siôn Wiliam am gaseg wedd ym Mod-Deiniol, Llantrisant hefo'r diafol ynddi, gan adrodd am gastiau a thriciau anhygoel y gaseg yma i geisio gwneud niwed i bob ceffylwr a geisiodd weithio hefo hi wrth eu swyno i lacio eu gwyliadwriaeth ohoni, hyd yn oed i wasgu'r ceffylwyr rhyngddi hi a phared y stabal. Aeth yr hen ŵr i'r drafferth i egluro i mi bod yna gythraul yn y gaseg, yn hytrach na'i bod yn wrthryfelgar 'ran natur neu o effaith creulondeb, gan ei bod yn gaseg brofiadol wrth ei gwaith, ac ufudd tu hwnt ac eithrio pyliau hynod o berygl a ddeuai heibio'n hollol ddirybudd. Achubodd Siôn Wiliam hi o iard nacer Cae Ddafydd wrth brynu gwerth swllt o opiwm yn fferyllfa'r Llan bob nos Sadwrn a'i fwydo i'r gaseg a aeth mor gaeth nes newid ei chymeriad a cheisio dringo grisiau'r llofft stabal i ymuno â fo fel ci dof! Clywais chwedlau arswydus am gythreuliaid ac ysbrydion dieflig gan lawer o'r hen do.

Ar gefn ei gythral – neu **mae'r horods arno fo** – dim byd i wneud ag ofergoeliaeth! Yn disgrifio rhywun mewn hwyliau drwg iawn ac yn gas a milain wrth bawb a phopeth.

Swpar croeso – traddodiad sydd yn parhau yn y gymdeithas amaethyddol ym Môn a'r tir mawr i groesawu amaethwr newydd a'i deulu i'r ardal. Roedd gwahoddiad i swper yn fraint fawr yn gyffredinol, dim yn unig i groesawu teulu diarth i'r ardal. Yn ôl atgofion fy rhieni pan gawsant denantiaeth fferm Cyngor (mân-ddaliad y Cyngor Sir) Four Crosses, Rhos-goch, yn 1940, cawsant wahoddiadau cyson i *swpar croeso* gan lawer o'u cymdogion newydd. Dywedodd mam druan ei bod wedi hen flino ar fwydlen y *swpar croeso* ym mhob man, sef y tun samon hollbresennol, ynghyd â thuniau ffrwythau, a aberthwyd o gelc brin bwyd tuniau yr aelwydydd, yn ogystal â thorth frith a theisen gartref!

Peth arall hollol wahanol oedd **swpar derbyn**, er bod y fwydlen 'run fath, ac achlysur arswydus iawn i lanc ifanc oedd yn **canlyn** (caru yn agos). Wedi i lanc a geneth gychwyn canlyn yn agos, doedd dim o'r fath beth â dyweddïad gyda modrwy bryd hynny – traddodiad y byddigions a phobol fawr oedd hynny, nid rhan o draddodiad gwerin Môn. Roedd rhaid i'r llencyn druan fynychu swpar yng nghartref ei gariad i gyfarfod â'r teulu a fyddai'n ei bwyso a'i fesur yn drylwyr cyn rhoi sêl bendith ar y berthynas, ymhell cyn sôn am briodas. Roedd rhieni'r hen do yn hynod feirniadol o, ac ymchwilgar i gymeriad darpar fab neu ferch yng nghyfraith, yn enwedig y llencyn cyn ei wahodd i swpar. Os nad oedd y llencyn yn dderbyniol ar ôl holi ei achau, ei gymeriad, ei enwad crefyddol, ac yn y blaen, yna llwm iawn fuasai'r croeso efo dim ond powliad o de a brechdan a derbyniad gorffurfiol, gyda thwtsh o farrug yn awyrgylch yr aelwyd. Ond os oedd yr adroddiadau yn dderbyniol, yna buasai'r lliain gorau ar y bwrdd, a hwnnw dan ei sang o'r llestri gorau – cwpanau te a soseri oddi ar y dresal, nid y powliau te bob dydd. Y tun salmon hollbresennol oedd prif eitem y fwydlen, gyda llu o deisennau, bara brith a phicls, a'r teulu yn eu dillad gorau. Roedd y swpar, yng ngwŷdd y sbloets fawr, yn *swpar derbyn* go iawn oedd yn arwydd pendant fod y llanc wedi ei dderbyn yn gariad addas i'r ferch, a bod sêl bendith y teulu ar y berthynas. Yn ôl Wiliam Owen, fy nhaid, a oedd yn hynod o ffraeth a doniol, roedd llawer mwy o arswyd arno yn cerdded y naw milltir o Cefn Roger, Carreg-lefn pan oedd yn brentis saer coed, ar bnawn dydd Sul i gartref fy nain Kate Owen (Jones bryd hynny) a chnocio ar ddrws ei chartref, Pencefn Bach, y Llan, ar ôl ei wahodd i swpar, nag oedd ganddo drwy gydol y Rhyfel Byd Cyntaf! Gollyngdod mawr iddo, meddai fy nain yn ei chwedlau teuluol, oedd gweld y wên ar ei gwyneb hi a'r bwrdd o dan liain gwyn ac yn orlawn o ddanteithion, yn arwydd ei fod nid yn mynychu swpar ond *swpar derbyn*, a'i fod cystal â bod wedi dyweddïo! Y cam nesaf oedd gwahodd y ferch i aelwyd y llanc, ond doedd hynny ddim byd tebyg i'r trawma oedd wedi dod ynghynt i ran y llanc.

Conffyrmasiwn a sêl bendith teulu'r llanc oedd y swpar yma, ac i'r llanc gyflwyno ei ddarpar wraig i'w rieni. A dyna gyfanswm 'dyweddïo' yr hen do, heblaw am y ddyletswydd i'r llanc fynychu addoldy teulu ei gariad gyda'r teulu bob nos Sul, a chael ei ddyrchafu yn aelod o'r aelwyd wrth eistedd gyda nhw yn sedd capel y teulu. Wedi ei dderbyn bron yn aelod o'r teulu, câi fân anrhydeddau eraill fel treulio bob noson garu wrth aelwyd ei gariad, heblaw am 10-15 munud

gyda'i gilydd tu allan, i ddweud (yn nhafodiaith Môn) y
nosdawch, a chael golchi ei ddillad gwaith gan ei mam. Os
na fyddai'n fater o raid (priodi) oherwydd beichiogaeth,
gallai'r drefn hon gymryd 2-3 blynedd cyn y briodas, gyda'r
ferch yn buddsoddi pob dimai, ac yn hel anrhegion, neu hel
lliain – peth a newidiwyd ar ôl y Rhyfel Byd Cyntaf i hel
bottom drawer, ond **hel lliain** a ddywedai fy nain. Wedi cael
croeso ar aelwyd ei gariad, roedd y llanc wedyn **wedi cael ei
draed dan bwrdd** neu **wedi rhoi ei gap ar yr hoelan**. Fel
arfer, os bwthyn oedd cartref y briodferch, yn festri'r capel
neu'r eglwys y cynhelid y brecwast priodas wedi'r seremoni,
neu'n aml iawn yn y fferm lle'r oedd yn gweithio fel morwyn.

Stanio – gair arall am roi curfa neu roddi cweir, fel **roedd
hi'n stanio'r plant neithiwr**, neu **mi gei di staniad iawn**.
Bwriaf amcan hirbell fod **stanio** yn gynaniad Môn o **staenio**
neu **ystaenio**, yn yr ystyr o adael clais neu gleisiau. Clywais
Siôn Nan Ifans o Walchmai yn adrodd hanes ei blentyndod
a rhybudd ei fam, Nan Ifans, 'Os na galli di mi wnâi dy din
di'n ddu,' – hynny ydi **stanio**. Ni ddefnyddid **stanio** am guro
rhywbeth marwol fel **stwyo carreg** (gyda gordd) ond i
ddisgrifio curo rhywun neu rywbeth byw.

Dyma ddywediad sydd yn prin ddal ei dir heddiw ar yr ynys
– **mi ffia'i di**, fel '**Mi ffia'i di** dwtsiad pen dy fys yn'o fo.' Nid
her neu sialens ydi ystyr **ffia'i di**, ond rhybudd grymus i
beidio â gwneud rhywbeth – i beidio â meiddio gwneud
rhywbeth. Yr unig esboniad, ac un gwan ydi hwnnw, sydd
gen i i'w gynnig yw mai o'r Saesneg *to defy* y mae'n dod.

Doniol oedd clywed gwahanol ddefnydd o'r gair **cwrtais**.
Cofiais Huwi Owen yn adrodd ei hanes yn was bach yn
Llwydiarth Esgob, Llannerch-y-medd yn cadw gwahardd ar
y cŵn corddi, mawrion a milain gyda **chwip gynffon**

llygoden, chwip tua llathen o hyd wedi ei phlethu o ledr ac yn tapro o ddwy fodfedd yn ei bôn i drwch cynffon llygoden bach yn ei blaen. 'Dwn i ddim beth y gelwir **chwip cynffon llygoden** yn Saesneg, ond gelwir rhai o'r un steil, ond yn hirach o lawer, yn *bullwhip* yn America. Mae chwipiau cynffon llygoden yn dal i fod ar gael heddiw ond yn fyrrach o lathen na'r rhai oedd gan Huwi. Canfu Huwi nad oedd y chwip yn ddigon o feistr ar 'frenin' yr haid o ddwsin neu fwy o'r cŵn corddi (yr *alpha male*) – yr un sydd bob amser yn rheoli haid o gŵn hela, daeargwn neu fleiddiaid gwyllt gyda'r mwyaf ffyrnig. A gwneud meistr cadarn ar y 'brenin' wnaeth Huwi i'r fath raddau nes i Huwi adrodd 'bod y diawl yn **gwrtais** iawn wedyn' – hynny ydi, wedi ei wareiddio ac yn ufudd.

Fel un a fagwyd mewn teulu blaengar ond uffernol o gwerylgar yng nghapel Methodistaidd y Llan (Jerusalem), ac a syrffedodd byth bythoedd ar wleidyddiaeth fewnol yr Anghydffurfwyr, clywais y gair **cwrtais** yn cael ei ddefnyddio mewn ffordd arall: 'Wedi i ni ei hennill hi ar y pwyllgor, roedd y gweddill ohonynt yn **gwrtais** drybeilig' – sef wedi cael braw a syndod, ac yn fud mewn siom a syndod.

Ystyr arall i **cwrtais** oedd disgrifio rhywun swil a chydag ond ychydig o eiriau i sbario, oedd bron yn ofnus mewn cwmpeini. Hyd yr adeg yr es i i Ysgol Gyfun Amlwch, rhaid i mi gyfaddef na wyddwn ystyr cywir y gair **cwrtais**, sydd i fy nghlyw i yn un o eiriau harddaf yr iaith Gymraeg, gan na ddefnyddid **cwrtais** yn ei ystyr cywir pan oeddwn i yn blentyn, sef i ddisgrifio rhywun sydd yn barchus o bawb neu sy'n dangos parch bob amser, neu wedi ei ddwyn i fyny i barchu eraill.

Mistri manas – gair yn dal i gerdded o hyd ac yn golygu rhyw weithred o ddireidi neu ddrygioni – 'Maen nhw i fyny i rhyw *fistri manas* yn dawal i chi.' Neu y cwestiwn y gofynnai fy nain i mi bob tro y dychwelwn i'r tŷ – 'Wyt ti wedi creu rhyw fath o *fistri manas*?' Bwriaf amcan ei fod yn gynaniad Cymraeg o *mystery manners*.

Potsio samon – cefais y fraint fwy nag unwaith o fynd gyda Dic Bach Pen-rhyd a hefyd Jac Rolant, Glan-gors, Rhos-goch a'i fab Emyr i botsio samons (potsio eogiaid). Fûm i erioed yn rhwydo *samon môr* efo nhw, sydd yn grefft arbenigol gyda rhwydi arbennig, ond bûm yn rhwydo aberoedd afonydd efo *rhwyd hosan* (*purse net*) hir a llydan oedd wedi ei phegio gyda stanciau a'i phwyso yn ei godre gyda cherrig. Yr adeg orau i ddefnyddio *rhwyd hosan* ydi adeg *rhedfa dodwy* yr eog pan fyddant yn dod yn llu o'r môr i fyny'r afonydd yn yr hydref a Glangaeaf.

Gwaith caled ac oer iawn ydi mynd yn noethlymun i'r dŵr i ddadfachu'r *rhwyd hosan* o'r stanciau a hel ceg y rhwyd i'w chau, ac wedyn ei llusgo i'r dorlan, efallai efo cymaint ag ugain o eogiaid 8-25 pwys yr un, yn groes i li'r afon. Wedi glanio'r rhwyd a'r ddalfa, rhaid oedd *rhoi'r badar* i bob pysgodyn, sef rhoi trawiad pastwn trwm, draenen ddu neu gelyn, i fôn y gynffon, a'i ladd. A choeliwch chi fi, mae'r eog ar y dorlan yn greadur heini a grymus yn *swalpio* yn egnïol. Hen air potsiars samon Môn ydi *swalpio*, sydd yn golygu'r ymdrech enfawr gan y pysgodyn pan fo'n boddi allan o'r dŵr – mae'n sboncio hyd at lathen neu fwy o uchder, yn troi a throsi a gwingo yn wallgof. Mae angen dau neu dri i gwblhau'r *paderu* – un i ddal y pysgodyn yn llonydd, un i ddal y lamp arno, a'r llall i *baderu*, y cyfan pan fyddwch yn noethlymun gyda dalfa dda i ymdopi â hi a hwythau'n *swalpio* o'ch cwmpas ar noson dywyll ac oer, ac ar frys ofnadwy rhag i'r ciperiaid afon neu'r beilis afon ddod heibio. Y glustan orau ges i erioed oedd gan gynffon pysgodyn mawr wrth imi geisio'i ddal yn llonydd!

Ar wahân i'r lluoedd o eogiaid sydd yn nofio i fyny'r afonydd adeg eu *rhedfa ddodwy* mae pysgod yn yr afonydd gydol y flwyddyn a phryd hynny ni ddefnyddid rhwyd ond y *foglan* (*snare*) (**meiglan** ydi trap tyrchod a **maglan** ydi **croglath** dal cwningod ac ysgyfarnogod, ond **moglan**, lluosog **moglod**, i ddal eog). **Croglath** wedi ei gwneud adref oedd y *foglan* o un darn o wifren hyblyg gyda llygad o bres wedi ei gweu i un pen, a'r pen arall wedi'i basio trwy'r llygad i wneud y ddolen, efallai 10-12 modfedd ar draws. Yn aml fe rwymid rhaff denau ym mhen rhydd y *foglan* i arbed dwylo'r daliwr. Unwaith yn rhagor fe âi'r daliwr i'r afon yn noethlymun a chanolbwyntio ar y dorlan, yn enwedig lle'r oedd trosgrog a chysgod, gan nad yw eog yn or-hoff o haul a'i fod yn hoff o orffwys mewn mannau cysgodol a thawel. Bydd bob amser â'i ben i gyfeiriad y lli fel bod y lli yn llifo i mewn i'w *franciau* (*gills*) i'w arbed rhag gorfod nofio i anadlu pan fydd yn gorffwys. Os yn llaw dde fe gydiai'r daliwr yn y *ddwlen* (ddolen) a'r rhaff yn ei law chwith a rhedai flaenau ei fysedd yn ysgafn ac esmwyth trwy'r dŵr hyd nes y teimlai gorff yr eog. Mesurai ei faint a lleoliad ei ben trwy gosi bol neu ochor yr eog yn hynod o ysgafn i ddynwared rhedfa'r lli, neu gyffyrddiad chwyn yn siglo yn y lli. Yn ofalus iawn fe gydiai'r daliwr yn y rhaff â'i law chwith a lleoli pen y *ddwlen* yn gylch llydan dros ben yr eog hyd at y *brancia* a wedyn ei thynnu'n dynn, ac yn rhan o'r un symudiad byddai'n cau'r *ddwlen* dros y *brancia* a chodi'r eog a'i daflu ymhell i'r lan i gael ei *baderu*. Nonsans a chelwydd llwyr ydi'r adroddiadau am ddalwyr yn cosi eog neu frithyll hyd nes y nofith o i'r gwyneb mewn rhyw fath o ecstasi pysgodaidd, *tickling* fel y'i gelwir yn Saesneg. Pwrpas y cosi ydi mesur ei hyd a lleoliad ei ben i osod y *ddwlen*. Mae'n bosib dod o hyd i frithyll yn yr un modd, ac wedi ei gosi, ei fesur cyn ei sgwpio a'i fwrw'n rymus i'r dorlan. Ond nid trwy ei fesmereiddio i godi i'r wyneb. Mae angen dyn reit gryf i fwrw eog i'r lan mewn un symudiad sydyn a grymus â'r *foglan*, a hwnnw, efallai, yn pwyso 15-20 pwys, heb sôn am ei fwrw gyda dwylo. Y dull arall oedd trywanu'r eog gyda **thryfar** (*trident*) ac arni ddannedd cam yn rhedeg ar dro yn hytrach na chydredeg â'i gilydd. Yn y nos y defnyddid y *tryfar* gyda lamp o sbotleit modur wedi ei phweru gan fatri 6 folt beic modur mewn pecyn ar gefn y *lampiwr*. Wrth chwarae golau ar wyneb yr afon fe ddenir yr eog i'r gwyneb bron a rhoddir y cyfle i'r tryfarwr ei drywanu a'i godi fel swp o wair ar bicwarch a'i fwrw (y *tryfar* a'r eog) i'r dorlan. Roedd y *tryfar* yn gelfyn yr oedd y potsiar wedi buddsoddi arian da i grefftwyr ei llunio. Heblaw pen crwn, cam y *tryfar* – oedd yn waith i of – roedd y coesyn onnen yn raniadau yr un hyd hefo sgriw drwchus bres ar un pen a soced bres ar y pen arall, i'w sgriwio i gyd yn ei gilydd i wneud coesyn syth. Rhaid oedd gallu daffod y rhaniadau i'w cuddio dan eu cotiau. Erbyn heddiw mae cig eog ffres yn weddol rhad, er bod digon o botsio samon yn digwydd, ond yn y 60au pan oedd cyflog gwas fferm yn £15 yr wythnos ac eog yn £2 y pwys roedd noson o botsio yn dod â chryn dipyn o elw i'r potsiars.

Sgrafenjo neu **sgrafanjo** – hen air, doniol iawn, o'r Llan sydd heb amheuaeth yn gynaniad o'r gair Saesneg *scavenge*. Mae'n ddigon i rywun chwerthin o waelod ei fol pan glyw rywun fel fy nain Kate Owen yn datgan 'Mae pobol tŷ pen wrthi'n symud tŷ, a mae'r hen gialchan Meri Jones 'na wedi mynd i **sgranfanjo** be geith hi.' Neu, mewn ffurf cerydd i ni blant, 'Tyd o'r drôr na i **sgrafanjo**, does 'na ddim yna i chdi.'

Sgafio, sgafiwr – rhywun barus neu fachog, neu sy'n gyson yn benthyca heb fwriadu talu'n ôl. Mae **sgafio** neu **sgafiwr** yn eiriau tu hwnt o boblogaidd gan Gymry ifanc heddiw – calondid mawr, diolch i'r Drefn. Clywais yr hen air **sgafio** neu **sgafiwr** gan yr hen do a chofiaf fel tasa hi'n ddoe yr hen

Dic Owen Ffridd, tua diwedd yr 1950au, pan oedd yn ei 70au hwyr, yn grwgnach wrth Jac Fawr, Pencefn Bach, 'Dwi wedi gordro tatw plannu gan John Francis, Rhos-y-bol, ond mae siŵr ddoith y *tinllach* diawl, Wil fy mrawd, i *sgafio*'u hanner nhw fel arfer. Teith y *sgafiwr* uffar byth i'w bocad ei hun.' Cofiaf Jac Sachins yn sôn am fferm hynod o gynnil o fwyd lle'r oedd o a'i gydweithwyr yn sgafio wyau ieir o'r cytiau a'u berwi mewn pwced ym mherfeddion y caea i gael rhywbeth yn ei *geudog*. Am ryw reswm, aeth y gair allan o ffasiwn am yn hir iawn ond hyfryd iawn ydi ei weld ar gerdded unwaith eto. Does gan ieuenctid Saesneg eu hiaith ddim gair cyfatebol ac nid ydynt yn ei ddefnyddio ond yng nghwmpeini rhai Cymraeg, fel *he's a right sgaf*; maent wedi ei fabwysiadu o'r Gymraeg, fel **panad, bocs bwyd, nico** (chlywais i erioed ieuenctid y Sipsiwn yn cyfeirio at nico fel *goldfinch*, ond fel **nico** – ffynhonnell dda o arian ymysg y rhain yw dal **nicos**).

Sgapio – osgoi rhywun neu rywbeth, fel 'Mi **sgapiais** i y dyn leishians teledu am fy mod i drws nesa.' Roedd ar ddefnydd gan yr hen do hefyd fel '**Sgapiodd** fynd at sowldiwrs am fod rhywbeth o'i le ar ei draed,' ac yn y blaen. Gair benthyg yw hwn yn bendant ac yn dod o'r gair Saesneg, *escape*.

Tu cleta'r clawdd – yn golygu bod rhywun mewn sefyllfa fwy ffafriol nag arfer, neu dros un y mae'n cystadlu yn ei erbyn. Fel 'Mi gath o gownti sgŵl pan es i i weini ffarmwrs yn 13 oed, ond y fi sydd **tu cleta'r clawdd** heddiw,' neu 'Dafydd Wigley fydd **tu cleta'r clawdd** yn y lecsiwn, **yn dawal i ti**.' Deillia hyn o'r arfer gynt o yrru dau was fferm i drin cloddiau a chau bylchau ac o reidrwydd roedd rhaid eu cael nhw o boptu'r clawdd. Efallai bod un at ei goesau mewn gwaddod a dŵr yn y ffos, tra bod y llall yn sefyll ar dalar gadarn a sych oedd yn rhedeg heb rwystr ffos i sawdl y clawdd, ac yn ddigon cyfrwys i neidio i'r cyfle.

Jo-*un* neu *jöyn* – wad o faco cnoi yn ddigon am gegiad. Cnoi yn hytrach na 'smygu oedd difyrrwch yr hen do, ond cadwai bron bob un getyn i gael ambell i ysmygyn. Jac Williams, Pyllau, Rhos-goch oedd y cnoiwr baco olaf i mi ei gofio, ac roedd rhywbeth yn gysurus yn y modd y torrai *jöyn* o raffiad o **faco cynffon mochyn** gyda'i gyllell boced finiog a throsglwyddo'r darn i'w geg ar lafn y gyllell a chychwyn cnoi ei gil yn hamddenol. Roedd y poeriad hirbell a chywir ei aneliad bob amser yn blaenori ateb i gwestiwn yn bwyllog gydag awgrym o beth fuasai'r ateb terfynol: poeriad blêr ac agos i fynegi dirmyg a phoeriad hir gydag awch a bodlonrwydd yn mynegi pleser. Mae arogl yn dod i nghof wrth feddwl am ambell hen gymeriad gwerinol, sef surni hen chwys, oglau tail, ac arogl sudd baco a ddisgrifiwn mewn modd arwynebol yn afiach ond a oedd mewn gwirionedd yn hynod o gysurus a chartrefol. Dyna oedd rhan o *aura* cegin tŷ fferm hen ffasiwn.

Shwtrwds – yn ddarnau mân wedi'i dorri fel 'Roedd o yn feddw gaib neithiwr ac fe falodd o bob llestr ar y dresal yn **shwtrwds** yn ei dempar' neu, 'Disc dda ydi honna, fe balodd y cwysi **yn shwtrwds mân.**' Hefyd i ddisgrifio gwaeledd neu ofid fel **mae ei nerfau o yn shwtrwds** neu **mae galon o wedi torri'n shwtrwds.** Ni allaf ddyfalu beth ar y ddaear ydi tarddiad **shwtrwds** a'r unig ddau air yn y *Geiriadur Mawr* sydd gyda pherthynas ydi **sitrach**, carpiau, rhacs, ffradach a **swrwd**, llarpiau neu sorod. [**shwtrwts**, hefyd ceir siwtrws gyda'r ystyr malu rhywbeth yn ddarnau mân – Gol.]

Oes pys – yn ddiddiwedd, gan fod pys, unwaith y cânt eu sychu yn styciau o ysgubau hyd nes bydd y coesau a'r codau yn ddu a chrin ac yn barod i'w storio, cyn galeted â haels cetran neu gerrig mân.

Mochyn – ac eithrio'r anifail buddiol yma, sef y ffynhonnell fwyaf o gig ar yr hen ffermydd oni bai am y gwningen o bosib, mae ystyron eraill i'r gair wrth gwrs. Fan yma mae dwy esiampl o'r un gair gydag ystyron gwahanol gan ddibynnu ym mha ardal y mae rhywun. Ar Ynys Môn **mochyn** ydi rhywun anghwrtais, annifyr, cwta ac anghyfeillgar ei sgwrs a swta. Yn nhref Caernarfon **mochyn** ydi rhywun budr ei dafod neu gyda llygriad rhywiol, sydd yn gyson anweddus ei sgwrs o flaen merched. Yn Llŷn ac Eifionydd **mochyn** ydi rhywun barus a **stumongar**. Ar Ynys Môn buasai fersiwn Caernarfon o **mochyn** yn debycach i **sglyfath budr**, a fersiwn Llŷn ac Eifionydd o **mochyn** yn cael ei alw'n **sgafyn** neu **sgaf**, fyddai wedi **gwneud mochyn ohono'i hun**, neu **rêl mochyn**.

I enllibio rhagor ar gymeriad hoffus yr anifail druan, mae dau ystyr yn Ynys Môn i **faedd** (*boar*). Gelwir dyn sy'n fochynnaidd (fersiwn Môn) yn **rêl baedd**. Ond gelwir ymladdwr ffyrnig, di-ildio a styfnig yn **faedd o ddyn**. Clywais y diweddar Twm Thomas (Twm Twm, Penllidiart, Llantrisant, 1912-1986), dyn caled a gwenwynwr tyrchod, yn talu teyrnged i Jac Fawr Pencefn Bach ychydig ar ôl ei angladd pan ddywedodd 'Roedd yr hen Jac **yn faedd o ddyn** yn ei amser.' Nid yn ôl ei gymeriad, gan mai un hoffus a direidus oedd, ond am ei fod wedi arfer bod yn **slanwr** (ymladdwr ffyrnig gyda'i ddyrnau) yn ei amser, yn ogystal â bod yn filwr profiadol, a hynod o ddewr, a anrhydeddwyd ar ddau achlysur yn ystod y Rhyfel Byd Cyntaf. Yn ôl Twm Bach y Blodau, Sonny Liston fuasai'r gorchfygwr yng ngornest pencampwriaeth bocsio pwysau trwm y byd yn erbyn Cassius Clay (Mohammed Ali) gan fod Liston yn **faedd o ddyn** – ond nid oedd Twm mor **ffetus** (craff) o farnu **baeddod** ag yr oedd gyda'i flodau a'i arddio medrus!

Ar Ynys Môn dywedir bod rhywun sydd wedi cael curfa

ddifrifol wedi **cael ei faeddu**. Heddiw, ystyr **maeddu** yw gwneud rhywbeth yn fudr, ond mae hefyd yn golygu curo, bwrw, trechu neu orchfygu; bwriaf mai fersiwn Môn sydd agosaf at yr ystyr cywir, sef curo, taro neu drechu. Yn aml iawn, ategid '**cafodd ei faeddu**' gyda 'ac mae wedi'i ddifetha am byth' i ddynodi llawer mwy na chweir gyffredin. Clywir yn aml y dywediad **roedd fel baedd cynddeiriog** am rywun ag awen y gad arno, a damcanaf bod **baeddu** yn golygu ôl effaith ddychrynllyd ymosodiad ar ddyn yn gadael clwyfau difrifol gan **faedd** 'dof' heb sôn am ôl effaith ymosodiad twrch coed (*wild boar*) efo'i ffyrnigrwydd cynhenid a'i **sgithrod** (*tusks*) llawer hirach a mwy miniog. Ond i grwydro am ychydig, nid anifail cynhenid o beryglus a milain yw'r mochyn, ond creadur call, hoffus a mwythlyd os caiff y mymryn lleiaf o garedigrwydd tu draw i ddim ond ei ymgeleddu, a dim ond o gael ei gam-drin neu ei rwystro rhag mynd at hwch yn **llowdio** ac yntau wedi ei gyffroi'n rhywiol ac yn cael ei guro draw, y gwnaiff droi'n filain. Tystiais fwy nag unwaith weld y diweddar Bob Huws, Hafodllin Fawr, Amlwch oedd yn cadw baeddod styd penigamp yn y llain moch ar y fferm, gyda thri neu bedwar o faeddod mawr ac aeddfed o'i gwmpas fel cŵn anwes yn rwbio eu pennau yn erbyn ei goesau ac yn gwichian a chlefar am sylw. Clywais am Wil Jones, Rhwng y Ddwy Bont, Llandyfrydog (1909-91), yn cadw mochyn bach llywath gwryw, a aeth yn faedd anferthol, fel creadur anwes am bymtheng mlynedd: byddai'n dod i mewn ac allan o'r tŷ fel ci neu gath. Ond dyna fo, difrifol iawn ydi ymosodiad baedd a chyfatebol ydi'r gair **maeddu**, yn ystyr Ynys Môn.

Rhaid peidio ag anwybyddu ystyr **baeddu** fel *thump* yn Saesneg ar y tir mawr, wrth gofio Gruffudd Owen, Tan Llan, Dinas, Llŷn yn disgrifio clustan fel **baeddan** ac yn dangos hen **fuddai gnoc** i mi. Corddwr llaeth ydi hwn a ddefnyddid cyn amser y **corddwr casgen** (*end over end churn*). Roedd hwn yn debyg i grud mawr efo caead, ac fe'i siglid yn ôl ac ymlaen i gorddi'r llaeth aeddfed i wahanu'r hufen o'r llaeth enwyn.

Ffadan – gair Môn yn golygu darn o bres fel dimai neu geiniog. Defnyddir fel 'Does gen i *'run ffadan goch* arna i.'

Sychdagu neu **sychdagiad** – yr un ystyr â **sychmwrnio** yn golygu llindagu (*strangle*) sef tagu rhywun neu rywbeth bron at fin angau, neu geisio tagu rhywun i farwolaeth. Defnyddid y gair crogi neu grogfa yn ogystal â **sychdagiad**. Clywais JW Erw'r Delyn yn defnyddio'r gair laweroedd o weithiau yn ei chwedlau gyda'r nos am hen fywyd gweini ffarmwrs ac ymrysonau hogia'r llofft stabal.

Pan oeddwn yn blentyn, ac yn llencyn hefyd rhaid cyfaddef, fe dynnwn JW i ailadrodd digwyddiad doniol o'r amser pan fu'n was fferm yn Fferam Gyd, Llanbabo, yn **tynnu** (codi a llwytho) rwdins un mis Ionawr gyda'i dad, Siôn Wiliam, a oedd yn gweithio yno fel pen ceffylwr ar y pryd. Yn yr un cae roedd dau frawd, Harri a Siôn Hale, Tyddyn Bach, Llanbabo, cefndryd fy nhaid, William Owen, tyddynwyr a **dynion caled** o dras Gymreig/Wyddelig a lysenwyd yn **'efeilliaid enbyd'** o achos eu hagosrwydd, er nad oeddent yn efeilliaid, ac am eu bod yn gweithio efo'i gilydd yn ddieithriad, ac yn ddynion gloyw hynod o weithgar a diwyd. Nid oedd modd eu gwahanu, ac roeddent yn **'ddynion cas wrth eu gwaith'**, ac yn nodweddiadol o Wyddelod, er yn Gymraeg eu hiaith a'u hagwedd – y ddau yn gringoch, yn gyhyrog a thal, ond efo tueddiad i ffraeo am y peth lleiaf ac yn cwffio fel daeargwn gyda'i gilydd a gwae i neb ymyrryd neu byddai perygl i'r ddau droi ar y sawl a ymyrrodd, mor wallgof oeddent. Aeth yn ffrae rhyngddynt wrth wynebu clawdd â cherrig ac aethant i gwffio fel ceiliogod, ychydig o lathenni oddi wrth JW a'i dad. Y tro hwn, Harri gafodd y llaw uchaf ar Siôn, a oedd ar wastad ei gefn ar y dalar a'r llall yn ôl JW 'yn ei *sychdagu* nes oedd ei dafod o allan *fel tasa llyffant melyn arno*' (pan fo'r dafod wedi chwyddo ac yn galed fel pren ac yn glyfeirio poer o achos methu llyncu'n iawn). 'Wel,' meddai JW, un pwyllog a chall a digyffro beth bynnag oedd y sefyllfa, 'os na ro'i derfyn ar y rîat ma, mi fydd un yn ei fedd a'r llall yn nwylo'r crogwr.' Ac wedi dweud hynny, gafaelodd mewn rwdan fawr wrth ei choesyn a chamu yn fras at y brwydrwyr. Rhoddodd swadan rymus a thra chywir i Harri efo'r rwdan ar ochor ei ben nes roedd o'n *llug* (llipa), ac wedi i Siôn godi a chael ei wynt ato, cafodd yntau ddos o'r un ffisig. 'Dyna ni rŵan,' meddai Siôn Wiliam, 'gawn ni lonydd *am bwcs* rŵan i dynnu mwy o rwdins,' ac aeth ymlaen â'i waith fel tasa dim wedi digwydd. Roedd yr efeilliaid enbyd yn ddryslyd a meddw am ddyddiau wedyn ar ôl derbyn *sgytiad y mennydd* (*concussion* yn ôl JW). Arferai'r hen JW adrodd yr hanes gyda'i gyfeiliant o chwerthiniad iach ac uchel oedd yn heintus dros ben.

I ddod yn ôl at esboniadau JW o enwau llefydd a tharddiadau enwau ffermydd a thiroedd ac ystyr y gair *gweirglodd* – am wn i, dehongliad o'r gair *gweirglodd* oedd yr unig beth y gwnaeth JW a Llew Llwydiarth gytuno arno erioed. Roeddent am flynyddoedd yn gyfeillgar ac yn cydweithio i drefnu eisteddfodau bach lleol ar yr Ynys, ond roedd y ddau yn rhy debyg i'w gilydd, yn orfeirniadol o awen a dawn diwylliant eraill a'r ddau efo'r un meddylfryd mai fo, a neb arall, oedd uwch-geidwad ac uwch-arbenigwr ein diwylliant eang. Megis prentis o fardd oedd Cynan ei hun ganddynt a chlywais i erioed 'run o'r ddau yn gwerthfawrogi nac yn canmol bardd arall, neb ond eu gwaith eu hunain. Aeth yn goblyn o *ffatri* (ffrae chwyrn) rhwng y ddau yn

Eisteddfod Porthaethwy yn 1960 ac ni chymodwyd y ddau fyth wedyn. Cofiaf fel ddoe y ddau y naill ochr i'r tân, un gyda'r nos, yn gwrando arnaf dan hyfforddiant Kitty fy modryb (Telynores y Foel) yn chwys diferol yn ceisio fy nghael i ganu 'Cân yr Arad Goch' mewn rhyw fath o diwn ar gyfer Eisteddfod Llannerch-y-medd (ofer dweud na ches i ddim 'stêj' am nad oedd y beirniad yn gwerthfawrogi sain fel swn brân mewn trap). Aeth y ddau hen fardd i drafod ystyr **gweirglodd** wedi i'r crochian dawelu, ac yn gytûn ar eu cyd-ddehongliad. Os cofiwch, mae dwy linell yng nghân yr Arad Goch sy'n cyfeirio at **weirglodd**:

> *Mi ddysgais wneud y gors*
> *Yn weirglodd ffrwythlon ir*
> *I godi daear las*
> *Ar wyneb anial dir.*

Soniodd JW am hanes ei daid, Twm Wiliam, Carreg-lefn yn gweini yn Glan-gors, Llanbabo rywdro adeg y ganrif ddiwethaf yn codi gweirgloddiau ar dir oedd wedi bod yn gors ir ond gwlyb iawn ar ôl rhyw gynllun i agor a dyfnhau'r Afon Fawr, afon oedd yn llifo drwy ganol Cors-y-Bol, safle presennol Llyn Alaw, ac estyn Glan-gors o 60 erw o dir cadarn i dros 130 erw wrth i ddyfnhau a lledaenu'r Afon Fawr sychu rhywfaint ar odre'r gors lle mae fferm Glan-gors. Tir wedi ei **gloddio**, nid ei amgáu â chloddiau pridd i gadw tir gwair yn gnwd, ydi **gweirglodd** cytunodd y ddau, ond wedi ei **gloddio**, ei ffosi a'i ddraenio, a'i **durio** i wneud dyfrffyrdd agored (camlesi culion) a thraeniau **ceiliog a iâr**. Roedd yr hen Gymry'n arbenigwyr ar ddraenio a sychu tir gwlyb o achos natur eu llawr gwlad yn yr hen oesoedd a cheir traeniau tir hynod o effeithlon sy'n dal i wneud eu gwaith ers canrifoedd; tybiaf nad oedd yr un genedl arall hefo medrau traenio yn agos i safon a dawn y Cymry.

Esboniaf **draen ceiliog** ymhellach eto, ac oedaf yma i egluro bod y graig yng nghyffiniau gogledd-orllewinol Cors-y-bol yn lechan las, yr un fath yn union â llechi chwareli'r tir mawr, heblaw eu bod yn rhedeg yn llorweddol eu graen yn hytrach nag yn unionsyth fel ar y tir mawr, ac o'r mân chwareli yn ardal Llanbabo a Llantrisant y cludid llechi ar gyfer y traeniau unigryw yma. Wedi darfod agor y dyfrffyrdd agored, sydd bob amser yn rhedeg trwy ganol y clwt a heb glawdd ar eu hochrau fel ffos gyffredin, a gosod y traeniau i redeg iddynt mewn **patrwm esgyrn penwaig** – hynny ydi'n rhedeg i'r dyfrffyrdd ar ongl o 45° a gwneud y patrwm yn debyg i esgyrn ochor pennog yn rhedeg ar ongl i'r asgwrn cefn – wedyn cychwynnwyd y **trin**. Bryd hynny nid oedd y fath beth â **gwŷdd rowlio** hefo olwyn i gadw dyfnder cyson a hwyluso'r gwaith; dim ond y **gwŷdd main** lle roedd dyfnder y gŵys yn dibynnu ar ddawn a nerth y garddwr i'w dal yn gorfforol ar y dyfnder cywir. Wrth **godi gweirglodd** fe ddyfnheid y gŵys i lefel yr isbridd cleiog, tua dyfnder o 18 modfedd – gwaith caled iawn i'r garddwr oedd yn gorfod aredig yn yr un cyfeiriad â'r traen (ar hytraws i'r dyfrffyrdd) i alluogi'r rhychau i gario dŵr gwyneb iddi. Wedi ei thrin a'i chalchu, y weirglodd gâi flaenoriaeth ar yr holl gaeau i gario tail iddi i wneud y pridd yn frau a pheidio dal dŵr.

Wedi cwblhau'r **trin** fe gludid y pridd dros ben i godi cloddiau. Flynyddoedd wedyn eglurodd Llew Llwydiarth i mi mai **gwrthglawdd** ydi enw cywir clawdd sydd heb ffos gen ei sawdl a'i bridd wedi'i gludo o fan arall, fel pridd dros ben wedi **codi gweirglodd** i godi gwrthgloddiau o'i hamgylch a'i chau i dyfu cnydau gwair. Cyfrannodd Llew Llwydiarth hanesion o ochrau dwyreiniol yr Ynys, lle magwyd ef, am ffermwyr yn **codi gweirgloddiau** yn yr un modd, a chytunodd y ddau mai tir ir a chorslyd wedi'i uwchraddio'n gae cyffredin ydi ystyr **gweirglodd**. Mae'r *Geiriadur Mawr* yn hollol anghywir yn dweud bod **gweirglodd** yn weundir neu waun. Tir â thueddiad i fod yn wlyb – tir na ellir ei ddraenio, a silff o graig oddi tani yn rhwystro traenio, ydi gwaun, heb fod o safon tir gwair fel **gweirglodd**. *Meadow* ydi cyfieithiad **gweirglodd** yn y *Geiriadur Mawr*, sydd eto'n wallus ac yn ddim amgen na disgrifiad cyffredinol o unrhyw gae pori.

Yr aur – fe arferai merched oedrannus o ogledd-ddwyrain yr Ynys atodi **yr aur** fel term cyfeillgar ac anwes wrth siarad ag eraill oedd yn fengach, fel – 'Sut ydach chi heddiw'r **aur**?' neu 'Gymerwch banad **yr aur**?' Hen arferiad hynod o gysurus ydoedd; yr olaf i mi ei chlywed yn defnyddio **yr aur** oedd y ddiweddar Magi Ifas (1912-1990) y Llan, un yn enedigol o Ben-sarn ger Amlwch.

Gair anwes a chyfeillgar arall a ddefnyddid yn Llannerch-y-medd, gan fy nain a'i chyfoedion wrth siarad â menyw arall fengach, oedd **fy lodes i** fel yn 'Wyt ti wedi blino **fy lodes i**?' neu 'Beth wnest ti heddiw **fy lodes i**?'

Hanner pan – dywediad Ynys Môn am *hanner call* neu *ynfyd* fel 'Tydi hwnnw yn rywbeth **hanner pan**.' Cefais wahanol esboniadau ynglŷn â tharddiad y dywediad yma. Yn ôl JW y Llan, ystyr **hanner pan** oedd darn o frethyn heb ei **bannu** yn iawn, a phryd hynny mae'r brethyn yn frau a bratiog. Yn ôl fy nhad, mae'r dywediad yn tarddu yn ôl i ddyddiau gynnau *flintlock*; ar ôl llwytho'r gwn hwnnw a ramio'r siard a'r ergyd i lawr y baril, roedd rhaid siarsio'r *frizzen* pan oddi allan efo mesur o bowdwr. Câi'r gwn ei danio trwy ollwng y trigar blaen fflint i daro yn erbyn blocyn dur ar ben y **pan** a ffrwydro'r powdwr oedd yn cario trwy dwll y baril a thanio'r siars a'r ergyd. Ac os na lenwid y **pan** gyda digon o fesur, ni chyrhaeddai'r ffrwydrad y siars llawn yn y baril, dim ond hisian a gorffen yn swta. 'Mynd i ffwrdd **ar hanner pan**,' hynny ydi, a daeth hyn yn ymadrodd i ddisgrifio rhywun hanner call neu ynfyd. Ond yn ôl Huwi Owen, y Llan – un oedd wedi bod yn ben ffrindiau â Morris Huws, Pentrefelin, Amlwch a fu farw yn ei 90au yn yr 1960au, ac a oedd wedi bod yn gweithio yn hen fwynfa gopr Mynydd Parys – ystyr **hanner pan** oedd dyn diog, un nad oedd yn ddigon diwyd i lenwi'r **pan** neu'r bwced enfawr fyddai'n cael ei llenwi â mwyn copr a'i winsio i fyny'r siafftiau, gan adael iddi fynd i fyny yn hanner llawn.

Siâr Sipsi – dywediad Romani/Cymraeg a glywais ar lafar gan fy hen gyfaill Nennin Florence, oedd hefyd i'w glywed yn Llannerch-y-medd lle roedd tylwyth Romani pur yn trigo am genedlaethau, sef y Woods o dras John Roberts, y Drenewydd, y telynor Romani Cymraeg enwog. Am genedlaethau adeg codi tatws yn yr hydref, a phawb gyda'i fforch datw a'i sach, ceid efallai 12-20 o godwyr tatws a mwy na'u hanner yn Romani, sydd hyd heddiw yn dilyn y cynhaeaf ledled y wlad. Yn annisgwyl, gwelid haid o blant direidus yn ben clawdd yn pledu'r gweithwyr â thatws, gydag aneliadau tra chywir a chiaidd. Wrth gwrs, telid nhw'n ôl **geiniog am ddimai** gan y gweithwyr gyda chawodydd o datws o'r cae yn cael eu pledu mewn dialedd am lawer munud er gwaethaf gorchmynion y meistr neu'r hwsmon i roi'r gorau iddi. Yn araf deg âi pawb yn ôl i'w waith, tra oedd y plant, plant y gweithwyr Romani, yn brysur yn hel tatws i sachau oddi ar y briffordd a'r cloddiau – tatws am ddim, a **Siâr Sipsi**! Efelychwyd y sipsiwn gan lawer i Gymro hefyd er mwyn cael sachaid neu ddau o datws am ddim, ac roedd amaethwyr ardal y Llan wedi dod yn hen gyfarwydd â phlant yn dynwared triciau plant y Woods ac yn gosod y cŵn arnynt yn hytrach na mynd i gystadleuaeth pledu tatws. Soniodd Twm Parry Jones am yr hen dric yma yn ei lyfr *Teisennau Berffro*, er nad yw yn ei enwi fel **Siâr Sipsi**.

Trowsus dwyn fala – dyna oedd yr hen ddisgrifiad o drowsus *plus fours* a oedd yn llydan ac yn llac ond yn cyrraedd at hanner y goes, lle roeddynt yn dynn ac yn cyrraedd yr hosanau uchel.

Codog – hen air sarhaus a gwawdlyd o Ynys Môn i ddisgrifio rhywun neu rywbeth o safon isel, fel 'Wel mae hwnna yn gynghorydd **codog** ar y diawl,' – neu 'Tyd â gwell rhaw i mi wir Dduw, na'r beth **godog** yma,' neu 'Dyma ginio **codog**.' Mae'r disgrifiad **codog** yn fyw ac yn iach heddiw hyd yn oed mewn llefydd sydd yn fwy isradd eu Cymraeg na'r cefn gwlad, sydd yn burach ei hiaith. Wn i ddim beth yw tarddiad **codog** os nad ydi o yn golygu coden o ffa neu bys sydd wedi cynhyrchu mwy o goden nag o ffa a phys oherwydd gormod o nitrogen, ac felly'n **godog** yn hytrach nag yn gynhyrchiol. [**codog** – mae'r geiriaduron yn cynnig ystyron yn deillio o cod, Saesneg pod ond yn y nodiadau mae'n golygu gwael, gall olygu di-lun hefyd ar lafar ym Môn – Gol.]

Traed llyfnu – hen ddywediad o gantref Cemaes am rywun efo traed ar ongl 45 gradd, neu waeth.

Traed chwarter i dri ydi'r dywediad arall am **draed llyfnu** ac yn dal i fod ar gerdded ar yr Ynys. Cofiaf sefyll wrth Gapel Seion, Rhos-goch gyda'r **deudwr** Jac Pen Padrig yn edrych i lawr at dyddyn Pant y Gist a gweld Gruffydd Jones yn aredig gyda'r hen Ffergi lwyd baraffîn a'i wraig Meri Jones yn cerdded efo'i **thraed chwarter i dri** yn y cwysi y tu ôl i'r hen ŵr, gyda'i de mewn basged. 'Dew,' meddai Jac, 'Gruffydd Jones wrthi'n 'redig yli, a Meri yn dod ar ei ôl efo'r og! **Traed llyfnu** ar waith o ddifri!'

Mae nhw i gyd yn piso yn yr un pot – hen ddywediad a oedd yn golygu teulu clòs a chynllwyngar, neu grŵp o gynllwynwyr clòs.

Blas pres – dywediad o Lannerch-y-medd am fwyd drud a moethus, 'Mi wnes i ei lecio fo ond roedd 'na **ormod o flas pres** arno fo i dreulio yn fodlon.'

Tydyn nhw ddim yn bwyta'r un bwyd â ni – i ddisgrifio pobol de Cymru neu Saeson, i ddynodi gwahaniaeth mewn agweddau a ffordd o fyw.

Pwdin cwd – hoff ddanteithfwyd yr hen weision fferm ac nid yn aml ar fwydlen heblaw ar achlysuron fel y Nadolig, Nos Calan, cinio dyrnu neu ginio cneifio, ac ar ambell i fferm lle gwerthfawrogid y gweision a'r morynion i'r fath raddau y caent **ginio pentymor** i ddathlu bod dealltwriaeth rhwng yr amaethwr a'i weision a'i forynion iddynt aros tymor arall i weini. Roedd **pwdin cwd** yn anferthol ac o'r un maint â phêl-droed neu rwdan fawr ac wedi ei wneud o siwat, blawd, siwgwr, halen, powdwr codi, ffrwythau wedi eu sychu a sbeisys. Moldid y cyfan yn bêl anferthol a'i amgáu mewn cwd o fwslin a'i ferwi am oriau yn y bwylar bwyd moch yn y cwt berwi. (Roedd hi bron yn grefydd ar wraig y fferm i gadw'r bwylar yn lân rhag i'r moch gael **llid y cylla** [*gastritis*] sydd wrth gwrs yn farwol). Ni ferwid bwyd gwastraff yn y bwylar yn yr hen oes, dim ond tatws bach, tatws creithiog a thatws di-siâp i ychwanegu at flawd haidd a blawd pys i besgi moch. Crogid y **pwdin cwd** yn ei gwd mwslin wrth goes brwsh llawr i hongian yn y dŵr berwi tan roedd o wedi ei goginio. Derbyniais y rysáit gan Iris Owen Jones. Fe amrywiai'r cynhwysion o le i le, ond dyma fwy neu lai oedd y rysáit gyffredinol. Byddai John Williams Ynys Groes yn hynod o hoff o **bwdin cwd** ac fe wnâi ei wraig hwn yn aml, a'i fwyta'n oer fel pwdin neu dalp blasus amser panad, ac fe'i profais lawer tro a'i fwynhau. 'Nôl hanesion gafodd fy nhad gan fy nhaid, gynt o Nyffryn, Dinas, Boduan, roedd yr hen borthmyn Cymraeg (porthmyn Lloegr) yn cario ***pwdin cwd*** cyfa gyda nhw ar eu teithiau i'w cynnal rhag ofn iddynt fethu dod o hyd i bryd o fwyd cynnes gyda'r nosau. Gyda llaw, fe ddarllenais hanesion y porthmyn Albanaidd a'u traddodiad o gludo pwdin o'r fath ar eu teithiau hwythau. Eu henw nhw arno oedd *clootie pudding* – tebyg iawn i'r enw Cymraeg arall ar **bwdin cwd**, sef ***pwdin clwt***. Gelwid ef hefyd yn **bwdin cadach** neu'n **bwdin berwi**.

Trymblar, lluosog ***trymbleri*** neu ***trymblod***. Hen air Ynys Môn am faen mawr neu glogfaen. Credaf ei fod yn dal ar gerdded heddiw. Doedd **trymblar** byth wedi ei thrin (dressed stone) ond yn hollol naturiol yn garreg anferthol gron neu hirgron o leiaf 200–300 pwys o bwysau. Yn aml deuent i'r gwyneb wrth aredig yn ddyfn neu wedi hanner eu gorchuddio mewn pridd a heb eu torri o faen mamol. Yn ôl strwythurau adeiladau cerrig o'r ganrif olaf, a rhai cynt, 'roedd **trymblerod** yn gyffredin yn y maes gan fod pob adeilad hen yn cynnwys niferoedd ohonynt. Mae rhai yn gonglfeini ac eraill wedi eu codi'n uchel iawn. Roedd rhwydd-der y dynion caled fel Jac Sachins a'i debyg oedd yn eu 60au a'u 70au pan oeddwn i yn fy mhreim corfforol, yn rowlio a lleoli **trymbleri** hefo'u trosolion hir yn codi mawr gywilydd arna' i ond roeddent yn brofiadol iawn. Nid oedd yr hen do byth yn cyfeirio at unrhyw fath o garreg fel maen, heblaw am faen cilbost oedd yn dafelli llyfn a llydan wedi eu naddu o'r maen mamol, a charreg fedd neu garreg goffa: 'Rhaid i mi lanhau **maen y bedd**' neu 'Byddwn yn ymgynnull wrth **y maen** am 11 o'r gloch.'

Saer cerrig a saer maen – ym Môn, **saer cerrig** oedd crefftwr allai adeiladu gyda cherrig, o wal gerrig i ysgubor, beudy neu annedd gyda sment neu hebddo. **Saer maen** ar y llaw arall oedd arbenigwr trin a siapio cerrig a meini, a gwneud hynny'n drachywir at ddibenion arbennig fel cerrig beddi ac yn y blaen.

Seiri – tydi dehongliadau'r geiriaduron ddim yn gywir nac yn cyd-fynd â disgrifiadau hen grefftwyr am eu gyrfaoedd. Yn gyntaf am **saer** ceir *carpenter*, ond a bod yn gywir **saer cychod** neu **saer llongau** ydi *carpenter*. **Saer dodrefn** ydi *cabinet maker* nid **saer celfi**. *Cartwright* ydi **saer troliau** nid *wheelwright* – **saer olwyn** ydi *wheelwright*. Ceir hefyd **saer ffarm** oedd yn gwneud gwaith trymach a llai cymhleth na saer coed. **Saer celfi** gyda llaw oedd y sawl a wnâi goesau celfi, fel ffyrch, rhawiau, picwych, coesau caib a choesau bwyell, coesau gordd, coesau morthylion ac yn y blaen.

Stwcyn o ddyn – megis yn **mae o'n stwcyn bach cryf**, dyn bychan neu o daldra canolig sydd yn flocyn corfforol llydan a chyhyrog.

Swynog – talfyriad o'r hen air **myswynog** a esbonnir fel 'buwch heb lo ganddi' yn y *Geiriadur Mawr* ac a gyfieithir fel *cow without young*. Mae'r dehongliad yma'n hollol gamarweiniol ac anghywir i unrhyw un o gefndir amaethyddol. Nid yn unig y ceir ystyr anghywir ond hefyd ceir lluosog anghywir, sef **swynogydd** – **swynogod** ddylai fod, dyma a ddefnyddir yn draddodiadol o Sir Fôn i Sir Gaerfyrddin i Ben Llŷn. Er mai *barren cow* yw **swynog** yn Saesneg, mae hefyd yn llawer mwy cywir ac mor aml mae'r Saeson yn eu galw yn *cull*. Ac yn wir buwch wedi ei **chwlio** allan o'r fuches, ei throi heibio a'i gwerthu ydi **swynog** – am amryw o resymau does ganddi ddim llo. Cedwir buchod am un o ddau reswm, yn yr hen oes yn ogystal â'n cyfnod ni: un ai i fagu llo neu loi fel buwch sugno neu fuwch fagu (*suckler cow*) neu i gynhyrchu llaeth yn fuwch odro (*dairy cow* neu *milk cow*, neu *milch cow* mewn cyfnod cynharach). Wedi'r enedigaeth, ni wêl y fuwch odro fyth mo'r llo eto, oherwydd ei hunig bwrpas yw cynhyrchu llaeth i'w werthu, neu yn yr hen amser i'w gorddi'n fenyn neu gaws. Caiff llo y fuwch odro ei fagu un ai ar y bwced neu dan fuwch sugno neu fuwch fagu sydd â digon o laeth i fwydo mwy na'i llo hi ei hun yn unig: weithiau gall fagu tri llo – gelwir hon yn *multiple suckler* yn Saesneg. Ar y tir mawr, cedwir buchod sugno neu fuchod magu un llo (*single sucklers*) – Gwartheg Duon Cymreig ran amlaf. Nawr, nid oes gan fuwch odro lo yn agos ati o gwbl ac mae esboniad y geiriadur o'r gair **swynog** yn llwyr anwybyddu'r ffaith y gall buwch odro gynhyrchu 2,000 o alwyni o laeth yn ystod ei llaethiad rhwng pob llo, o werth £1500 ar y farchnad wedi iddi ddod â llo ac ar ei chyfnod mwyaf llaethog.

Dan yr un egwyddor o '*buwch heb lo ganddi*' mae'r *Geiriadur Mawr* yn honni mai **swynog** ydi anner neu heffar sydd un ai heb gael tarw, neu yn drom o lo. Sut ar y ddaear maent yn dehongli fod anner neu heffar werthfawr i fod wedi ei **chwlio** o'r fuches? Ac yn fwy cyffredinol ac ysgubol, maent yn dosbarthu pob buwch drom o lo sydd yn hesb ym misoedd olaf ei beichiogaeth yn **swynog**, gan nad oes gan fuwch odro lo wrth ei thraed ar unrhyw amser, heblaw yn union ar ôl genedigaeth, ac mae'r fuwch sugno neu'r fuwch-amryw-o-loi (*multiple suckler*) yn mwynhau o leiaf ddau fis o hesbrwydd cyn dod â llo ac heb fod llo ganddi. Ac mae'r fuwch sugno neu'r fuwch fagu draddodiadol ar y tir mawr a'r miloedd ohonynt ar Ynys Môn yn hesb o Glangaeaf, pan ddyfnir eu lloi yn 6-7 mis oed, tan y gwanwyn, ac heb fod llo ganddi am bron i 6 mis o hesbrwydd – a tydi hon ychwaith ddim yn **swynog** wedi ei **chwlio** o'r fuches. Ac felly mae dehongliad y *Geiriadur Mawr* yn berygl o gamarweiniol a hollol wallus. Derbyn fod buwch anffrwythlon, buwch sydd ddim wedi sefyll tarw yn ôl disgrifiad Môn, yn diweddu fel **swynog** ar ôl darfod ei llaethiad neu fagu ei llo neu loi ond mae amryw helaeth o resymau dros i fuwch fynd yn **swynog** a chael ei **chwlio** o'r fuches yn ***fuwch ladd*** (term arall am **swynog**).

Fel porthmon lleol, prynodd fy nhad yn ei gyfnod nifer di-rif o *swynogod* oedd wedi eu *cwlio* o fuchesi nid yn unig am eu bod yn anffrwythlon ond ran amlaf o achos y difrod a wnaethpwyd i'w pyrsiau gan **glefyd y gader** (*mastitis*) o achos **llyffant melyn** (*actinobacillosis*) wedi iddynt niweidio eu pyrsiau a'u tethi wrth geisio neidio dros wifren bigog; neu o achos **llid y llaid** na chafodd ei drin yn ddigon buan, neu am eu bod wedi mynd i oed ac yn cynhyrchu rhy ychydig o laeth i fod yn broffidiol i'w cadw – ac ar adegau, am eu bod yn **giciog** ac yn afreolus. Gwelais fy nhad a chyd-borthmyn ei gyfnod yn prynu *swynogod* hefo lloi wrth eu traed, sydd yn llwyr-ddifrodi dehongliad y *Geiriadur Mawr* o fuwch heb fod llo ganddi. Buchod sugno neu fuchod magu oedd y rhain, ac er bod ganddynt lo neu loi, yn ailofyn tarw yn gyson ac yn **cau sefyll tarw**, hynny ydi yn methu ymgnawdoli.

Felly i grynhoi nid buwch heb lo ganddi ydi **swynog**, ond buwch sydd am sawl rheswm yn methu â chyflawni ei phwrpas o odro neu fagu lloi ac yn addas i ddim ond cael ei lladd yn gig.

Gwartheg neu **dda hysbion** – sef gwartheg sy'n cael eu cadw i'w haeddfedu a'u pesgi ar gyfer cynhyrchu **biffiaid** (*beef cattle*) ac nid fel da bridio.

Fferm hesb neu **hysb** – fferm lle nad oes fath o fridio gwartheg, dim ond **gwartheg hysbion**.

Traen ceiliog a iâr – Pan oeddwn yn llencyn fe esboniodd JW a Jac Sachins i mi beth ydi *traen ceiliog a iâr,* a gwnaeth yr hen Jac gynllun o hwn hefo sialc ar fur beudy i mi. Flynyddoedd yn ddiweddarach fe welais *draen ceiliog a iâr* wedi'i ddatguddio gan beiriant cloddio yn Rhos-goch adeg gosod pibell olew Shell yn y 70au. Nid traen cyffredin ydi hwn ond traen all ymdopi hefo lefel trwythiad uchel o ddŵr tir, hynny ydi *water table* uchel sydd yn trwytho at i fyny yn ogystal â dŵr gwyneb sydd yn treiddio at i lawr. Syndod oedd gweld strwythur mor ddawnus a dwyslafurus gan atgoffa rhywun o gelfyddydwaith y Rhufeiniaid gyda cherrig – peth a wnaeth i mi ofyn i mi fy hun ai y Rhufeiniaid a ddysgodd y gelfyddyd hon i'n cyndeidiau? Yn gyntaf fe gloddid ffos ag ochrau unionsyth, tra chywir tua llathen o led a phedair troedfedd neu fwy o ddyfnder reit i lawr dan lefel yr is-bridd cleiog. Wedi gwneud hynny fe agorid rhigol ar lawr y ffos ac yn cydredeg â hi reit yn ei chanol; dyfalwn bod yr is-ffos neu rigol tua throedfedd i ddeunaw modfedd o ddyfnder, ac wedyn câi honno ei llenwi â **cherrig gwrw**. Cerrig crynion neu hirgrwn ydi'r rhain yn amrywio o faint oren Jaffa i faint pêl-droed. Pwrpas yr is-ffos yn llawn o **gerrig gwrw** oedd creu afon fach danddaearol i gludo trwythiad y dŵr tir a'i rwystro rhag codi. Wedyn gosodid plyg o **gerrig gwrw** dros waelod y brif ffos, eto i ymdopi â'r trwythiad dŵr tir at i fyny a chynorthwyo'r rhigol orffenedig. Wedi cwblhau hynny fe osodid y **ceiliog a'r iâr**, sef tafelli gwastad o lechi neu o feini – y ceiliog yn unionsyth ar barad y brif ffos, a'r **iâr** neu'r **ieir** yn llorweddol dros y plyg o **gerrig gwrw** a chreu math o balmant i rwystro'r trwythiad dŵr tir at i fyny. Ar ôl gosod y **ceiliogod** a'r **ieir** yr holl ffordd hyd y brif ffos roeddynt yn debyg i focs hir heb gaead yn barod i'w lenwi. Gosodid y blyg gyntaf y tu mewn i'r bocs **ceiliog a iâr**, sef plyg o dafelli neu o lechi yn rhedeg gyda'r ffos yn ymyl oleddf hefo cerrig mân rhyngddynt i'w rhwystro nhw rhag cau ar ei gilydd a drysu llif y dŵr. Gosodid plyg arall o gerrig canolig dros y llechi i lefel y **ceiliog**, a wedyn rhoddid plyg o gerrig mân i ddyfnder o droedfedd drostynt – y rhain droedfedd yn uwch na'r **ceiliog**. Cwblheid y gwaith trwy lenwi'r ffos â phridd. Nid traeniau arferol oedd y rhain ond prif draeniau tir cyffredin neu *draeniau gweirglodd*. Mae'n syndod gweld y llif grymus sy'n llifo o'r rhain i ddyfrffordd neu afon adeg tywydd gwlyb.

Brig ceiliog a iâr – brig addurniadol ar wal gerrig a wal wedi ei symentu – sef wal o gerrig a mortar sment. Gosodid y cerrig brig bob yn ail, un yn llorweddol a'r llall yn unionsyth i wneud y brig yn grenellog (*crenelleted*) fel castell.

Hario – hen air Môn am ddiffygio fel yn 'dwi *wedi hario'n lân*' neu 'Roedd o *wedi hario* erbyn cyrraedd Rhos-meirch.' All hwn ddod o *herlid* neu *herlidio ysgyfarnog* > *hario ysgyfarnog* neu bod yr ysgyfarnog wedi *hario*?

Clantio – gair a glywais gan fy nain famol a'i chyfoedion ond anamal y clywn ef ar ôl y 70au. Gair sydd yn cyfateb i 'mae hi wedi mynd i hel ei thraed' neu 'Mae hi *wedi glantio hi* am Langefni ers meitin.' Hefyd mi glywais y cynaniad *clantio*, fel yn 'Rhaid i ti roi'r gorau i'r *clantio* 'ma.' Sef *clantio* a *mynd i glantio*. Tybiaf mai o *cialifantio* (< *galivant*) y daeth.

Mae o wedi gwneud ei botas – fo'i hun a neb arall sy'n gyfrifol am ei sefyllfa – a fo'i hun gaiff dynnu ei hun ohoni.

Mae rhyngtha chdi a dy botas – dy benderfyniad di ydi o, wedyn cymera dy siawns dy hun, a paid â dod i gwyno ataf i os eith pethau o groes.

Sysnag – dyma a ddywedai'r hen do am yr iaith Saesneg, fel 'Dŵad ti wrtho fo, *mae gen ti well Sysnag na fi*.' Clywais hon gan Dic Owen, Ffridd, wrth ei gyfaill pan holodd ymwelydd am y ffordd i Amlwch. Cofiwch bod Dic Owen wedi gweini yn y fyddin bron drwy gydol y Rhyfel Byd Cyntaf ac wedi'i nwyo'n ddrwg ar y Somme. Yno roedd dan awdurdod Saeson, yn yr ysbytai milwrol di-Gymraeg, ac roedd yn methu hyd yn oed â chynnal sgwrs â Sais ymhen degawdau wedyn. Dyma gymaint y cafodd y milwyr Cymraeg eu hynysu, dyma'r math o wahaniaethu fu yn eu herbyn ac ychydig iawn o glod a gawsant am eu gwrhydri.

Hefyd dyma pa mor ddiniwed oedd ei gyd-filwyr – rhai oedd bron yn uniaith Gymraeg, wedi 'madael â'r ysgol yn 11 mlwydd oed i weini ffermwyr neu gychwyn prentisiaethau crefft a chael eu denu i 'fynd at sowldiwrs' gan frad y deallusion a'r gwleidyddion. Bechgyn amrwd oedd y rhain. Wrth gwrs roedd y cynaniad *Sysnag* yn gyfyngedig i'r genhedlaeth yma, neu ychydig bach hynach, ac fe glywid y gair yn aml iawn yng nghyfnod oes y rhain, fel **peidiwch â difetha'ch Sysnag, mae o'n deall Cymraeg yn iawn** ac yn y blaen.

Fe fydd hi'n ddifar arnat ti – hen gynaniad a dull hen Fôn o ddweud *fe fydd hi'n edifar arnat ti* neu *fe fyddi di'n dyfaru* – hynny ydi'n edifarhau o wneud y peth a'r peth. Fel yn 'Os ei di i gwmpeini hwn a hwn *fe fydd hi'n ddifar arnat ti.'*

Castell meri brân – dyma ymadrodd yr hen do am drefi o nythod brain a chigfrain traddodiadol – nythod sy'n cael eu hail-drin a'u hadnewyddu'n flynyddol gan yr adar cyn nythu mewn llwyni o goed (*rookery*). Fel yr iâr ddŵr mae'r frân a'i thylwyth yn reddfol iawn i'r tywydd sydd o'u blaenau, a thynnodd Dic Bach Pen-rhyd a John Williams Ynys Groes fy sylw at ffordd o ragweld a fyddai'r haf yn un sych neu'n wlyb wrth fod yn fwy agored fy llygaid i'r ddau aderyn yma. Yn gyntaf mae'r iâr ddŵr yn un gynnar i wneud ei nyth ar dorlan afon neu ddyfrffordd ddechrau Mawrth os ydi'r tywydd yn weddol wanwynaidd, a phan fo'n adeiladu ei nyth yn uchel ar y dorlan fe fydd yr haf yn wlyb. Fe fyddai John Williams, cyn aredig neu godi rhesi tatws, yn treulio diwrnod neu ddau yn crwydro corsydd rhwng Ynys Groes a Stad Treysgawen a draw at Gors Erddreiniog yn astudio lleoliad y nythod. Roedd hyn yn grefydd ganddo bob un gwanwyn. Os oedd y nythod yn uchel ar y dorlan fe agorai ei resi tatws neu ei gwysi i redeg gyda llethr y cae, i gael madael â'r gormodedd o ddŵr glaw a ddisgynnai. Os oedd y nythod yn isel fe agorai ei resi neu ei gwysi ar draws y llethr i gronni'r ychydig o ddŵr glaw a ddisgynnai. Dysgodd ef a Dic Bach Pen-rhyd i mi nad ydi pob un o'r nythod yn y **castell meri brân** yn cael ei ddefnyddio. Yn y **castell** mae nythod ar sawl lefel i'r goedan, reit o'r canghennau isaf i frig y goedan. Pan fo'r frân yn dodwy a deor ei chywion yn uchel ar y goedan ceir cyfnod 8-10 wythnos o dywydd gweddol addfwyn heb ormod o wyntoedd cryf na glawiau trwm; os ydi'r cyfnod am fod yn un drycinog mae'r hen *feri brân* yn dewis nyth llawer iawn is. A chaniatáu bod **meri brân** yn cychwyn nythu adeg Hen Fawrth, hynny ydi yn ystod y tywydd mawr arferol sy'n ymestyn o ddiwedd Mawrth i ganol Ebrill, mae ganddi gryn reddf o beth fydd y tywydd yn yr 8-10 wythnos nesaf ac ni chaiff ei dylanwadu ar ddrycin Hen Fawrth i nythu'n isel. Mae'n cymryd 8-10 wythnos i'r cywion dyfu'n ddigon mawr i adael y nyth.

Wedi cael seibiant o fis i chwe wythnos mae **meri brân** yn mynd ati eilwaith i ddodwy a deor ail lin o gywion tua diwedd Gorffennaf i ddechrau Awst a nodai John Williams yn ofalus ar ba lefel yn y **castell** y nythai. Gallai, o hynny, ragweld sut dywydd fyddai i'r cynhaeaf ŷd ddiwedd Awst i ddechrau Medi ac a gâi drafferth, ai peidio, gydag ŷd yn gorwedd ar ôl cael ei wastatáu gan ddrycinoedd fyddai'n ei wneud yn anodd i'w fedi. Rhaid cofio mai dull John Williams, i'r diwedd, oedd medi ŷd – boed yn ŷd, haidd neu wenith – yn yr hen ffordd; sef ei fedi yn las, cyn iddo droi ei liw, gyda phladur, beindar neu ripar a **stwcio'r ysgubau** i aeddfedu, troi eu lliw a sychu yn y **stwc**. Golygai waith **chwalu styciau** ar ôl i'r tu allan droi ei liw, a'u troi tu chwyneb i aeddfedu'r ochor fu dan gysgod oddi mewn i'r **stwc**.

Cynnull ŷd, ripar a beindar. Ymhell cyn dyddiau'r dyrnwr medi, y *combine harvester*, roedd tri dull o fedi ŷd, haidd, gwenith, rhug, ffa a phys. Yn gyntaf, ac ymhell i'r ganrif hon (20fed) roedd y cnwd yn cael ei bladurio gan bawb ar y fferm, yn ogystal â chan **ddynion caled** oedd yn bladurwyr proffesiynol yn ystod y cynaeafau gwair ac ŷd. Roedd pawb gyda'i bladur yn gweithio yn ôl pwysigrwydd ei swydd. Yn arwain yr oedd yr hwsmon ac ef a bennai gyflymder y gwaith, wedyn y porthwyr, y ceffylwyr ac yn y blaen, gyda'r gwas bach yn olaf. Ar adegau fe ddeuai'r meistar i arwain y medi a chyflymu pethau fel petasa fo'n **lladd nadroedd** i ennyn mwy o waith o'r gweddill. Ond yn ddi-os ar ôl rhyw awr fe wnâi esgus bod ganddo rywbeth pwysig i'w wneud fan arall ac fe ddiflannai. Hen arferiad dan-din oedd hyn ac yn drysu'r rhythm a'r awen, fel y profais i droeon pan fûm yn **stwcio ysgubau** hefo Jim Francis Huws, a'r ddau ohonom yn fud dan yr awen wedi addasu ein cyflymdra i siwtio ein gilydd ac wrthi'n ddiwyd mewn bydoedd bach ein hunain a fy nhad yn troi i fyny i brysuro'r cyflymdra a difrodi'r awen. Roedd perthynas agos iawn rhwng Jim a fy nhad a'r hen Jim yn ddigon hyf arno i'w geryddu am **fusnesu ddiawl** a'i ddwrdio gan ddweud 'Ylwch, ewch o 'ma i uffarn i wneud rhywbeth arall ddyn a pheidiwch â busnesu â ni. Mi fedrwn ni wneud yn iawn yn ein pwyll ein hunain a darfod y cae cyn noswyl tra fyddwch chi wedi **hario**, a'n hario ni hefo'r **pwcs** gwallgof 'rydach chi'n neud dros dro.' Gwyddai fy nhad yn well nag i ddrysu **dyn cas wrth ei waith** ac fe ddiflannai yn ddiplomataidd wedi i Jim **sgnygu**.

Ond, a dod yn ôl i'r hen drefn o bawb yn gweithio yn ôl ei bwysigrwydd hefo'r hwsmon yn pennu'r cyflymdra, daeth dywediad i'r fei o **gnocio ei sawdwl**, sef gweithiwr yn rhy gyflym i'r sawl o'i flaen ac yn **cnocio ei sawdwl** hefo blaen y bladur: clywid y dywediad yma hyd y 70au gan yr hen do fel yn – 'Beth? Wyt ti'n dweud bod Ifor Bach yn weithiwr da? **Mi gnociwn i ei sawdwl** unrhyw amser.' Wedi cyrraedd y dalar ceid seibiant fer i dorri syched a rhoddi twtsh bach ar lafn y bladur hefo'r **stric** cyn ailgychwyn y rhengoedd nesaf. Ond mewn ciang ar ben eu hunain ochor draw i'r cae, neu mewn cae arall, y gweithiai'r **dynion caled**, y pladurwyr proffesiynol fel Jac Sachins, Dic Pen-rhyd, Now Gongol Rhedyn, Jim Morris a Jac Fawr Pencefn Bach a gyflogid fesul darn ar waith **darndal** (*piecework*) yn ôl yr erw ac yn llawer rhy gyflym fel slafiwrs i weithio gyda'r gweddill o'r gweision. Byddai'r rhain yn aml iawn yn cadw noswyl gyda phawb arall, ac ar ôl cael eu **cynesfwyd** a seibiant bach yn mynd yn ôl i bladurio dan olau'r lleuad, a dal ati tan dri neu bedwar o'r gloch y bore. Wedi cael cwsg fer roeddent yn ôl yn y meysydd ar doriad gwawr.

Wedi'r medi fe adewid yr ŷd i orfedd am dri i bedwar diwrnod ac fe ddechreuid ar y **cynnull**, sef hel yr ŷd wedi ei fedi'n ysgubau gyda **phric cynnull**, celfyn tebyg iawn i gryman ond bod rod tua chwarter modfedd yn lle'r llafn, a honno yr un siâp â llafn cryman er bod y goes yn hirach. Wedi hel digon gyda'r **pric cynnull** i wneud ysgub fe lunnid **tennyn pen bawd**. Llunnid hwn trwy afael mewn dyrnad o wellt a thwcio'r un pen yn dynn dan y gesail chwith ac wedyn ei ddirdroi (*twistio*) gyda'r llaw dde yn rhaff tua modfedd o drwch – gwaith caled iawn i'w wneud drwy'r dydd – a chlymu'r ysgub gyda hi yn ei chanol. Wedi cwblhau'r ysgubau roedd yn rhaid **stwcio**, sef codi ysgub o dan bob cesail a'u gwthio yn gadarn i'r ddaear yn **ymyl oledd** i'w gilydd nes eu bod yn cydbwyso'n berffaith â'r brigau – y pen lle mae'r grawn – at i fyny. Wedyn fe ychwanegid dwy ysgub arall, eto ar **ymyl oledd** yn yr un modd ond yn gorffwys ar y ddwy gyntaf gadarnaf, ac wedyn dwy ysgub arall yr ochor arall i'r ddwy gyntaf, gan wneud cyfanswm o chwe ysgub mewn **stwc o ŷd** am fod ŷd yn drymach yn ei ysgub na'r lleill. Gyda haidd a gwenith roedd gofyn rhoddi wyth i ddeg ysgub ymhob **stwc** i sicrhau bod hwnnw'n sefyll yn gadarn.

Efo dyfodiad y **ripar** fe ollyngid yr ŷd yn sypiau bach twt a pharod a hynny'n sbario gorfod defnyddio **pric cynnull** ond roedd yn rhaid clymu'r ysgub â **thennyn pen bawd** 'run fath. Yn ddiweddarach daeth y **beindar** (*Binder*) oedd yn taflu ymaith ysgubau wedi eu rhwymo'n barod gyda thennyn neu linyn – llinyn beindar sydd yn deneuach na llinyn bêls. Gwnaethpwyd i ffwrdd â phladurio gyda dyfodiad y ddau beiriant yma gan eu bod yn medi'r ŷd a'i gynnull yr un pryd.

Cinio cynhaeaf ŷd – oedd bob amser yn wledd o gig cwningen oherwydd bod y cwningod oedd yn yr ŷd yn ymgasglu i lai a llai o le fel y câi'r ŷd ei fedi. Pan nad oedd ond llecyn bychan ar ôl yng nghanol y cae i'w fedi deuai pawb gyda'i bastwn, a chŵn, o amgylch y llecyn a lladd y cwningod oedd yn **powltio** allan o'r ŷd – yr ŷd oedd ar ôl ar ei draed.

Planshio – gair sy'n dal ar gerdded ac yn golygu trawsblannu planhigion fel yn 'Dwi am **blanshio** cabaits fory.'

Cwpwl – yn y byd amaethyddol **cwpwl** ydi dafad ac oen wrth ei throed. **Cwpwl dwbwl** ydi dafad hefo **deuoen**. Ni ddefnyddir y gair efeilliaid yng nghyswllt defaid ond **deuoen**.

Cwpwl ym myd y potsiar a'r heliwr ydi dwy gwningen, a gwerthid cwningod wrth y **cwpwl**, fel yn 'Roedd cwningod yn hanner coron **y cwpwl** adeg hynny,' neu 'Mi ddaliais i ddeg **cwpwl** neithiwr.' Gyda'r ddau ystyr y lluosog ydi **cyplau**.

Sgerbwd – pan ddefnyddir y gair am rywun di-lun neu mewn ystyr sarhaus fe dybiaf na ddaw o'r gair **sgerbwd** yn golygu corff ond o **ysgabrwth**, sef lletchwith neu drwsgwl.

Sgeg – gair sydd heb amheuaeth yn tarddu o **ysgegfa**, ysgytwad (*shaking*) yn ôl y *Geiriadur Mawr* ond rhoddir amryw o wahanol ystyron iddo ym Môn, fel 'Fe gafodd o **dipyn o sgeg** ar ôl y llawdriniaeth,' neu 'Gafodd o **dipyn o sgeg** ar ôl colli'i wraig mor sydyn.' Neu i ddisgrifio braw, 'Ges di **ddipyn o sgeg** pan ddoth yr hen darw na ar dy ôl di.' Yn gryno, gall olygu profiad trawmatig, colli cyflwr corfforol, dychryn ac yn y blaen.

Cnoni – Yn tarddu o **gynrhoni** sef yn llawn o gynrhon ac yn derm amaethyddol sy'n golygu, os yw **dafad yn cnoni**, ei bod yn dioddef o gynrhon yn llu yn tyllu i mewn i'w chroen – os nad ydi hi wedi ei chneifio – a chyda chnu llaith lle mae'r **gleryn glas** (*blue bottle*) yn dodwy ei wyau.

Arwydd claddu, gwylan gefnddu – hen ddywediad o gantref Cemaes ymysg amaethwyr a'u gweision. Bob un tro mae'r **wylan fawr gefnddu** (*greater blackheaded gull*) mewn cae mae'n sicr bod rhywbeth wedi marw yno. Mae hon fel fwltur Cymru ac yn medru llygadu corff o filltiroedd i ffwrdd. Deryn y tonnau yw ran amlaf a'i brif fwyd yw pysgod ac nid yw'n dod i'r lan fel y mwyafrif o wylanod, ond ar fin yr arfordir a byth i lyngyra ar ôl aredig nac i gysgodi. Yn wir mae'n hynod o brin yng nghefn gwlad Môn heblaw pan fo corff yna, a bryd hynny mae'r wylan hon yno o flaen y gigfran a'i theulu, hyd yn oed.

Rheitiach – hen air o'r Llan yn golygu mwy addas, neu gwell, neu haws gwneud rhywbeth fel 'Fasa'n **rheitiach** i ti olchi'r llestri gynta,' neu 'Fasa'n **rheitiach** i ti beidio poeni,' neu 'Fasa'n **rheitiach** i chdi roi dy feddwl ar waith,' ac yn y blaen.

Bara bwff – crempogau mawr trwchus tua 2 fodfedd o dew efo dyrnaid o gyraints ynddynt. Maent yn debyg, ond llawer mwy, na *scotch pancakes*. Bwyteid y rhain yn oer efo crafiad o fenyn drostynt.

Menyn toddi – saws gwyn blasus gyda phwdin Nadolig, wedi ei wneud yn ôl hen rysáit efo menyn.

Mwstan – hen air Môn am fasged fawr sgwâr o waith gwiail, debyg iawn i beth sydd gan ddyn danfon bara heddiw, neu a oedd gan gigydd i gludo menyn a wyau i'r farchnad neu i gwsmeriaid. Arferai Jon Williams Ynys Groes gludo menyn fferm, wyau a dofednod parod i'r popty mewn **mwstan** i'w gwsmeriaid; bob amser â lliain gwyn glân drosti. Clywais Siôn Williams Carreg-lefn yn llawn ei ganmoliaeth o hen deulu Bod Deiniol, Llantrisant pan oedd yn gweini yno yn ben ceffylwr, ac yn dweud 'Lle gora fues i'n gweini erioed, yr hen wraig yn anfon y forwyn efo llond **mwstan** o fwyd i ni i'r cae gwair.' Lle oedd Bod Deiniol, meddai gan ddefnyddio hen ddywediad arall o Fôn, lle roedd **pawb a phopeth wrth ben ei ddigon**. A yw tarddiad **mwstan** < **mwys** – basged? [**mwstan**, ceir mwys yng *Ngeiriadur Prifysgol Cymru* â'r ystyr basged neu gawell. Mwys bara yw bread basket – Gol.]

Blonog – fuasai amaethwr wrth syllu ar fochyn tew byth yn dweud 'mae o yn flonegog' ond yn hytrach 'Mae o yn **reit**

flonog,' neu, dan gwyno, 'Mae'r *flonag* na sydd ganddo wedi costio dipyn mewn blawd moch i mi.' Defnyddid **blonog** i ddisgrifio rhywun bodlon a rhadlon mewn cyflwr corfforol da, nid o angenrheidrwydd yn dew: 'Mae Meri wedi mynd yn *flonog* a chroesawgar ers mae hi wedi priodi.' Hynny ydi yn fodlon ei byd ac yn hapus yn yr un modd â mochyn neu gi pan fo wrth ben ei ddigon ac yn ddi-boen.

Hel '*i flonag* – dywediad amlwg efallai wrth edrych ar y gair **blonag**, sef **bloneg** – braster, gwêr, saim. Defnyddid **blonag** i ystyr arall fel 'Mae o wedi **hel *ei flonag*** ers cychwynnodd o ffarmio yr Hafod' – hynny ydi mae o wedi dod ymlaen yn y byd ac wedi cyfoethogi, neu 'Mae ganddo fo *dipyn o flonag*,' – sef bod ganddo gelc da o arian.

Hochian – nid cynaniad arall o rhochian, sef y sŵn a wna mochyn gyda'r cynaniad ym Môn fel crochian neu crochlefan neu weiddi am fwyd. Pan oeddwn yn blentyn ac yn cael y dasg ddifyr iawn o wylied hwch yn dod â moch bach, ac yn eistedd ar stôl odro neu felan o wellt dan olau *lantar* wedi'r enedigaeth a bwrw'r brych – all gymeryd 4-5 awr – rhaid oedd disgwyl i'r hwch gychwyn **hochian**. Hynny ydi gorwedd ar ei hochor wedi codi ei phwrs yn glir o'r llawr a rhes o foch bach yn brysur sugno, a'r hwch yn **hochian**. Pan fo hwch fagu dda, un sy'n fam reddfol ac yn dda am fagu moch, yn gosod ei hun i adael i'r moch bach ei sugno, mae yn mynd bron iawn i drans ac yn **hochian** yn rhythmaidd i ollwng ei llaeth. Erbyn hynny roedd yn ddigon saff i'w gadael ar ben ei hun. Tydi hwch ddim yn gollwng llaeth fel buwch, dafad, gafr a chaseg ac nid oes modd ei godro fel y lleill uchod. Chwysu'r llaeth allan o fandyllau yn y deth a wna hwch – ei secretu neu chwarren-lifo'r llaeth. Mae hwch mewn byd arall pan fo'n **hochian** yn rhythmaidd ac wedi ymlacio'n gorfforol i ganiatáu'r chwysiad llaeth. **Rhochian**

mae hwch sydd eisiau bwyd neu fwythau – yn y trans magu'n unig y mae hi'n **hochian**.

Paldaruo – gair sydd yn golygu siarad yn ynfyd, dweud anwiredd, mynd i sgwrs a cholli arno'i hun gyda phenrhyddid, rhuo'n uchel, dweud rhywbeth gwallus, fel 'Paid â **phaldaruo** a dangos dy anwybodaeth,' neu 'Paid â **phaldaruo**, f'es ti rioed yn Llundain,' neu 'Os dechreuith o **baldaruo** fe fyddwn ni yma am oriau,' neu 'Paid â **phaldaruo** neu mi glwan di yn Fangor.' Rwyf wedi cnoi cil ers blynyddoedd ar darddiad **paldaruo** a tydwi ddim nes i'r lan rŵan. Hoffwn fwrw amcan wantan iawn wnaiff o leiaf godi gwên ar wyneb unrhyw athrylith o'r Gymraeg, os dim byd arall, yn fy nehongliad o'r gair unigryw yma. [**paldaruo**, efallai o baldorddi a than ddylanwad rhuo yn ôl *Geiriadur Prifysgol Cymru*; siarad lol – Gol.]

Seiliaf fy namcaniaeth ecsentrig ar ddau air, **paladr** (sef gwaywffon) a **rhuo**. Wedi darllen ac astudio llawer iawn am ein cyndadau arwrol Celtaidd, yr oedd hyd yn oed y Rhufeiniaid yn eu hedmygu fel rhyfelwyr ffyrnig a medrus, daeth syniad i mi. Arferiad yr arwyr Celtaidd, oedd ar fin mynd i'r gad, oedd yfed hylif lledrithiol a elwid gan haneswyr Gwyddelig yn *king's cup* a oedd yn dod ag **awen y gad** (*battleglow*) drostynt. Tystiaf yn bersonol, o arbrofi gyda chymysgedd o fadarch a moddion lledrithiol yn yr 1980au, trwy gymysgu dau fadarch hudol a *lysergic acid diethylamide* (LSD) oedd yn un o gynhwysion Pair Ceridwen, ac yn bresennol yn oes ein cyndadau yn y ffurf wreiddiol, sef ffwng oedd yn tyfu ar rawn rhug sef *ergotaine tartrate*, a'u hyfed mewn hylif o fedd neu gwrw, fod hyn yn wirionedd perffaith. Deuai hyn â llif o hyfdra, hyder a gwefreiddiaeth anhygoel yn ei sgil, ynghyd ag ymchwydd anferthol o nerth ac egni corfforol. Yn baradocsaidd, tydi hyn ddim yn codi teimladau o atgasedd na chwant gwaed, ond gwna unrhyw dasg yn bleserus tu hwnt i eiriau, ac er mai prif bwrpas y gad ydi gorchfygu a lladd y gelyn, gellid cyflawni hyn mewn ysbryd cystadleuol o sgìl defnydd arfau, sy'n gwneud arwr yn wrthwynebydd llawer mwy peryglus na dyn sydd wedi gwallgofi yn fyrbwyll a direswm. Yn y paratoad cyn pob brwydr, roedd cyfnod o ruo a brolio doniau arwrol, ynghyd â chwythu cyrn a gwneud sŵn wrth guro coesau eu gwaywffyn ar eu tarianau, sef *paladr ruo*, i ddychryn y gelyn. Wn i ddim os yw'r esboniad yma'n dal dŵr ond fe'i cyflwynaf hyd nes y caf esboniad mwy credadwy.

Te ddeg – tydi hwn ddim yn cyfateb o gwbl i'r Saesneg, *tea break*. Ar yr hen ffermydd, pryd cyntaf y dydd oedd brecwast, tua saith i hanner awr wedi saith, wedi i bawb gyflawni ei ddyletswyddau boreol cynnar; y porthwr wedi carthu'r beudy, godro'r buchod a danfon y llaeth i'r tŷ llaeth i'w hidlo, torri gwair o'r daes efo cyllell wair, ei gario gyda neithlen i lenwi rheseli y gwartheg, y forwyn a'r gwas bach yn bwydo'r moch, rhoddi diod i'r lloi, y ceffylwr yn *timpwl* y wedd yn eithriadol o fanwl a thrafferthus, yn cymysgu eu bwyd, yn carthu'r stabal, ac yn cribo'r ceffylau, tra'r oedd y bugail yn rhoi dipyn o gymorth i bawb tan oedd hi'n ddigon golau iddo gamu am y caeau yn ôl ei gerddediad araf a sylwgar i 'weld', hynny ydi, taro'i lygaid dros y praidd, a'r dyn caled wedi hen ddiflannu gyda'i gelfi am y cloddiau a'r ffosydd, yn aml gyda lantar i gychwyn ar ei waith cyn iddi oleuo. Achlysur brysiog gydag ond ychydig o sgwrs oedd brecwast ac yn cynnwys dwy bowlen i bawb, y gyntaf gyda bara llaeth a'r ail efo te (powlen oedd llestr yfed y tŷ fferm a'r bwthyn, nid cwpan). Cyfle i'r meistar neu'r hwsmon gyflwyno eu gorchmynion a'u dyletswyddau i bawb am y diwrnod, a phawb ar frys yn llowcio'r bara llaeth ac yn chwythu ar y te i'w oeri a'i yfed yn frysiog a swnllyd. Wedi brecwast, roedd y dydd yn dechrau o ddifri a phawb ar wasgar i gyflawni eu dyletswyddau. Ar ôl tair awr o waith, byddai pawb yn ymgynnull eto yn y gegin neu'r briws i gael eu *te ddeg*, a'r ceffylwyr yr olaf i gyrraedd gan eu bod eisiau rhoi mymryn o geirch a rhuddion i'r wedd neu weddau i'w cynnal tan amser cinio.

Roedd gwell hwyl ar adeg *te ddeg* am mai tasgau rhigolaidd angenrheidiol oedd y gwaith a gyflawnid rhwng codi hanner awr wedi pump ac amser brecwast tua'r saith. Ond wedi cael eu gwasgaru ar ôl brecwast, roedd y gwaith difrifol, neu'r cyfle i adael **hoel gwaith** – gwneud gwaith go iawn – yn dechrau. Byddai'r porthwr yn mynd ati i falu rwdins a maip efo **sgrapar** (*scrapper*) a chymysgu'r gwahanol rysáits o fwydydd **minshar** ar gyfer y gwahanol fathau o wartheg, lloi, buchod godro, dynewiad, biffiaid ac yn y blaen, ar y **wasan** o ŷd ar lawr y sgubor. Y ceffylwr wedi cael dechrau da ar ei **erwad onast**, a'r bugail yn fodlon efo cyflwr ei braidd ar ôl taro ei lygaid trostynt ac yn cynllunio gweddill ei ddiwrnod fel mynd ati i ddidol defaid, trin traed, a symud porfa. Roedd gwraig y fferm a'r morynion wedi bod wrthi'n corddi a thrin menyn neu dylino toes i bobi bara. Rhoddid rhwng 20 munud a hanner awr i achlysur *te ddeg*, a oedd yn cynnwys powlen o de a llond plât anferthol o frechdanau wedi eu pobi gartref a chrafiad da a blasus o fenyn fferm, ac efallai wy wedi ei ferwi neu bisyn o gaws. Awyrgylch gydag **awen** gysurus o fod wedi cael cychwyn da ar y gwaith ac edrych ymlaen i'w gyflawni. Er yr hamdden o sgwrs, doedd na ddim oedi ymhellach na'r 20 munud i hanner awr, oedd yn darfod fel roedd y meistar a'r hwsmon yn symud ei gadair yn ôl ac yn dweud yn hwyliog, 'Wel rhaid i ni afael yn'i neu mi gawn sac o le da.'

Rhesal – rhestl neu rhastl, cawell porthiant gwair neu ysgubau ŷd uwchben y **minshar** (*preseb*). Roedd dywediad hwyliog a chanmoladwy i wraig fferm neu wraig tŷ a oedd gyda thyad o lanciau neu o blant bach gyda golwg corfforol dda arnynt – 'Wel mae'n amlwg bod gan y rhain **resal** lawn bob amser, Beti Jones,' neu wrth gyfeirio at rywun â thueddiad **blonog**, 'Does golwg da ar hwn, rhaid i chi godi'r **rhesal** yn uwch.'

Ceirch i loi, haidd i eidion – dywediad hollol gywir a gwyddonol. Mae'r grawn ŷd (ceirch) yn llawer uwch mewn protin na haidd sydd yn llawer uwch mewn carbohydrad. Mae ceirch yn fwyd sy'n cynhyrchu egni a symbylu tyfiant – er ei fod yn pesgi ychydig hefyd – tra bod haidd y grawn pesgi gorau un ac yn fwyd i 'ddarfod' **biffiaid**, hynny ydi i'w pesgi ar ôl iddynt ddarfod eu tyfiant. Profwyd gan wyddonwyr o fferm arbrofiadol wyddonol Plas Gogerddan, Aberystwyth bod ensym gwahanol mewn ceirch i ensymau haidd a gwenith, a bod ensym ceirch yn agos iawn i ensym porfa ifanc y gwanwyn. Tystiolaeth wyddonol yn ategu greddf yr hen amaethwyr a phorthwyr mai gwell bwydo gwartheg stôr 12-30 mis oed ar geirch yn ystod y gaeaf, nid yn unig i symbylu tyfiant ond i osgoi y cyfnewidiad o haidd i borfa ifanc sydd am ychydig yn 'eu dal yn ôl' cyn i'r ensymau addasu i'r newid. Yn rhyfeddol iawn, mae ceirch yn effeithio ar geffylau bron fel amffetaminau ar ddyn ac mae yn symbylu egni aruthrol ynddynt: mae gormod o geirch i geffyl yn ei wneud yn afreolus!

Ges di dy geirch neithiwr? – cwestiwn sydd yn gofyn 'a ges di gyfathrach rywiol neithiwr?' neu **mae Gwyn yn foi am geirch**. Cyfatebiaeth ydi hyn i'r arferiad o roi mesur ychwanegol i stalwyn gwedd cyn mynd â fo at gaseg am fod y ceirch yn codi gwres arno, sef ei wneud yn fwy **caliog**, yn ennyn chwant rhywiol arno.

Cynnan hau (*cynnen hau*) – clywais y dywediad yma gan Siôn William Carreg-lefn a chan fy nhad yn ei chwedleuon. Roedd cystadleuaeth frwd, a allai droi'n gynnen a ffraeo, rhwng y pen porthwr a'r pen ceffylwr, a'r bugail ar adegau hefyd, dros sut a faint o gnwd yr oeddent ei angen o'r tir llafur. Dyma ffynhonnell y testun twrw amla ar y fferm a phawb yn gwneud ei orau i ddylanwadu ar yr amaethwr i dyfu mwy o'r grawn a'r cnydau addasaf i'r anifeiliaid o dan eu gofal. Rhaid oedd i bawb gael gwair, a doedd hwnnw'n fawr o asgwrn cynnen; doedd rwdins a maip ddim yn ennyn ffrae chwaith, na thatws, ond roedd y ceffylwr, a'r bugail hefyd i lai graddau, angen mwy o ŷd (ceirch) tra bod y porthwr yn frwd i gael mwy o haidd at besgi biffiaid a moch, a gwraig y fferm yn rhoddi ei **chnegwarth** (*ceiniogwerth*) i mewn i fynnu 2-3 erw o ŷd cymysg, haidd a cheirch i'r dofednod. Ond wedi sôn am wair, roedd ffraeo cyson yn ystod y gaeaf rhwng y porthmon a'r ceffylwr dros y gwair ifanc (gwair hynod o faethlon o gae newydd ei ailhadu). Dyma adlewyrchu'r pleser enfawr a'r cyfrifoldeb cydwybodol yn eu gwaith – os nad ydi'r gair gwaith yn rhy wantan yn lle 'galwedigaeth', am nad labrwrs oedd y rhain ond stocmyn greddfol a gloyw yn byw dros eu gwaith ac yn ymfalchïo gyn gymaint ag unrhyw grefftwr neu athrylith yn eu doniau. Trist iawn oedd gweld tystysgrif geni fy nhaid tadol, John Jones, ac arni ddisgrifiad o waith ei dad, fy hen daid Herbert Jones – oedd bryd hynny heb gael tenantiaeth ei fferm gyntaf – fel *farm labourer*.

Seiat tin clawdd – disgrifiad doniol a glywais gan JW y Llan, fy nhad Herbert Jones, Dic Owen Bryn Garth, Siôn William Carreg-lefn ac eraill am y traddodiad gyda'r nos gan weision fferm, amaethwyr, a gwŷr eraill lleol o ymgynnull ar ryw groesffordd neu fan canolog yng nghefn gwlad i hel straeon a chael sgwrs a dadl am bob pwnc dan haul. Fan yma oedd y cyfuniad o athroniaeth, ffraethineb, a chwedlau difyr. Yn yr haf y cynhelid y *seiatau tin clawdd*, a *seiat yr aelwyd* oedd yr enw ar y cynulliadau o amgylch y tân mewn cegin fferm yn y gaeaf.

Sgilffyn – benywaidd **sgilffan** – hen eiriau Môn yn dal ar gerdded i ddisgrifio rhywun hynod o denau ac eiddil. Defnyddid hwn hefyd i ddisgrifio rhywun slei a dan-din. Wn i ddim beth yw ei darddiad. [*sgilffyn*, enw difrïol ar rywun main a thal; efallai o'r Saesneg skinflint – Gol.]

Bathew – llygoden goch neu bathor (*shrew*) sydd yn greadur bach prysur, amffibus a milain dros ben gyda brathiad gwenwynig. Hoff ddywediad Jac Pen Padrig am ddyn bychan a hunanbwysig oedd *bathew*, cyfatebiaeth berffaith. Clywais Dic Lewis Garreg Wen yn disgrifio gwraig ffarm lle roedd yn gweini – gwraig dda ond diarhebol o flin a stormus – fel *y fathew uffarn o hen ddynes lle a'r lle*.

Yn rhyfedd iawn, bu'r tŷ fferm yn wag ar ôl marwolaeth y cwpl oedrannus; yr oeddent wedi gwerthu'r tŷ ar eu hymddeoliad i'w gyfuno â fferm gyfagos. Mewn amser prynwyd y tŷ gan Saeson yng nghanol y 1960au yn dŷ haf – un o dai haf cyntaf ardal Rhos-goch/Rhos-y-bol. Ond yn fuan ar ôl cwblhau'r trin a symud i mewn fe welsont ysbryd yr hen wraig yn brysur yn corddi lle bu'r briws, ac ofer yw gorfod dweud mai ei goleuo hi yn ôl am Loegr wnaeth y perchnogion a rhoddi'r tŷ ar werth. Bu'n hir iawn heb ei werthu ac wedi ei brynu, unwaith eto gan Saeson, fe ymddangosodd yr hen wraig drachefn hefo'i chorddwr ac ailddechrau'r broses o gael 'madael â'r deiliaid rhan-amser unwaith eto. Mor fawr oedd eu harswyd buont yn ddigon ffôl i ddweud yr hanes wrth amaethwr cyfagos a lledaenu'r stori fod 'na ysbryd. Bu'r tŷ'n wag a digwsmer am gyfnod hir iawn wedyn hyd nes cael ei brynu gan filfeddyg o Wyddel, a fu dim sôn am yr hen wreigan wedyn, ac mae o a'i deulu'n dal i fyw yno.

Ond i fynd yn ôl i'r ail deulu Saesneg a welodd yr hen ddrychiolaeth – roeddwn yn ymweld â'r hen gymeriad a'r *deudwr* gwych, Dic Lewis, yn Garreg Wen. Roedd y ffaith fod gan Dic atal deud drwg, yn ogystal ag ateb mor sydyn â chwip i bob sylwad, yn gwneud ei ffraethineb yn llawer mwy doniol. A phwy ddoth i'r tŷ ond yr amaethwr cyfagos a glywodd am y bwgan yn gyntaf. 'Fasach chi ofn ei gweld hi?' gofynnodd i Dic Lewis, a daeth yr ateb allan ar ei union – 'T-toeddwn i ddim ofn yr hen *fathew u*-uffarn pan oedd hi'n f-fyw, h-heb s-sôn amdani yn farw, yr h-hen b-butan ast iddi!'

Gwigian – parodd y gair hwn ddryswch mawr i mi am beth amser am ei fod mor debyg i'r gair *gwegian* sydd yn golygu siglo, cerdded yn sigledig, bod bron â chwympo, simsanu. Roedd fy nain yn ei ddefnyddio megis yn 'Llygod bach yn *gwigian*,' neu 'Rhaid bwydo'r moch na, mae nhw'n *gwigian* ers meitin.' Yr un pryd roedd fy nhad yn disgrifio buwch oedd yn sigledig a bron â disgyn o achos clwy llaeth yn *gwegian*, ac er i mi yn blentyn bryd hynny, wrando'n astud, 'chlywais i 'run tamaid o sŵn yn dod o'r fuwch. Wedi cael y milfeddyg allan i roddi potelad o gliwcos mewn chwistrelliad iddi a hithau wedi dod at ei hun roedd llawer gwell hwyliau ar fy nhad – wedyn gallai ateb cwestiynau bachgen siaradus deng mlwydd oed. 'Dylia ti wybod bellach, meddai'n amyneddgar, na siglo o ochor i ochor a bron â disgyn ydi *gwegian*. Rhyw air Sir Fôn am wichian ydi *gwigian*'. Rhaid cofio bod fy nhad yn enedigol o Lŷn ac wedi dod i Fôn yn blentyn, a thafodiaith Llŷn oedd tafodiaith ei aelwyd a'i eirfa'n frith o eiriau Llŷn, fel *coethi* am gyfarth, a *phrifio* am dyfu, *myllio* am wylltio ac yn y blaen. Deuthum i ddeall bod dau air tebyg i'w gilydd ym Môn, *gwegian* a *gwigian*, hefo ystyron gwahanol.

Soniai John Williams Ynys Groes bod ei drol yn **gwigian**, ac angen saim ar flaen yr echel ond eto'n dweud 'Mi **styciais** i'r cae i gyd cyn iddi dwllu, nes on i'n **gwegian** wedi blino.'

Clywais y ddau air yn yr un frawddeg gan y deudwr a'r chwedleuwr anfarwol o Walchmai, y diweddar Twm Nan Ifas (1903-82) pan ddywedai am fynd ar gefn ei feic o Walchmai i Lanfaethlu i ymweld â'i chwaer, a'r hen beiriant Raleigh yn **gwigian** (*gwichian*) yn uchel. Daeth gwraig fusneslyd i giât bach ei gardd yn Llanfachraeth a gwneud y sylw bod ei feic yn **gwigian**. Atebodd Twm hi ar unwaith – '**Gwigian a gwegian** fasa titha hefyd os buaswn i wedi bod ar dy gefn di yr holl ffordd o Walchmai!'

Nid dywediad ydi hwn ond pill a gyfansoddwyd gan Llew Llwyfo, y bardd o Fôn oedd yn gweithio fel saer coed yn Lerpwl pryd yr oedd y Canada Dock yn cael ei adeiladu ddechrau'r ganrif ddiwethaf. Wedi i'r Doc gael ei gwblhau gwahoddwyd y Tywysog Edward, a goronwyd yn ddiweddarach yn Edward VII, i seremoni agor y lle'n swyddogol a dynion bach pwysig Lerpwl ynghyd â thorf enfawr o bobol yn eu dillad gorau trymion a hefyd y rhai oedd wedi adeiladu'r Doc yn bresennol – rheini hefyd yn eu brethyn gorau. Roedd y tywydd yn anghyffredin o dwym a'r tywysog heb gyrraedd a phawb wedi blino aros amdano yn y gwres. 'Tyd Llew,' meddai cyfaill iddo, 'damio'r disgwyl ma, awn ni am beint.' Doedd fawr ddim gwaith perswadio ar Llew, ond fe atebodd – 'iawn, peint amdani, ond aros funud, mae gen i bill bach i'r tywysog rhaid i mi ei dweud yn gyntaf,' a dringodd i le uchel i gyfarch y llu o Gymry, a bloeddiodd arnynt i dalu sylw i gyfarchiad arbennig i'r tywysog:-

**Rhy boeth, eiriasboeth yw'r hin – i'th dderbyn
dirion fab y brenin.**

Rho, er mwyn dy werin,
Canada Doc yn dy din.

Mae'n amlwg nad arwyr ac arloeswyr yr iaith yn ystod y
1960au oedd y rhai cyntaf i fod yn feirniadol o Dywysog
Cymru gan fod dwsinau o Gymry wedi mynd gyda Llew i'r
dafarn agosaf i sincio a damio'r Tywysog.

Diwyn dŵr – dyma un anodd i ganfod ei darddiad. *Water
diviner* ydi ***diwyn dŵr*** yn Saesneg a chlywais lawer o sôn am
ddiwynion dŵr (hwn yw'r lluosog a ddefnyddid). Beth ydi
ystyr ***diwyn***? Gall ddod o *dewin*, ynteu'n air benthyg < *diwyn*
< *diviner*. Does dim cysylltiad â ***diwyn*** – sef rhoddi iawndal,
na ***diwyno*** – sef difetha, neu andwyo, nac ychwaith
diwinydd, sef *theologian*. [***diwyn dŵr***, sef dewin dŵr; yn
Saesneg *water diviner* – Gol.]

Prin y buasai rhywun a elwid yn ***ddiwyn*** gan Biwritaniaid y
17eg ganrif am ei danbeidrwydd yn pregethu ac yn
efengylu'r ddysgeidiaeth ddwys Uwch-Galfinaidd, yn
ymarfer y ddawn o ***ddiwynu dŵr***. Roedd pregethwyr
anghydffurfiol degawdau cyntaf yr 20fed ganrif yn ddigon
parod i gategoreiddio ***diwyn dŵr*** diniwed yn un wedi ei
feddiannu gan gythraul, neu'n 'dilyn y llwybr tywyll' heb sôn
am eu cyndadau llym ac eithafol a lofruddiodd nifer o hen
wragedd diniwed ac eraill o ddoniau cyfriniol trwy losgi neu
grogi, yn ogystal â difa bron yn llwyr y cysylltiad
traddodiadol â chyfriniaeth, doniau cyfriniol a chred fel
oedd gan John Williams Ynys Groes yn y ***rhagluniaeth
famol*** oedd wedi ei gwau a chyd-fyw ochr yn ochr â'r hen
Eglwys Geltaidd.

Roedd nifer o ***ddiwynion dŵr*** ar yr Ynys yng nghyfnod yr
hen do gyda'r ddawn o ddarganfod dŵr tanddaearol digonol

i agor ffynnon, a phob un yn loyw yn eu doniau. A 'does ryfedd gan y gallai hanner y boblogaeth, o bosib, ymarfer yr un ddawn. Mae dau ddull o ***ddiwyno dŵr*** – gyda gwial o helygen neu fforch ddiwynu o helygen eto, neu gyda chortyn a phendil. Roedd Jac Fawr Pencefn yn gallu ***diwyno dŵr*** a gallaf finnau wneud hefyd, ffaith rwyf yn barod i arddangos ar unrhyw adeg, 'run fath â'r ddawn oedd gan fy nhad, a minnau i'w ganlyn, o wybod ymlaen llaw pa amser o'r nos y daw defaid ag ŵyn bach.

Bwli'r ffair – gwn fod ***bwli'r ffair*** yn ddisgrifiad ehangach nag Ynys Môn ond fe oedd yna draddodiad yn Llannerch-y-medd ar ddiwrnod ffair sydd wedi codi dywediad arall – sef ***herio'r dyn gorau***, yn ôl straeon yr hen Lan gan Robat Williams Crydd. Ar ddiwrnod ffair fisol y Llan, byddai llu o weision fferm yn dod i'r pentref yn gyrru gwartheg a defaid a moch eu meistri ac yn cael y prynhawn iddynt eu hunain fel math o fonws. Yn ddi-os, byddent wedi codi swllt neu ddau o'u cyflog pentymor i brofi cwrw coch enwog y Llan a byddai'r mwyaf hyderus ei ddawn fel ymladdwr yn mynd i sefyll yn fygythiol â'i lewys wedi eu rowlio i fyny, gyda'i freichiau wedi'u croesi yn ymffrostgar reit ar gongl siop Huws Gray. Yna safai'n dalog fel ceiliog ar ben domen i dderbyn sialens. Os na dderbyniai sialens, yna ef fyddai ***bwli'r ffair***. Ond os oedd rhywun yn barod i dorri ei grib a'i ***slensio*** fo roedd hwnnw'n ***herio'r dyn gorau***, ac âi'n ornest giaidd a gwaedlyd heb ymyrraeth yr heddlu. Cofiai Robat Williams Crydd y gornestau misol hyn gydag arswyd a gwefr pan oedd yn blentyn. Cyflwynodd i mi ei argraffiadau byw o ddau ddyn ystwyth a chryf yn ymladd fel ceiliogod ac yn llifo o waed. 'Fatha dau rym yn taro'n erbyn ei gilydd' oedd ei eiriau. Wedi i un gwympo, câi ei gicio'n ddidrugaredd nes y rhwystrid hynny gan y dorf. Cofiai'r hen fachgen gael dau swllt i nôl a benthyg elor gan saer coed i gludo'r collwr adref.

I ddod yn ôl at gymhlethdod y geiriau **gwigian** a **gwegian**, mae gair arall tebyg iawn i'r rhain sydd yn dal ar gerdded ym Môn, sef **gweg**. O drugaredd, roedd yn hawdd iawn cael esboniad i **gweg** gan ei fod yn gysylltiedig â'r gair **gwegil**, sef gwar y gwddf, neu ran ôl ac uchaf y gwddf. Gair ydyw sy'n golygu lladd drwy dorri llinyn y gwegil (*spinal cord*). Sawl tro pan oeddwn yn llencyn, gofynnodd fy mam, 'Cyn i ti fynd allan heno, **dora weg** i un o'r **clogod** (ceiliogod) tew na, i mi gael ei bluo a'i drin erbyn cinio Sul.' Dysgodd Jim Francis Huws i mi sut i roi **gweg** i dyrci neu ŵydd trwy osod eu pennau ar lawr a rhoddi coes gordd ar draws eu gwegil a sefyll y naill ben iddo, a wedyn tynnu'r coesau i fyny yn gadarn a grymus. Jim oedd y **gwegiwr** acw pan oeddem yn trin ffowls (dofednod) i'w gwerthu adeg y Nadolig. '**Rhoid y Pierpoint**' meddai Jim yn ei ffraethineb sych effeithiol, cyfeirio oedd wrth gwrs at Henry Pierrepoint, y Dienyddiwr Cyhoeddus olaf bron ym Mhrydain. Defnyddir **gweg** hefyd yn y byd hela a photsio hyd heddiw, er enghraifft heliwr yn canmol ei filgast: mi roddodd y weg i'r pry ar ei droad cyntaf neu yn edrych ar yr helfa rhwng y milgi a phry o hirbell ac yn dweud wrth i'r milgi lwyddo i ladd y pry, **mae o wedi rhoi gweg iddo**.

Cyffrous a difyr oedd **llygota** (hela llygod mawr) mewn **cowtiau** ffermydd – ni ddefnyddid y gair buarth ym Môn, ond **cowt**. Byddai llawer i amaethwr pan oeddwn i yn blentyn yn cadw lluoedd o ffowls i'w gwerthu yn barod i'r popty adeg y Nadolig (cyn ailddyfodiad y cadno i'r Ynys) a'r rheini yn rhydd ddydd a nos. Gwelid o hyd **ddrysau gwyddau** ar dalcenni **rhiwelydd** (*hoywal, howelydd*), sef agoriadau sgwâr tua 2'6" wrth 2 droedfedd, oedd yn wreiddiol gyda drysau arnynt yn cael eu cau peth diwethaf gyda'r nos wedi i'r dofednod fynd trwyddynt i glwydo ac ymochel – nid i'w diogelu rhag cadnoid oedd wedi eu difodi ar yr Ynys ers canrifoedd cyn eu hailddyfodiad yn yr 1960au, ond rhag lladron dwydroed. Ni fyddai'r amaethwyr hyn yn hoff o alw am wenwynwyr llygod mawr rhag ofn i'w ffowls bigo'r gwenwyn wrth **sgrafenjo** o gwmpas y **cowt** a'r adeiladau ac felly roeddent yn croesawu, ac yn talu cildwrn reit hael, i hen filwyr fel Dic Bach Pen-rhyd a Nennin Florence ddifodi'r heidiau o lygod mawr a oresgynnai'r ffermydd i ddwyn bwyd y ffowls. Gwneid y gwaith efo daeargwn, ffureti a phwlcathod dof, ac roeddem yn blant yn cael eu helpu yn aml.

Cofiaf Nennin Florence yn cytuno ar bris efo 'nhad i glirio allan haid o lygod mawr o'r fferm ac fel plant bob oes roeddem yn frwd am yr helfa. Roedd gan Nennin (a Dic Bach Pen-rhyd) ffureti a phwlcathod arbennig at y gwaith – rhai hynod o filain oedd wedi eu himiwneiddio rhag yr heintiau a gludid gan y **cynffonnau hirion** (llygod Ffrengig) trwy eu defnyddio'n gyson i'r gwaith ac wrth gael eu bwydo ar lygod mawr wedi hanner eu boddi a thynnu eu dannedd â gefail. Y cam cyntaf oedd gosod rhwydi anghyffredin dros y tyllau, sef hosan neilon dynes wedi ei gosod dros dun – un heb ben na gwaelod ar ôl torri'r rheini i ffwrdd – fyddai'n cael ei wasgu i siâp y twll – a chau rhai tyllau eraill â cherrig. Wedyn fe yrrid y ffureti a'r pwlcathod i lawr y tyllau i **bowltio'r** llygod mawr allan yn yr un modd â ffureta cwningod. Dôi arswyd mawr dros y **cynffonnau hirion** wrth ogleuo mwg hela'r erlidwyr ac roeddent yn berwi allan i'r rhwydi hosanau i gael yr amen gan Nennin efo taflen (*catapult*). Roedd Nennin yn gelsaethwr tra chywir efo'r teclyn yma a'i ergydion o beli plwm – doedd fiw pastynu'r hosan rhag ei thorri. Neu fe'u codid yn ddiogel yn yr hosan drwy afael yn y tun a rhoi tro i'r hosan ac wedyn eu boddi mewn casgennad o ddŵr. Ein gwaith ni oedd bod yn barod o hirbell gyda phastynau a rhawiau i gynorthwyo'r daeargwn i ladd y rheini oedd yn **powltio'n rhydd**. Pleser o'r mwyaf oedd gweld y diawlad dieflig ac aflan yn cael y **weg** gan y daeargwn, yn enwedig gan Flash – croesiad o gwrgast Ceredigion a daeargi oedd gennym am flynyddoedd – yn rhoddi'r **weg** ac yn eu gwasgu nes oedd sŵn fel pêl yn bostio cyn eu hysgwyd a'u taflu droedfeddi i'r awyr.

Aredig tyndir – yn tarddu o idiom amaethyddol wrth gwrs, am y weithred rywiol pan fo merch yn colli ei morwyndod, **torri'r garw, torri'r llinyn, cynta i'r felin** i gyd yn golygu'r un peth.

Aredig sofl – eto yn idiom amaethyddol am rywun yn cael perthynas rywiol â gwraig weddw.

Butra'i dafod, glana'i din – clywais hon lawer tro, esiampl o ffraethineb amrwd Môn i ddisgrifio dyn sydd yn brolio ei lwyddiant gyda'r menywod tra mewn gwirionedd yn fawr o garwr ac yn fwy o chwythwr nag o weithredwr

Caliog – chlywais i erioed neb o Fôn yn defnyddio'r enw cal neu cala, ond cyffredin iawn yw y disgrifiad **caliog**, yn enwedig **caliog fel mul**, neu y ferf: 'Mae o'n **cala** tua'r pentref.' **Cledran, y galan, y dwca**, neu'r **jibi** (o **jibidŵ**) a ddefnyddid yn ogystal â **pidan, cetran, pastwm gig, y stric, cocws** ac yn y blaen.

Gafl – eglurir y gair **gafl** yn y *Geiriadur Mawr* fel *fforch*, neu groth. Ym Môn y gair am fagina merch ydi **gafl**. **Llestr** ydi gair Môn am groth. Defnyddid y gair **gafl** am **gedor** hefyd.

Jibidŵ – hen air morwrol am y weithred rywiol gyda phutain neu ferch ddiarth atebol. Dwn i ddim beth ydi tarddiad hwn.

Y *blocyn derbyn* – un o gyfatebiaethau mwyaf doniol a lliwgar yr hen gymdeithas am fagina oedd y ***blocyn derbyn*** – rhan o fecanwaith cymhleth y dyrnwr mawr.

Colli *diferyn dros Gymru* – hen ddywediad morwrol am gyfathrach rywiol gyda Saesnes neu estrones. Hen ddywediad arall am hynny sydd yn dal ar gerdded ydi ***rhoddi had mewn tin estron***. Gair arall am ***hadu*** yw ***bwchio*** (o *ebychu*). Nid yw ***bwchio*** yn dod o bwch, a byddai llawer i hen geffylwr a dynion canlyn stalwyni yn defnyddio'r term ***ebwchio*** neu ***fwchio*** pan fo stalwyn wedi hau ei had, neu yr ***ebwch***.

Sathriad – disgrifiad amrwd am gyfathrach rywiol wedi ei fenthyg o fyd adar a dofednod. Pan mae ceiliog yn cymharu ag iâr, mae yn neidio ar ei chefn i gwblhau'r weithred rywiol, hynny ydi, yn ei ***sathru***, ac felly yr enw ***sathriad***. Fel pob disgrifiad o fyd anifeiliaid am gyfathrach rywiol fe'i rhoddwyd ar waith mewn tafodiaith leol fel term amrwd am gyfathrach rywiol rhwng dyn a dynes. Mae rhestr ohonynt a oedd, neu sy'n parhau i fod, ar ddefnydd fel ***marchio*** (ceffylau), ***mowntio*** (sy'n hunan esboniadol), ***mynd yn sownd*** (cŵn), ***gofyn tarw*** (gwartheg), ***cledran*** (cal ceffyl), ***strocan*** (ceffylau a gwartheg), ***llowdio*** (moch). Yn ogystal â hyn, benthycwyd termau beichiogaeth da byw at gyflwr beichiogaeth dynes (mewn modd pryfoclyd neu sarhaus) fel ***mae hi wedi ei chywio***, neu ***mae wedi sefyll tarw***, neu ***mae wedi cael tarw/stalwyn/maharen/baedd***. Yn ogystal â defnyddio'r termau yma yn sarhaus, fe'u defnyddid hefyd mewn ffurf ychydig mwy parchus a derbyniol i ddynodi cnawdoli plentyn neu feichiogaeth. Er enghraifft, roedd yn hollol dderbyniol dweud fod dynes feichiog yn ***magu*** (fel hwch neu gast) neu yn ***cario*** (pob anifail mamalaidd) neu yn ***disgwyl plentyn*** (yn yr un modd ag yr oedd caseg yn disgwyl cyw) neu yn ***drom*** (yr un disgrifiad ag i gaseg, buwch, hwch, gast a dafad). Pur anaml y byddai'r hen do yn defnyddio'r term **beichiog** neu yn *feichiog o blentyn* gan mai magu neu gario oedd y termau naturiol iddynt (**magu** ran amlaf) heblaw o flaen rhywun oedd yn mynnu eu parch fel person neu weinidog yr efengyl, neu flaenor, diacon, ac yn y blaen. A phryd hynny, diflannai lliw a ffraethineb cynhenid y Cymro a'i newid am sgwrs ffug-barchus oedd bron yn ostyngedig ei ffurfioldeb, oedd yn rhoi delwedd hollol anghywir o'r Cymry ac yn argraff sydd yn dal hyd heddiw am yr hen do – argraff hollol gyfeiliornus. Ac yn wir, roedd dau wyneb i bob Cymro neu Gymraes; yr wyneb naturiol, gwreiddiol, ffraeth, lliwgar ac amrwd, oedd er hynny yn medru bod yn ddwys a dyfn a chyfriniol yn ennyn yr **awen** yn gryfach nag mewn unrhyw Gelt arall – ac ar yr ochr arall, yn medru troi'n ffug-barchus a ffurfiol pan oedd y bowlen de yn cael ei chyfnewid am y gwpan a'r soser, a'r lleoliad yn newid o'r gegin i'r parlwr gorau, a'r sgwrs oedd yn cael ei chynnal bron yn gloff. Cofiaf gael cerydd gan fy nain, Kate Owen, am ddefnyddio'r term **tin clawdd** gerbron gweinidog yr efengyl, y Parch Ffestin Williams, a'r hen Ffestin annwyl, yr unig Gristion pur welais i erioed yn gwisgo'r goler gron, yn chwerthin yn iach gan atgoffa fy nain bod y term yn hollol naturiol, fel **tin clawdd, tin taes** a **thin trol**.

Wrth edrych ar bobloedd a diwylliannau eraill fel Laps y Ffindir a gogledd Sweden sydd yn hollol ddibynnol ar Geirw Llychlyn, gwelir bod eu geirfa a'u disgrifiadau bron yn gyfan gwbl seiliedig ar dermau ac idiomau yn ymwneud â cheirw Llychlyn, a hefyd darllenais unwaith fod geirfa rhai Americanwyr Brodorol oedd â'u cynefin yn y gwastatiroedd (*prairies*) yn seiliedig ar y Bison a'r ceffylau, yn enwedig y Comanches. Ac roedd, ac mae, geirfa cefn gwlad Cymru, a Môn yn enwedig gyda'i brodorion llawer mwy ellblyg a mwy Gwyddelig eu hanian na Chymry'r tir mawr, yn seiliedig ar y da byw oedd yn ffon fara iddynt. Clywais **ddyn caled** o ardal Rhos-goch (ni wna'i ei enwi er parch i'w weddw) yn dod i gytundeb â fy nhad ynglŷn â phris darndal codi waliau cerrig oedd wedi bylchio yn dweud yn hollol naturiol a heb flewyn ar ei dafod bod rhaid iddo godi ei brisiau darndal o achos **bod y wraig wedi catsho eto ac wedi mynd i fagu** ac roedd hyn cyn 1965! Ac yn ddiweddarach, yn yr 1980au, clywais am amaethwr oedd ar drywydd gwaed rhyw lencyn am ei fod **wedi rhoi cyw i'r ferch acw**.

Sathriad deryn to – disgrifiad amrwd o gyfathrach rywiol rhwng dyn a dynes oedd yn frysiog a sydyn ei pharhad.

Cyfrwy neu **Grys Sathru** – dilledyn pwrpasol o ganfas wedi ei lunio gan **grydd harnais** (*saddlemaker* – clywais y term **crydd harnais** gan amryw o'r hen do fel Jac Sachins, Robat Williams Crydd, Siôn Wiliam Carreg-lefn, er mai **sadlar** a ddywedai'r rhai fengach). Pwrpas y **cyfrwy** neu'r **crys** oedd i osgoi niwed i ieir twrci fel yr *Indian Game* a bridiau cwffio pedigri pan oeddynt yn cael eu sathru gan geiliogod â sbardunau miniog – yn enwedig y ceiliog twrci sydd yn araf ac yn hir yn sathru ac yn dueddol o rwygo cefn yr iâr dwrci. Ffitiai y **cyfrwy** neu **grys** dros gefn yr iâr o dan ei brest a'i bol. Roedd gan John Williams Ynys Groes gasgliad o **gyfrwyon** neu **grysau sathru** wedi eu gwneud yn bwrpasol ar gyfer dofednod o wahanol fath a maint.

Rhawdwl neu **Rhwdl** – gair a glywais gan y diweddar Wiliam Williams, Cae Mawr, Llannerch-y-medd, y bridiwr enwog o ddefaid Wiltshire a Suffolk, ei gyfnod oddeutu 1905-1991, pan oeddwn tua 14 mlwydd oed. Clywais hwn hefyd gan Dic Huws Pen Werthyr – eto yn fridiwr enwog ar yr un defaid – a oedd ryw 15 mlynedd yn hynach na Wiliam Williams. Ystyr **rhawdlo** neu **rhwdlo** oedd taenu cymysgfa o saim troliau a phowdwr paent ar frestiau myheryn (hyrddod) pan oedd defaid yn *myharena* er mwyn gadael staen ar grwmp dafad wedi iddi gael myharen. Newidid y lliw bob rhyw dair wythnos ac felly gellid amcanu yn weddol gywir pa bryd y deuai oen, yn gyntaf er mwyn cadw maeth ymborth y ddafad yn gyfartal â'i beichiogrwydd (po fwyaf yr â'n feichiog, mwyaf yn y byd o faeth y mae arni ei angen); yn ail i sbario dod â phob dafad ynghyd i'r *llain wyna* (cae addas yn agos i'r ffermdy) gyda'r nos adeg wyna; ac yn drydydd i sefydlu a oedd dafad yn ffrwythlon, hynny ydi heb ôl neu nod lliw ar ei chrwmp ar ddiwedd y cyfnod *myharena* neu gydag amryw o liwiau a oedd yn arwydd ei bod yn gyson yn ail-fyharena ac yn methu *sefyll maharen* (methu cnawdoli). Roedd y ddau hen ŵr yn ymarfer *rhawdlo* neu *rhwdlo* eu myheryn yn yr hen ddull nes doth harnais arbennig gyda blocyn o gŵyr lliw ar y farchnad gan gwmni o Seland Newydd – y *Sire Sine harness* yn 1967. Yn achos dafad gydag amryw o liwiau ar ei chrwmp, fe ddisgrifiai Dic Huws hon yn *ddafad yn rhwdlan gormod* i fod wedi sefyll maharen. Ys gwn i os mai dyma darddiad y gair rwdlian am wneud neu ddweud rhywbeth yn ofer ac ynfyd? Arferent gadw dafad heb nod y *rhwdl* neu wedi *rhwdlan* gormod efo gweddill y praidd tan fis Ionawr/Chwefror, a'i harchwilio yn fanwl bryd hynny, ac os nad oedd hi'n drom o ŵyn, na chyn drymed â'r defaid olaf i'w *rhwdlo*, a heb fagu pwrs, byddai'n cael ei gwerthu i'w lladd ar gyfnod lle'r oedd *defaid gwag* (defaid heb fod yn feichiog) a *llwdnod pesg* yn gwerthu am bris uchel iawn o achos prinder cig yn y cyfnod hirlwm yna.

Pan oeddwn yn fyfyriwr yng Ngholeg Glynllifon yn ddiweddarach, darllenais hen lyfrau amaethyddol o'r llyfrgell wych yno, a chefais syndod o ddarganfod y term Saesneg *raddle* a oedd yn disgrifio'r arferiad yma air am air â beth a glywais yn gynharach gan y ddau hen ŵr. Enw Saesneg arall am *raddle* ydi *keel*. Felly ymddengys mai gair benthyg ydi **rhawdl** neu **rhwdl**. [**rhwdlo**; un o ystyron rhwdlio yn y *Welsh Vocabulary of the Bangor District* yw *to stir* fel yn *'the more you stir up water the dirtier it gets'* – Gol.]

Calan wyna – dim ond gan Dic Huws Pen Werthyr y clywais i'r term hwn. Rhaid cofio fod Dic Huws a'i ddau frawd yn dod o linach o fugeiliaid llawr gwlad diguro a bod ei deulu wedi arbenigo mewn cadw a bridio **defaid mawr** a **defaid llawr gwlad**. **Defaid mawr** ydi'r bridiau o ddefaid nad ydynt yn ddefaid mynydd ac sy'n fwy o faint corfforol a mwy o dueddiad i ddod â **deuoen** na dafad fynydd. Nid yw **defaid mawr** mor wydn a chaled â defaid mynydd Cymreig o bell ffordd ac maent angen mwy o **dimpwl** (gofal trylwyr) ond yn magu ŵyn llawer iawn trymach a mwy eu maint nag ŵyn **defaid bach** (defaid mynydd) ac yn ôl rheswm mae eu hŵyn yn dod â llawer gwell pris yn barod i'w lladd. Cyfnod wyna defaid mawr yw Ionawr a Chwefror, a chyfnod wyna **defaid bach** (mynydd) pan maent yn eu cynefin ucheldirol yw Mawrth ac Ebrill. Eglurodd Dic Huws mai'r cyfnod rhwng lleuad llawn Ionawr a lleuad llawn Chwefror yw **calan wyna**, pan mae'r defaid mawr yn dod i laeth a chychwyn wyna. Yn yr hen oes, yn ôl Dic Huws, fe leddid dafad wag at ddefnydd y teulu a'r gweision a dyna wledd o gig ffres ar y fwydlen pan oedd pawb wedi hen syrffedu ar gig hallt a chwningod.

Mae hyn yn debyg iawn i hen ŵyl *Imbolch* ein cyndadau Celtaidd i ddathlu cyfnod llaetha ac wyna eu defaid (**calan wyna**) pryd yr aberthid defaid gwag i'r duwiau a gwledda ar gig ffres a chynnal diolchgarwch baganaidd i'r **rhagluniaeth famol**.

Tsiff – cynanir yn **jiff** – 'Fydda i ddim **tsiff** yn y siop,' neu 'Fydda i ddim **tsiffiad** â darfod,' hynny yw, fydda i ddim eiliad, neu fydda i ddim yn hir. Gair benthyg wrth gwrs ond gyda tharddiad morwrol fel y rhan fwyaf o ddywediadau a geiriau benthyg Môn fel *jibar* a *methu dal y tac* ac yn y blaen. Yn ôl fy nghyfaill Eifion Jones, tarddiad *tsiff* neu *tsiffiad* yw *jiff* neu *jiffy*, sef cwch tua 20-25 troedfedd gyda hwyl a mast oedd yn cael ei ddefnyddio fel dull cyflym i gario nwyddau, bwydydd a gohebiaeth swyddogol o borthladdoedd y Llynges Frenhinol i'r llongau hwyliau rhyfel – y *maniwars* (*man of war*) – a oedd wedi eu hangori mewn cad-drefniant yn yr *angorfeydd* (*sea roads*) efallai rai milltiroedd o'r porthladdoedd. Nid cychod y Llynges oedd y *jiffs* neu *jiffys* ond eiddo contractwyr a oedd yn cyflenwi'r *maniwars* (clywais y gair *maniwars* gan Huw Roberts Bank House). Ond i ddod yn ôl at *jiff* neu *jiffy*, parhaodd yr enw yma yn oes y llongau stemars am y cychod cludo sydyn a chyflym a oedd yn cysylltu'r lan â'r angorfeydd a daeth i ddefnydd yn y Gymraeg a'r Saesneg fel *fydda i ddim tsiffiad* neu '*I won't be a jiffy*', yn golygu na fasa rhywun ddim ond siwrnai *tsiffiad* neu '*jiffy's journey*'.

Siâr y Ciaptan – diolchaf eto i Eifion Jones am y dywediad yma sydd yn agor llygaid i pam fod llawer o hen gapteiniaid wedi ymddeol yn gallu prynu ffermydd sylweddol o faint, neu'n byw bywydau cefnog a moethus wedi ymddeol. Yn hen ddyddiau y llongau hwylio masnachol, nid yn unig yr oedd y capten yn gyflogedig gan y cwmni, ond roedd hefyd yn cael rhan o elw'r cargo yn ogystal â chael rhywfaint o wagle yn yr *howld* i gludo ei nwyddau ei hun, i brynu a gwerthu ar ei fordeithiau. *Siâr y Ciaptan* oedd y gwagle yn yr howld i'r capten storio'r nwyddau hyn.

Wedi dod i'r lan ac *ar y lan* – dau derm hollol wahanol eu hystyr. Mae pawb yn gwybod a rhai yn defnyddio *wedi dod i'r lan* neu *wedi glanio* am lwyddo neu ffynnu. Fel enghraifft, ceir *wedi dod i'r lan ar ôl oes o weithio'n galed*, sef wedi dod ar ei draed. Hefyd ceir **wedi dod i'r lan â'r cynhaeaf** pan fo'r cyfan o'r cnydau wedi'i gario i'r teisi a'r ysguboriau. Ond term morwrol yn ei hanfod yw **ar y lan** pan fo morwr wedi cefnu ar y môr (**wedi llyncu'r angor**) neu fel arall ar y lan yn ddi-waith ac yn aros joinio llong (*Iaith Amlwch*). Morwr wedi dewis gyrfa arall neu'n ddi-waith ydi **bod ar y lan**.

Tŷ ager – **tai ager**, adeiladau ar Fynydd Parys, Amlwch ac ynddynt beiriannau stêm oedd yn pweru **winsiad** (*winches*) y siafftiau dyfn fel Siafft Pearl a Siafft Gwen (dim ond i enwi dwy o gannoedd ohonynt). Roedd y **winsiad** yn codi a gostwng y **paniau** neu'r **cymblau** (*kimbles*), y sgips a oedd yn dod â'r mwyn copr i fyny o'r gwythiennau. Clywais y termau yma gan yr awdur Bryan Hope, Oriel, Moelfre.

Copr ladis – o'r Saesneg *copper ladies*. Mae llawer dan gamargraff mai puteiniaid yn byw yn sgil y mwyngloddwyr copr ar Fynydd Parys oedd y rhain. Ond yn ôl Bryan Hope, roedd y **copr ladis** yn ferched uchel iawn eu parch yng nghylch Amlwch a Mynydd Parys ac fel chwarelwyr llechi'r tir mawr, yn loyw eu diwylliant ac yn farddonol a dawnus yn ogystal â bod yn ferched gwydn a chryfion na chymerai unrhyw nonsans o gwbl gan unrhyw ddyn, beth bynnag fo'i faint neu nerth. Gwaith y **copr ladis** oedd torri'r mwyn copr yn ddarnau mân efo morthwylion 4 pwys a defnyddio cerrig caled arbennig yn eingion (anvils). Gelwid y rhain yn **gerrig taro**. Roedd Jac Neuadd yn cofio ei daid yn canu hen faled am y **copr ladis** lle y disgrifid hwy fel 'merched mawr y mynydd'. Soniodd Siôn Goch, Rhos-y-bol, am fodryb iddo oedd yn gopr ladi ac yn arwain côr merched, y cyfan yn gopr ladis oedd yn canu i gyfeiliant telyn mewn Cymanfa Ganu yn un o gapeli Amlwch yn ystod blynyddoedd olaf y mwyngloddio ar y Mynydd tua throad yr 20fed ganrif, delwedd i'r gwrthwyneb o buteiniaid! Pan oedd yn blentyn 11 oed, cafodd yr hen Siôn Goch gynnig i fynd i **dendiad** (gweini ar) y **copr ladis**, i symud y darnau mwyn o'r ffordd a llwytho'r troliau oedd yn cludo'r mwyn i lawr i Borth Amlwch, ond fe ddewisodd fynd ar y tir yn was bach er bod y cyflog yn llawer llai. Creadur diniwed iawn oedd yr hen Siôn Goch, ac mewn arswyd o'r merched mawr cryfion oedd yn barod ac yn atebol i roi clustan giaidd i unrhyw ddiogyn oedd yn eu tendiad, boed yn blentyn, llencyn neu ddyn. Bu Siôn Goch yn gweini 'nhad am 25 mlynedd tan oeddwn i yn 6 oed, a difyrrodd lawer ar fy rhieni ar nosweithiau wrth y tân yn sôn am y Mynydd yn ei fri pan oedd yn blentyn. Bûm yn cadw cysylltiad â'r hen ŵr tan ei farwolaeth yn yr 1970au a chlywais lawer o'i straeon am y Mynydd a'i yrfa ar y tir.

Tra ar drywydd y Mynydd, cofiais Siôn Goch yn adrodd nad ceffylau nac ychain oedd yn tynnu'r troliau trwm ond **bastardiaid mul**, sydd er yn styfnig yn weithwyr caled a dygn iawn. Gwrandewais ar ddarlith hanes lleol pan oeddwn yn 15 oed yng Nghlwb Ffermwyr Ifanc Rhos-y-bol gan Ritchie Pierce, amaethwr Rhos-goch Farm, a chyn swyddog yn y Weinidogaeth Amaeth, yn adrodd hanes amaethyddol yr ardaloedd cyfagos. Tynnodd ein sylw at y ffaith fod gan Ros-y-bol lawer mwy o dyddynnod bach nag unrhyw bentref arall ym Môn. Eglurodd inni bod Rhos-y-bol yn dibynnu ar fridio bastardiaid mul i weithio ar y Mynydd, ac roedd y rhain yn cychwyn gweithio yn llawer fengach na cheffyl a chydag oes waith hir iawn, ac yn llawer mwy cyfrwys eu traed na cheffylau wrth gludo basgedi gwiail naill ochor yn llawn o fwyn i fyny'r pwll agored enfawr (*open cast*) sydd yng nghanol y mynydd.

Lander neu **landar** – enw mae pawb yn ei adnabod fel gwter dŵr ar fondo tŷ neu fwthyn (*guttering yn Saesneg*) ond dygodd Bryan Hope fy sylw at ei darddiad. O'r gair Saesneg *launder* mae yn tarddu, ac mae ystyr arall i landar (yn Gymraeg) a *launder* yn Saesneg heblaw golchi dillad. Term a ddaeth o Gernyw i Fôn yw landar (dŵr) ac yn air gweddol ddiweddar o'r cyfnod pan oedd meistri a chrefftwyr Cernyweg fel y Weekes a'r Trewithicks yn datblygu mwynfa hynafol Mynydd Parys yn ôl yr un dull (modern bryd hynny) â mwynfeydd Cernyw, oddeutu dwy ganrif yn ôl. Wedi dyfodiad y peiriant ager *(steam engine)* yn nechrau'r 19eg ganrif, a oedd yn codi a dymchwel y *paniau* neu'r *cymblau* cludo mwyn gyda'r *winsiad, landar* neu *lander* oedd cafn dŵr pren, efallai filltir o hyd, oedd yn cludo'r dŵr o afonydd cyfagos i'r tai ager. Aeth y gair *launder* wedi ei Gymreigeiddio yn *lander* i ddisgrifio'r gwter haearn bwrw (neu blastig erbyn hyn) sydd yn casglu dŵr glaw oddi ar do tŷ.

Pelan sodlu – mae'r rhain wedi hen fynd yn angof bellach ond roedd Tomi Ifas Tan Lan a Siôn Williams Carreg-lefn yn eu cofio'n iawn, ynghyd â John Williams Ynys Groes – un oedd yn chwyrn yn eu herbyn pan gaent eu defnyddio. Pelan saith i wyth fodfedd ar draws wedi ei llunio o goed caled a thrwm oedd y belan a thwll ynddi. Rhedid rhaff fain drwyddi ynghlwm wrth gengl oedd yn cael ei osod o amgylch gar *(hock* – cymal pen glin) ceffyl neu fuwch giciog yn y stabal neu'r beudy oedd â *chast* (ystryw neu dric annerbyniol) o daflu cic giaidd pan fo rhywun yn pasio y tu ôl iddo/iddi. Pwrpas y ***belan sodlu*** oedd swingio allan hefo'r gic, codi'n uchel a syrthio'n ôl gan daro sawdl neu egwyd y fuwch neu'r ceffyl gan ddial llathen o'r un brethyn a'i ddysgu i beidio cicio allan. Er eu bod yn gymeriadau hynod o garedig a chyda greddf anhygoel i dawelu a dofi'r ceffyl mwyaf milain, roedd Tomi Ifas a Siôn Williams yn canmol ei heffeithiolrwydd er na chafodd ei defnyddio 'rioed gan 'run o'r ddau. Rwyf yn amau i'r ***belan sodlu*** gael ei gwahardd dan Ddeddf

Creulondeb Anifeiliaid un ai ar ddiwedd y 19eg ganrif, neu ar ddechrau'r 20fed. P'run bynnag, nid oedd cof amdanynt gan geffylwyr y 1920au ymlaen. Ond mae 'na **strap cicio** ar y farchnad hyd heddiw i bwrpas godro buwch giciog ond nid i'w hatal rhag cicio rhywun sydd yn pasio yn y beudy neu'r parlwr llaeth. Tydi hwn yn ddim ond fersiwn fodern o *fflethar sipsi* sydd yn ffitio yn uwch ac yn dynnach uwchben y gar, ac wrth gwrs yn achosi rhyw fath o wayw i'r anifail.

Roedd John Williams Ynys Groes bron yn ffiaidd gyda mi wrth i mi holi mwy am y **belan sodlu** cymaint oedd ei atgasedd o'r teclyn. Pregethodd hefo fi mai creulondeb a dychryn sy'n peri i greadur diniwed fynd yn filain, ac atebodd gyda'i athroniaeth unigryw, 'Weithiodd llygad am lygad a dant am ddant erioed beth bynnag ddeudith pobol y pulpud wrtha ni. Rhaid parchu ffon eich bara,' meddai dan gyfeirio at ei gesig yn pori gerllaw. 'Chymerais i 'rioed bastwn na phric at anifail a wna i byth chwaith. Tydi pobol yr oes yma yn meddwl dim am chwarae ddiawl hefo rhyw injian neu beiriant marw, ond 'does 'na ddim sôn am dimpwl a mwytho dipyn ar greadur byw. Mae anifail yn greddfu bwriad dyn bob tro, ac os ydach chi'n teimlo parch ato fo ac yn teimlo'n ffrind iddo fo, mi fyhafith yn yr un modd atach chi.'

Rhaid cyfaddef, mi ddysgais wers werthfawr iawn gan gymeriad cyfriniol ei ddawn gyda'i dda byw a'r tir oedd yn ei gynnal, ac fel Bob Huws Hafod Llin a'i faeddod mwythlyd, felly roedd John Williams i radda lle roedd ei gesig yn ceisio'i ddilyn i mewn trwy ddrws y gegin, mor ddiamynedd oeddent am ei siwgwr lwmp a'i gyflath.

Wal un sawdwl a **wal dwy sawdwl**. Tynnodd fy hen ewyrth annwyl, Jac Fawr Pencefn, fy sylw pan oeddwn yn blentyn at waliau yr oedd wedi eu codi yn ei amser, ac sydd hyd heddiw ar eu traed yn gadarn ac yn ddiddiwedd. **Wal un sawdwl** ydi wal cerrig sych, gyffredin hefo sawdwl dwy droedfedd ar draws yn tapro i ddeunaw modfedd ar draws ei brig, rhwng llathan a phedair troedfedd o uchder; gallant fod yn bump i saith droedfedd ar ucheldiroedd y tir mawr. **Wal dwy sawdwl** oedd yn wreiddiol yn ddwy wal o gerrig sych ('run mesur bob un â **wal un sawdwl**) ond gyda gwagle yn y canol wedi ei lenwi â chymysgedd o bridd a cherrig. Fel arfer ceir hi o amgylch gweirgloddiau, neu gen ochor **ffos gamlas** oedd ychydig yn wahanol i **ddyfrffordd gweirglodd** sydd un ai yn afon fechan naturiol wedi ei dyfnhau a'i lledu, neu'n gamlas tua 8-12 troedfedd o led a phump i chwe throedfedd o ddyfnder gyda gwaelod sydd yn weddol wastad ac ychydig dyfnach nag uchder trwythiad y dŵr at i fyny yn cyfateb i ddyfnder traen **ceiliog ac iâr** sydd yn dibynnu ar lefel y trwythiad dŵr at i fyny (*water table*). Ond mae **ffos gamlas** yn wahanol ac yn cael ei hagor heddiw fel y dull mwyaf poblogaidd. Mae'n llawer iawn dyfnach na **dyfrffyrdd gweirglodd** sydd fwy neu lai'n afonydd, ac mae **ffos gamlas** yr un siâp â'r llythyren V. Gall fod cyn ddyfned â deg troedfedd, ond ar gyfartaledd tua chwech neu saith droedfedd o ddyfnder reit i ddyfnder gwely'r graig. Mae **ffos gamlas** tua 6-8 droedfedd ar draws ei lefel uchaf yn tapro'n serth iawn i droedfedd ar draws ei gwely. Gall hon fod yn brif ffos fferm neu ran o fferm yn hytrach na ffos din clawdd, ac yn llifo yn gadarn i wagio mewn afon neu lyn. Mae'r gwaelod cul yn rhwystro gwaddod rhag cronni o achos llifiad grymus y dŵr trwyddi sydd yn ei olchi i ffwrdd. Yn aml iawn, ceir **ffos gamlas** ar waelod llethr wlyb neu'n rhedeg drwy fannau isaf y fferm yn **brif ffos** i dderbyn pob tamaid o ddŵr o rwydwaith o **ddraeniau ceiliog ac iâr, traeniau cerrig cyffredin** ffosydd a rhigolydd. Erbyn heddiw, mae mwyafrif y ffosydd sy'n cael eu hagor gan bwced ôl Jac Codi Baw ar ffurf **ffos gamlas**, ac yn dwt iawn.

Ond doedd gan yr hen do ddim at waith llunio'r ffosydd trachywir eu strwythur ond caib a rhaw – gwaith trwm a chywir iawn oedd tasg *dyn caled* i agor y rhain. Arferid codi *wal dwy sawdl* gen un ochor i'r rhain; plennid drain gwyn yn y pridd sydd yn llenwi'r wal, mewn cymysgedd â cherrig, a chreu caead perffaith o waliau cadarn serthog gyda gwrychyn clos o ddrain wedi eu sigo a'u plethu ar ei brig. Rhaid talu teyrnged uchel i Gyngor Sir Ynys Môn am adfer *waliau nerthu* gen ochor cilbostiau i'w hatgyfnerthu, ac fe allai'r rhain fod wedi eu llenwi gyda *llanw* (nid llanw môr ond llanw – deunydd llenwi neu lenwad) o gerrig a sment, ond pridd ran amla i blannu drain a choed onnen ar y brig llydan. I roi terfyn ar y pwnc yma, hoffwn adrodd am y ddau hen gyfaill craff, Jac Fawr a Jac Sachins, yn cael gwaith yn Nhŷ Newydd Gwenynog, Mynydd Mechell i godi wal dwy sawdl o gerrig a sment i greu cwt tarw cadarn allan o hen ysgubor droliau, efo agoriadau llydan. Wedi cwblhau'r cilbostiau, codwyd y waliau dwy sawdl a chanfod nad oedd yr amaethwr wedi darparu unrhyw gerrig i lenwi'r gwagleoedd. Ymateb craff yr amaethwr i'w gais oedd iddynt gymryd berfa bob un a hel y rhain ar hyd y caeau – cael clirio rhywfaint o gerrig gwyneb am ddim a sbario gorfod eu darparu. Ac wedi dweud hynny, dringodd i'w fodur a ffwrdd â fo am Farchnad Da Byw Llangefni. Ond doedd o ddim digon craff i ddau o hogia'r Llan – aeth y rheini at domen fawr o rwdins yn y cowt a'u defnyddio fel *llanw* a smentio yn dwt dros y brig gorffenedig. Dychwelodd yr amaethwr adref yn hapus gyda'i ran o o'r fargen slei ei chynllun, a thalodd mewn papurau punt i'r ddau hen gyfaill, a ffwrdd â nhw i chwerthin lond eu boliau ar ôl cyrraedd y ffordd. Am fisoedd fe dreiddiodd drewdod dychrynllyd tua'r cowt ac i mewn i'r tŷ, ac ni allai'r teulu ddarganfod ei ffynhonnell!

Trenglio – *trengliad* – *pwll moch bach*. Geiriau a thermau Môn ydi'r rhain. **Trenglio** ydi ymdreiglo, sef treiglo, ymdrybaeddu, a gorchuddio mewn mwd a dŵr, arferiad a greddf sydd yn fodd i fyw i fochyn. **Trengliad** ydi *holwy* neu bant mewn llain moch lle mae'r moch wedi tyrchio yn ddyfnach ac wedi casglu dŵr glaw i greu pwll moch bach (*wallow* ydi'r ferf a'r enw yn Saesneg). 'Ymdreiglfa' ydi'r enw am drengliad neu bwll moch bach yn Gymraeg, fel y gwelir yn y Beibl. Ceir hyn yn Ail Epistol Cyffredinol Pedr yr Apostol, yr ail bennod a'r adnod olaf: "Eithr digwyddodd iddynt yn ôl y wir ddihareb. Y ci a ymchwelodd at ei chwydiad ei hun: a'r hwch wedi ei golchi, i'w hymdreiglfa yn y dom." Felly rydym yn canfod yn ôl yr Esgob William Morgan mai 'ymdreiglfa' ydi'r gair cywir am **drengliad** neu **bwll moch bach**, ond ni ddefnyddid y gair yma ym Môn. Er rhaid gwneud sylw nad oedd Pedr yn ei Ail Epistol, na'r diarhebwyr Iddewig, yn deall fawr ddim am gŵn, na moch yn enwedig, am eu bod yn Iddewon traddodiadol (Uniongred) llym ac yn cyfrif y ci a'r mochyn yn greaduriaid aflan a gwaharddedig. Ond nid dyna agwedd ein cyndadau Cymraeg a Brythoneg, oedd yn cyfri'r mochyn yn anifail sanctaidd fel y twrch trwyth – a Ceridwen yn wreiddiol yn Dduwies yr Hwch a Chŵn Annwn gydag Arawn eu perchennog yn cludo ysbrydion y meirw i fywyd tragwyddol yn Annwn. Ond i ddod i fywyd ymarferol a thraddodiadol cefn gwlad, y mochyn oedd y brif ffynhonnell o gig ar y fferm, y tyddyn a'r bwthyn, a phesgi mochyn tew yn gadw-mi-gei i'r werin gyffredin i dalu'r dreth neu fforddio ychydig o arian at ddibenion y teulu.

Yn hollol i'r gwrthwyneb o ddelwedd aflan a budr y mochyn, hwn, yn ôl barn gadarn y cenedlaethau a fu, yw'r anifail *glanaf* yn y byd da byw, *amgylchiadau* ei gadw oedd yn aflan, *nid* yr anifail ei hun. Er enghraifft, mae mochyn yn ei gwt yn gofalu yn drylwyr fod ei wely'n lân a chlir o olch ac ysgarthion. Ychydig sydd yn ymwybodol nad yw mochyn yn hoff o gwbl o gelanedd (*carrion* – cyrff drewllyd a phydredig) fel y Wylan Fôr, y Gigfran a'u tylwyth, a'r cadno, ond yn hynod o ***barticlar*** (gair benthyg sydd yn ffefryn ym Môn i ddisgrifio rhywun cysetlyd ac anodd ei blesio, sy'n casáu budreddi). Mae ei dreuliad yn hynod o fregus i anhwylder a chlefydau llidiog y treuliad ac mae'n greadur hollysol (*omniverous*), fel dyn ei hun. Mae'r mochyn yn greadur ***stumongar*** a barus, rhaid cyfaddef, ond er hynny, yn defnyddio ei drwyn a'i dafod sensitif i ddidoli, ac yn gallu didoli a gadael ar ôl hoelen neu bin neu nodwydd o'i fwyd a'i adael ar ôl yn y cafn. Pan gaiff ei amaethu yn ôl yr hen drefn, arferiad sydd yn prysur gael ei adfer, mae'r mochyn yn agosach i'w elfen naturiol ac efo delwedd hollol wahanol. Gartref ers talwm, yr unig ddefnydd i'r cwt mochyn traddodiadol oedd i besgi moch o 11 wythnos ymlaen a newydd eu dyfnu, a chedwid yr hychod mocha (*breeding sows*), y ***sbinychod*** bridio ifanc (sbinychod < hesbin hwch, *gilt* yn Saesneg) a'r baedd mewn sied fawr gyda gwely dyfn o wellt a brwyn a gyda'r rhyddid i grwydro a phori'r gors. Bwydid hwy y tu allan ar y cowt. Llawer difyrrach oedd yr hen ddull yma, ac efo'r haid (praidd neu fuches mewn defaid a gwartheg, ond haid o foch) yn hollol iach a dihaint yn eu cynefin naturiol fel un tylwyth mawr a greddfol eu trefn gymdeithasol. Yn y nos, pleserus oedd eu gweld, yn fodlon yn eu trwmgwsg ar wely gwellt a brwyn a'r moch bach, efallai hanner cant ohonynt, yn dorllwythi cymysg yn gorwedd mewn rhesi traddodiadol gyda phen un wrth gynffon y llall, bob yn ail, yn cysgu'n fodlon ym mhen draw diogelaf y sied, a'r hychod, sbinychod a'r baedd yn cysgu 'run fath rhyngddynt hwy a'r agoriadau. Cefais yr anrhydedd, diolch i ddulliau amaethu anhygoel fy nhad, er mai porthmon oedd (tydi porthmyn, fel arfer, ddim yn amaethwyr da, ond yn ddigon blêr ac esgeulus), sef yr anrhydedd o ddysgu crefft hynafol y **meichiad**, sef y porthwr moch (mwy o dueddiad i hen ffordd y **meichiad** neu *swineherd* na *pigman* sydd yn fwy cysylltiedig ag amaethu ffatrïaidd), trwy gydol fy mhlentyndod. Tystiaf yn gadarn dros lanweithdra'r mochyn pan fo yn ei elfen naturiol; yn wir, dim ond unwaith y flwyddyn y newidiwn y gwely gwellt a brwyn dyfn er 'mod i'n gorfod carthu allan a rhoi gwely glân i wartheg a cheffylau'n ddyddiol. Trwy brysur gadw golwg ar yr haid o ryw 10-18 o **hychod mocha**, mewn sawl cyflwr o feichiogrwydd, un ai'n **llowdio** (yn gofyn baedd ar ôl dyfnu'r moch bach), yn **hanner torrog**, sef rhan gyntaf y beichiogrwydd, yn **dorrog**, sef rhan olaf y beichiogrwydd (y pedair 3 – tri mis, tair wythnos, tri diwrnod a thair awr), yn **sbychinod gorad** (heb gael baedd), y lliaws o foch bach o bob oed, a'r baeddod ni welais i 'rioed fath o fochyn yn **trenglio** mewn tom. Er bod yr haid i gyd wedi eu modrwyo i'w rhwystro rhag torri **tyndir**, yn fuan iawn roeddent yn sefydlu **trengliad** mewn pant lle roedd dŵr wedi cronni a chreu baddon o **gribol** (cymysgfa o fwd glân a dŵr). Doniol a difyr oedd gweld yr haid gyfa ar hindda yn ymdrochi a **threnglio** yn y **cribol** i ddianc rhag gwres yr haul ac effaith y pelydrau ar eu crwyn bregus, yn enwedig y moch bach fel plant ar lan y môr yn chwarae'n ddireidus a phrysur.

Rwyt ti'n gwybod dy salmau – ymateb ffraeth a sychddoniol i rywun sydd yn tyngu a rhegi ac mae'n fodd i gau ceg a chywilyddio **deudwr llyfon** (un sy'n tyngu llwon, yn rhegi). Chlywais i mo'r ymadrodd ers degawdau ar ôl cilio o'r hen do ond pleser oedd ei glywed gan Wil Jabas (William John Owen), gofalydd 45 oed am fflatiau Plas Tudur, Llangefni – un a gafodd trwy hap, damwain ac amgylchiadau ffafriol, ei fagu i siarad hen dafodiaith cefn gwlad Môn. Bydd Jabas, yr anwylaf o deulu dyn, yn aml iawn yn tawelu fy nhueddiad i **fynd i'r salmau**, sef tyngu a rhegi.

Tŷ bach – mae pawb yn gwybod am bwysigrwydd y **tŷ bach** ym mywyd pob cefn gwlad. Ym Môn mae cyfeiriadau a thermau gwreiddiol a doniol am y cysegr sancteiddiolaf hwn, yr adeilad angenrheidiol. Yn gyntaf roedd yr hen seiri coed, yn ôl fy nghyfaill Gwynfor Jones, yn disgrifio'r gwaith o lunio sedd y lle hwn gyda'i dwll crwn, twt yn ei chanol drwy gyfeirio at y **styllan rech**. Gwnaent hyn yn hollol ddiffraeth a naturiol yn yr un modd â disgrifio gwaith llunio bothan echel trol, arch neu stôl odro. Yn ôl y diweddar Edwin Rowlands, Bodgadfa, Amlwch gynt – chwedleuwr penigamp – arferid galw'r bwced yn y tŷ bach yn **bwced y teulu**. Roedd ganddo chwedl hynod o ddoniol sydd yn nodweddiadol o gymeriad traddodiadol, direidus a dewr Gwalchmai ond sydd yr un mor berthnasol i bentrefi Môn, llefydd fel Llannerch-y-medd, Niwbwrch a sawl lle arall ar yr ynys; peth sy'n gwneud Monwysion yn gymeriadau hollol wahanol i Gymry'r tir mawr. 'Wn i ddim pam, oni bai bod gennym ni fwy o waed Gwyddelig nag a gyfaddefwn. Dywedir yn aml iawn gan Gymry'r tir mawr wrth ein disgrifio ni – 'nid Cymry ydach chi ond Gwyddelod sy'n siarad Cymraeg.' A hon oedd chwedl Edwin Rowlands oedd yn ymgorffori cymeriad Gwalchmai a'i debyg wrth sôn am ymgyrch ysgubol y Cadfridog Owen Thomas yn ei etholiad cyntaf a llwyddiannus i gynrychioli Môn yn y senedd. Safodd cyn-Gadfridog arall yn ei erbyn fel Tori yn Rhagfyr 1918; dyn oedd yn anwybodus o feddylfryd y werin bobol a chyn-filwyr y gyflafan fawr ac yn hyderu y byddai'r '*ex-servicemen*', yn ei eiriau ef, '*having been under discipline will obviously vote for one of their officers*'. Sais a Thori rhonc oedd hwn, heb agosrwydd Owen Thomas at y werin bobol, ac ymhell o fod mor uchel yn eu calonnau. Pan aeth hwn i ganfasio Gwalchmai yn ei Rolls Royce, gwahoddwyd ef i dŷ i 'drafod gwleidyddiaeth' tra câi gweddill pentrefwyr Gwalchmai y cyfle i gludo **pwcedi'r teulu** a'u gwagio i mewn ac oddi allan i'r Rolls Royce fel arwydd pendant o'u dirmyg at yr unigolyn annerbyniol yma.

Un o hoff ddisgrifiadau fy nain, Kate Owen, oedd **blodyn tŷ bach**, deud dipyn mwy parchus na dywediad Robat Williams Crydd, sef **rhosyn y domen gachu**, i ddisgrifio rhywun oedd yn **ŵr mawr cachu** neu'n **wraig fawr gachu**, oedd un ai yn *nouveau riche* neu heb sail i actio'n ffroenuchel. Rhaid gwahaniaethu rhwng y gŵr mawr, sef rhywun â dipyn o fodd, neu swydd, pa mor annerbyniol bynnag ydi hynny, a **gŵr mawr cachu**.

O bentrefi morwrol Môn ceir fersiynau eraill o **ŵr mawr cachu**, sydd â phwysigrwydd ac osgo mwy na mae ei swydd yn ei haeddu. O Foelfre ceir y dywediad **Ciaptan y Llong Sgriw**. Hyd heddiw, mae plant Moelfre sydd â halen yn eu gwaed yn llunio llongau bach chwarae sy'n hynod o effeithiol ar y tonnau, ac am ryw reswm sydd yn cael eu galw'n *llong sgriw*. Llunnid llong sgriw allan o raniad o goesyn y **degiden fanw** (*cow parsley*) fel corff y llong sgriw, a thoriadau hydredol o raniad arall y coesyn wedi eu naddu allan i wneud hwyliau hanner cylchog, a darfodid y cyfan gyda chel (cilbren neu *keel*) o ddarn o lechen. Esboniodd W Eifion Jones yr uchod wrthyf.

O Gemaes clywais ddywediad cyffelyb a llawer mwy amrwd gan y diweddar Caradog Jones – sef **Ciaptan y Llong Gachu**. Fflatiau (*barges*) oedd llongau cachu a oedd yn teithio o Lerpwl ychydig filltiroedd allan i ddadlwytho cargo dyddiol o gynhwysion pwcedi tŷ bach y ddinas cyn dyddiau carthffosiaeth.

Tra ar drywydd hen dafodiaith forwrol Môn sydd yn cael ei gwarchod i'r dyfodol yn y llyfr difyr *Iaith Amlwch*, ychwanegodd Eifion Jones yn arw at y casgliad yma yn ei sgyrsiau gyda mi. Disgrifiad cefn gwlad o rywun â bol mawr fuasai bol cwrw neu bol uwd, ond ym Moelfre, **bol ciaptan** a ddefnyddid, gan fod y ciaptan yn byw yn llawer iawn gwell na'r cyffredin pan fyddai ar y môr neu ar y lan.

Un o ddywediadau hynafol Moelfre oedd y disgrifiad hoff, nid amrwd, o ble yr oedd yr hogia yn hiraethu amdano fwyaf, a beth fydda ei dad, Ciaptan W.O. Jones, (1912-1969), yn ei ddweud y peth diwethaf y nos cyn dringo'r grisiau am y gwely – **ochel yn ynys y boch**. Hynny ydi, cysgu yn gysurus a di-boen yn erbyn cefn y wraig wedi taflu ei fraich drosti – uchelgais bob llongwr priod pan oedd ar wahân i'w wraig. Pwysleisiai Eifion Jones mai dyhead am ddedwyddwch a bodlonrwydd dyn mewn hiraeth, neu ddyn wedi cyrraedd pen ei siwrnai ac wedi gadael ar ôl galedi ac anturiaethau'r daith ac yn ei nefoedd fach ei hun oedd cael ochel yn ynys y boch. Roedd, ac mae, ystyr **ochel** pan ddefnyddir ef gan forwr yn mynegi llawer mwy na gwas ffarm yn **ymochel yn y sgubor**, neu yn **din clawdd** adeg cawod o law. Roedd ochel llong yn golygu ei gwarchod hi a'i chriw yn ochel bae, ynys neu benrhyn a'u diogelu rhag tywydd hynod o enbyd fel corwyntoedd a rhywbeth dros y gradd grym gwynt (*wind force*) 9 neu 10. A chysur i enaid creadur dynol o forwr oedd bod mewn **ochel**, sef **perffaith ddiogelwch**. Dyna oedd perthynas y morwr cyffredin a'i wraig, oherwydd pa mor anfoesol bynnag oedd mewn porthladdoedd pell, roedd yn greadur hynod o sentimental o'i wraig a'i blant, a dim ond dirprwy i'r wraig oedd merch mewn porthladd tramor, gan mai'r wraig wedi'r cyfan oedd ei gonglfaen a'i gefn, yn cadw ei gartref a magu ei blant, a mawr iawn oedd ei werthfawrogiad ohoni, a phur anaml y buasai morwr yn **cyboli** (godinebu) pan fyddai gartref. I gloi ar y gair **ochel**; termau morwrol ydi **ochor tywydd** ac **ochel** am *windward* a *lee*. Cyfieithwyd **ochel yn ynys y boch** i

Saesneg (arferiad hollol groes i'r arferol) fel '*in the lee of bum island*', ond nid oedd yn cyflwyno yr un ysbryd o gwbl.

Dynion duon – un o hen ddisgrifiadau doniol a hoffus hogia Moelfre am hogia Cemaes, adeg pan oedd cystadleuaeth hollol gyfeillgar rhwng porthladdoedd bach Môn a Gwynedd fel Moelfre, Porth Amlwch, Porthdinllaen, Nefyn ac yn y blaen. Cyfeirid at hogia Cemaes fel **dynion duon** – pam? Ŵyr neb erbyn heddiw. Gellir bwrw amcan bod amryw o forwyr Cemaes yn stocars ac yn gweithio ochor yn ochor â'r miloedd o Somaliaid du eu crwyn o Gaerdydd a oedd yn draddodiadol yn **stocars**.

Ardal hwrs, lladron a first tripars – disgrifiad hogia Moelfre o *slums* yn y porthladdoedd yr oeddynt yn ymweld â nhw. Nid oedd *first tripar* yn golygu rhywun ar ei fordaith gyntaf ond yn hytrach rywun a oedd wedi **llyncu'r angor** (cefnu ar y môr) ar ôl ei fordaith gyntaf ac wedi troi at lwybrau cyfeiliornus i redeg puteiniaid neu ladrata oddi ar forwyr ac yn y blaen.

Wedi mynd dros y môr – disgrifiad Moelfre o gwch hwylio yn cyflenwi'r llongau mawr yn yr angorfeydd, a oedd wedi methu dal y **tac** ac allan o reolaeth mewn gwynt cryf.

Dyn abal neu **ddynes abal** – disgrifiad o Fôn am rywun hynod o gryf a nerthol yn gorfforol, yr hyn a gâi ei ddisgrifio ar y tir mawr fel rhywun **atebol**, sef yn ddigon cryf a grymus i achub ei gam ei hun heb gymorth.

Ffiars (o'r Saesneg *fierce*) – i ddisgrifio rhywun milain a pharod am dwrw, neu anifail ffyrnig fel **ci ffiars** neu **darw ffiars**. Stormus neu gynhenllyd fyddai'r term Cymraeg cywir.

Landar – nid y landar i gario dŵr ond trawiad dwrn (*punch*) cadarn ac effeithiol. Clywais hyn laweroedd o weithiau fel 'Rois i **landar** iddo nes oedd o'n **llyfu'r llawr**.' Roedd **llyfu'r llawr** yn rhybudd a bygythiad cyffredin i blentyn afreolus – 'Mi cei di hi nes fyddi di'n **llyfu'r llawr**.' Defnyddid **llyfu'r llawr** i fynegi gorchfygu rhywun mewn gwahanol fodd i roi **landar, beulan** neu **bump**, fel rhoi rhywun yn ei le efo cerydd neu gael y llaw uchaf mewn ffrae neu ddadl.

Rêl robin goch – disgrifiad y porthwr o'r ceffylwr neu *vice versa* yn aml iawn, neu o rywun, yn ôl dywediad arall o Fôn, **wedi priodi â'i waith**, hynny ydi yn obseslyd o diriogaethol a swyddoglyd ac yn genfigennus o warchodol o'i swydd neu ei gyfrifoldeb ac yn wyliadwrus tu hwnt o eraill yn tresmasu ar ei esgobaeth. Yn hollol groes i'r ddelwedd ar gardiau Nadolig, **nid** symbol o ddedwyddwch yw'r **robin goch** mewn gwirionedd, ond teyrn bach, gwenwynllyd a thiriogaethol dros ei gynefin ei hun o'r gwrych, a gyda'r mwyaf **ffïars** neu **gynhenllyd** o'r byd adar, heblaw wrth gwrs y **cocyn erw**.

Y Cocyn Erw

Dwn im a welais i erioed neb mor annioddefol a llancaidd a hunan bwysig â'r Cocyn Erw yn fy nyddiau erioed. Ffarmwr o ogledd Sir Fôn oedd y Cocyn Erw ac yn bendduyn ar foch tin yr ardal gydol ei oes. Fel blaenor Capal, aelod o'r Cyfarfod Misol a'r Cyngor Plwy', roedd yn mynnu bod yn geffyl blaen ac yn welwch-chi-fi tu hwynt, a chwerylgar ran natur. Roedd ei lysenw, Cocyn Erw, yn ei ffitio i'r dim ac yn ddisgrifiad perffaith o'r topyn bach, byrdew, balch, oedd yn strytian trwy fywyd heb air da i neb a'r ucha'i gloch i sarhau a gweld bai. Rhaid cyfaddef 'i fod o'n ffarmwr da, neu o leiaf mi oedd Twm 'i frawd o, ac yntau yn cymryd y clod. Creadur distaw a diwyd oedd Twm, oedd adra'n cario'r baich tra bod y Cocyn Erw yn crwydro pob sêl wartheg a defaid o Langefni i Abergele a hyd Dolgellau.

Hen borthmon cyfrwys iawn oedd fy nhad, Herbert Jones, o dras hir o borthmyn ac yn gymeriad a chymydog caredig ac uchel ei barch, a dynnodd amryw o ffermwyr tlawd i'r lan. Ond Duw a helpo'r sawl â'i pecha fo, o achos fe roddai ei gyfrwysdra a'i ystrywiau anghygoel ar waith i dalu'r pwyth yn ôl. Fuo fy nhad erioed yn hoff o'r Cocyn Erw a fuasa, yn ei farn o, yn elwa'n arw o glustan dda i frecwast a chic dan 'i din at y chweched twll cara' i ginio fel ffisig rheolaidd.

Daeth y newydd fod y Cocyn Erw wedi ei enllibio'n ddrwg a'i gyhuddo o fod wedi twyllo gwraig weddw oedrannus mewn pris ciang o wartheg, er na phrynodd fy nhad yr un corn ganddi erioed. Aeth fy nhad yn ei wylltineb, oedd yn ddiarhebol, i weld y Cocyn Erw ar ei fuarth ei hun. Diflannodd agwedd lancaidd y Cocyn Erw fel niwl pan welodd y cawr dwylath a thair modfedd a'i wyneb fel taran yn camu amdano a'i godi'n glir oddi ar y llawr fel cath mewn croglath. Â'u trwynau bron yn cyffwrdd, dechruoedd grio pan roddodd fy nhad iddo'r dewis un ai i ysgrifennu ymddiheuriad y munud hwnnw, neu farw mewn cystudd o dan bawennau enfawr. "Llythyr! Llythyr!" gwichiodd fel mochyn ac aeth 'Nhad â fo gerfydd ei sgrepan i'r tŷ i'w ysgrifennu. Â'r llythyr yn ddiogel yn ei boced, martsiodd fy nhad y Cocyn Erw allan i'r buarth a'i daflu i ganol y pwll domen dail ac adra â fo. Gwareiddiodd hyn gryn dipyn ar y ceiliog dandi, ond erbyn y gwanwyn roedd wedi adfer ei hunan bwysigrwydd yn llwyr, er iddo ofni fy nhad fel gŵr â chledd.

O Fawrth i Fai bob blwyddyn, roedd hi'n hwrli-bwrli o brysur ar fy nhad yn prynu gwartheg stôr o safon dda i lu o gwsmeriaid sefydlog o berfeddion Lloegr lle'r oedd gwartheg yn brinnach a drutach. Pryd hynny, yn 1965, gellid prynu bustach stôr dwyflwydd oed aruthrol o dda yn pwyso tua 8 gant (407 kilo) ym martiau Llangefni a'r Gaerwen am £65-70. A byddai fy nhad, hyd yn oed pan dalai brisiau uchel, yn sicr o £10 y pen o broffid gan ei gwsmeriaid o Lloegr. Mi fyddai'n bidio'n boeth ond cyfrwys am beth oedd ei brynwyr o bell ei angen, ond yn ddigon hirben i beidio rhedeg dim ar ei gwsmeriaid lleol na'i gymdogion, rhag eu pechu.

A phwy gododd ei ben ond y Cocyn Erw, a fydda'n prynu 40-50 o wartheg stôr bob gwanwyn. Wrth gwrs, roedd busnes y lltyhyr a'r bath yn y domen dail yn bendduyn ar ei din o hyd, ac mi wnaeth dipyn o gamgymeriad o fynd ati i ddial ar fy nhad ym mart Gaerwen trwy fidio yn drwm yn ei erbyn bob gafael. Ond 'doedd yr hen Herbert ddim eiliad â gwneud sbort am ei ben drwy gystadlu yn frwd yn yr ornest fidio am ychydig, i ddenu'r Cocyn i'r trap. Pan ddaeth chwech o fustych is-raddol Ayrshire i'r ring, daeth math o gynnig gan fy nhad ac un arall yn syth ar ei ôl gan y Cocyn Erw, oedd erbyn hyn yn mwynhau ei hun yn arw. Heb fath o rybudd, troiodd fy nhad ei gefn ar yr ocsiwnïar, hen arwydd gan borthmon nad oedd yn y ras mwyach. Caeodd y trap yn glec pan darawyd y morthwyl a gadael y Cocyn yn berchen chwech o wartheg na fuasai'r un ffarmwr â phinsiad o hunanbarch yn eu cymryd am ddim. Dihangodd oddi yna bron mewn dagrau o gywilydd, a phawb yn rhuo chwerthin! Ond doedd yr hen lwynog ddim wedi darfod ei gosbi o bell ffordd. Drannoeth, roedd *Special Prize Sale* ym mart Llangefni ac yno roedd y Cocyn Erw. Roedd yn benderfynol o brynu'r giang orau o wartheg yn y sêl i ddangos i'r byd i gyd y gallai fforddio gwell na sgriws o Ayrshires. Roedd safon y gwartheg yn rhagorol, a'r prisiau yn uchel, a fy nhad yn prynu nifer fawr o'r goreuon i'w gyrru i Loegr. Hyn yn corddi'r Cocyn Erw yn fawr ac roedd yn methu cael ei big i mewn heb dalu crocbris afresymol, a'i dempar yn codi i'r entrychion. Toc daeth pymtheg o fustych Duon Cymreig i'r ring, darluniau o berffeithrwydd dwyflwydd oed yn gistiau casol hardd a goreuol oll y sêl. Collodd y Cocyn Erw ei bwyll yn llwyr a neidio i'w draed ar y fainc a datgan yn uchel

"Cheith y cythra'l Herbert Jones na ddim mo'r rhain". Roedd llu yn bidio'n wyllt amdanynt hyd at £72, gan adael yr ornest rhwng fy nhad a'r Cocyn Erw, a'r naill mor ddi-ildio â'r llall. Bid olaf fy nhad oedd £81 ac ysgydwodd ei ben yn siomedig, ac wedi i'r Cocyn fynd bunt yn uwch disgynnodd y morthwyl a'i wneud yn berchan balch bustych gorau'r dydd, a'r drutaf. Am y swyddfa talu â fo, yn chwerthin wrth orfoleddu ei fuddugoliaeth dros y gelyn. Wrth roi'r siec i'r eneth tu ôl i'r cownter, daeth i'w feddwl bod dipyn o bres lwc yn ddyledus iddo, a gofynnodd iddi pwy oedd y gwerthwr. Edrychodd ar y llyfr talu a darllennodd yn uchel, 'Herbert Jones, Highgate, Llannerch-y-medd'!

Cadw pentiriaeth – swydd dipyn yn wahanol a mwy cyfrifol na swydd *hwsmon* neu *feili* (*bailiff*, sydd yn cyfateb i *farm manager* oedd yn amaethu a rhedeg fferm i wneud elw i *neugwl* neu landlord absennol). Wrth edrych ar agwedd o *gadw'r pentiriaeth* hawdd iawn oedd deall y dirmyg y tu ôl i'r sylw *fatha tasa fo'n cadw pentiriaeth yma* am hwsmon swyddoglyd neu am un oedd yn gallu dylanwadu ar y meistr ac yn *gordro* y gweision eraill er ei fod yn busnesu heb fod raid yn eu cyfrifoldebau.

Chlywais i 'rioed 'run o'r hen do yn llefaru 'ceidwad pentiriaeth', dim ond *cadwr pentiriaeth*. Dyn annioddefol o hunanbwysig oedd ac ydi hwn, er mai fel *farm manager* y caiff ei adnabod heddiw. Mae'n draddodiadol yn rhoi ei hun ar lefel uwch o lawer na'r gwas cyffredin, neu hyd yn oed nag amaethwr canolig, a phob amser *yn ei frethyn* – yn ei ddillad gorau yn y ffair a'r farchnad yn ceisio cymysgu â *ffarmwrs 300 erw a gwartheg teiriau*, fel y gelwid amaethwyr mawrion yn eu dydd. Y rhain sydd gynilaf ag arian eu meistr a'r rhai anoddaf i daro bargen. Y nhw ydi'r epitomi o *bry isa'r domen hedith ucha*.

Gwartheg teiriau – eidion neu *fiffiad* teirblwydd na fedrai'r amaethwr cyffredin fforddio'i gadw cyhyd. Rhaid oedd iddo werthu ei wartheg yn fengach i roi tro ar yr arian blynyddol. Yr amaethwyr mawrion yn unig fedrai brynu gwartheg 2–2½ oed a'u darfod, sef eu pesgi. Gwneid hynny ar borfa neu ar **borthiant pesgi**, sef ar y gwair gorau a digon o fwyd **minshar** neu **gafn** i ddod â nhw i gyflwr pesg delfrydol ar gyfer y porthmyn da tew a'r cigyddion. Erbyn hynny roeddent yn pwyso rhwng 13 cant a 15 cant ac yn bodloni ffasiwn y cigydd bryd hynny pan oedd angen darnau mwy o gig i deuluoedd oedd yn fwy o lawer na rhai heddiw – er bod y farchnad gyffredin, erbyn heddiw, angen **gwartheg teiriau** gan ddychwelyd at y galw am dda tew gorffenedig a thrymion yr hen oes. Clod enfawr i amaethwr llai oedd **codi'n ddyn gwartheg teiriau** am iddo hel digon o gelc a meithrin meistrolaeth ar fusnes fel y medrai gadw'i wartheg cyhyd i'w **darfod** yn **wartheg teiriau**.

Diridano – hen ddywediad o Lannerch-y-medd a gogledd-ddwyrain Môn ac a glywais gan Edward John Owen, Tyn Berth, (c. 1912-91) a hefyd gan Siôn Wiliam Carreg-lefn, Siôn Goch Rhos-y-bol a Caradog Jones, Cemaes. Anrhydedd fawr ac adlewyrchiad clodwiw o gymeriad dyn neu ddynes ydi ei disgrifio fel rhywun **diridano**. Dyma gymeriad heb fath o drahauster nac ymffrost yn ei swydd, yn ei gyfoeth nac yn ei ddawn; rhywun yn ymddwyn yn gartrefol a chyfeillgar ac yn meddu ar ddawn brin i fynd i fyd neu i lefel un is ei swydd, llai ei gyfoeth neu ei ddawn. Disgrifiodd Edward John Owen weinidog poblogaidd fel un **diridano** – un oedd yn fwy cartrefol yn y gegin na'r parlwr ac yn hoffi sgwrs o ddifri yn hytrach na mynd i ddefod a seremoni'r parlwr a'r llestri gorau, yn wir un dilys yn ei werthfawrogiad o fyd eraill. Soniodd Siôn Owen a Siôn Goch am feistri **diridano** ar ffermydd, a sôn wnâi Caradog Jones am gapteiniaid llong

diridano. I fy nhad, rhywun ***diridano*** oedd un heb drahauster, ddim yn ymffrostio a heb air drwg am neb. *Lengthman* Cownsil oedd Edward John, sef dyn yn medi'r gwellt gen ochr y ffordd gyda chryman, agor mân rigolydd ac yn ei swydd, fel llawer un arall, yn mwynhau'r ***awen*** wrth ei waith ac yn ddyfn a doeth ei sgwrs. Ef eglurodd i mi beth yw tarddiad ***diridano***. ***Di droi dano*** neu ***di roddi dano*** ydi'r dywediad gwreiddiol, sef un sydd ddim yn rhoddi neb dano fo'i hun, un sydd ddim yn edrych i lawr ar bobol eraill. [***diridano***; yng *Ngeiriadur Prifysgol Cymru* ceir ysgafn, chwareus heb awgrym o darddiad – Gol.]

Ond yn hollol groes, yn Rhosyr, yn ôl Gwynfor Jones, defnyddid y gair ***jiridano*** i'r gwrthwyneb, sef i ddisgrifio rhywun a oedd yn gweld bai ar bawb a phopeth ac yn ymffrostgar a llancaidd.

Mae'r disgrifiad o ***iâr un cyw*** yn boblogaidd ar y tir mawr yn ogystal ag ym Môn, i ddisgrifio dynes gydag un plentyn. Ond roedd dywediad yng Ngharreg-lefn a'r cyffiniau, y rhan fwyaf o gantref Cemaes, sef ***cyw iâr un cyw***. Unig blentyn oedd hwn a chanddo'r duedd o fod wedi'i ddifetha, ei ***dimpwl*** a'i wneud yn greadur hunanol oedd wedi cael popeth ac yn gysetlyd a phlentynnaidd. Yn Llannerch-y-medd, defnyddid y term ***cyw iâr Siw Liw*** am gyw iâr un cyw, i ddynodi unig blentyn cysetlyd a dipyn o fabi mam. Pwy oedd Siw Liw nid oes neb yn gwybod, ond roedd yn derm hynod o sarhaus.

Drapia neu ***drapia ti wir*** neu ***drapia fo ta***. **Ymadrodd** diamynedd am rywun neu rywbeth a oedd yn llawer mwy parchus na ***damia chdi*** neu ***damia fo***. Roedd ***drapia*** yn ddigon parchus i'w ddefnyddio yng nghlyw y gweinidog neu flaenor. Wn i ddim beth yw ei darddiad o gwbwl, dim mwy na ***damia las*** neu ***go damit uffar***. [***drapia***; yng *Ngeiriadur*

Prifysgol Cymru awgrymir yn betrus bod godrapia < Saesneg *God rot ye* ac yn rhoddi'r talfyriad drapia –Gol.]

Mae llawer o ddisgrifiadau a dywediadau Môn yn cyfeirio at enwau pobol oedd yn angof hyd yn oed i'r hen do, nid yn unig yn cyfeirio at enwau ond at bethau na ellir eu dehongli. Dyma restr ohonynt oedd ar ddefnydd o Gemaes i Rosyr:

Twll din Ifan Saer – yn golygu 'wel damia fo ta, mae o fwy na alla'i ddiodda neu dwi wedi troi fy nghefn arno'. Yn ôl Jac Sachins, fy nain Kate Owen, a Gwynfor Jones, rhyw saer coed hynod o ffiaidd a chas gyda'i seiri cyflogedig a'i brentisiaid oedd Ifan Saer, ac yn aml iawn yn cael y ffarwél derfynol ***twll dy din di*** gan rai o dan ei awdurdod.

Doro dy drwyn lle roth Wmffra'i fawd – hynny ydi, 'dyro dy drwyn yn dy din', ffarwel derfynol arall. Mae'r Wmffra gwreiddiol a'i amgylchiadau wedi mynd yn angof.

Twll din Meri Watcyn, neu ***twll din Meri Watcyn ar y glaw*** – hynny ydi, dwi wedi cael mwy na digon o'r busnas yma.

Nain goni – am rywbeth fel ***nain goni o raw***, neu ***nain goni o gi defaid***. Cefais ddehongliad ar y term hwn gan Gwynfor Jones – term hynafol o Rosyr ydyw yn wreiddiol, yn cyfeirio nid at ***nain goni*** ond at ***Nan goni***, sef gwraig oedd wedi mynd yn ei phen. ***Goni*** oedd y term yn Rhosyr am rywun wedi mynd yn ei phen, h.y. gyda phroblemau meddyliol. O'r Saesneg *gone* y daw ***goni***.

Rêl nain bren – rhywbeth neu rywun isel radd a di-lun.

Twll dy din di Pharo – 'run ystyr â ***twll din Ifan Saer***. Yn ôl Jac Pen Padrig, dyma oedd cyfarchiad olaf Moses i Pharo pan oedd y Môr Coch yn cau ar yr Eifftiaid!

Dywediad gwreiddiol arall a glywais gan Dic Lewis, Garreg-wen, Rhos-y-bol, a lefarodd gyda'r atal mawr oedd yn rhoi'r pwyslais a'r dimensiwn eang i'w ffraethineb lliwgar at amaethwyr ifanc a hollwybodus oedd yn ymyrryd â'i aredig. 'D-dos i'r tŷ wir Dduw i f-fusnesu, roeddwn i yn aredig *pan oedda t-ti yng nghwd dy dad yn c-cyfri defaid dy daid.*' Hynny ydi, roedd Dic Lewis a'i gyd-oedolion a oedd yn dweud hyn yn golygu eu bod nhw yn hen lawia ar eu gwaith pan oedd tadau eu beirniaid yn rhy ifanc i wneud unrhyw waith fferm gloyw ac yn ffit i ddim ond cyfri defaid – tasg y gwas bach anaeddfed.

Pan rois i dwll din i'r Brenin – mae hwn wedi llwyr farw allan ac yn profi heb amheuaeth cyn lleied o Brydeinwyr oedd hen filwyr y Rhyfel Byd Cyntaf ar ôl eu profiadau yn y ffosydd. Roedd y dywediad hwn yn golygu un ai eu rhyddhau'n gynnar o'r fyddin am resymau meddygol neu'r rhyddhau cyffredinol yn dilyn cadoediad Tachwedd 1918. Clywais hwn gan lawer o'r hen do oedd **wedi gorfod mynd at sowldiwrs**.

Yn dinfain – yn disgrifio rhywun a oedd yn gorfod osgoi rhywun o achos dyled neu o achos ei fod wedi cael **rîl**, sef coblyn o gerydd; **mynd yn dinfain** – mynd, chwedl Robat Williams Crydd, *fatha sa bocha ei din o wedi eu gwnïo yn ei gilydd.* Hynny ydi, mynd o'r ffordd yn llechwraidd a snichlyd.

Rhiglo (nid rhigoli, sef gwneud **rhigol** – *trench* neu ffos gen ochor y clawdd neu i gario golch a dŵr tail o feudy neu gwt mochyn). **Rhiglo** ydi'r weithred o godi gwaddod neu gribol (cymysgfa o fwd, dŵr ac efallai dail yn hylif trwchus) o iard, er enghraifft, lle mae gwartheg wedi bod yn sefyll, neu waelod pwll tomen dail efo **siefl** (*shovel*) neu raw. Mae'n gywir hefyd disgrifio'r gwaith o sgwrio ffos fel **rhiglo ffos** neu **rigol** ond dim ei llunio a'i chloddio allan. **Agor, cloddio,** neu **dorri rhigol** ydi'r dasg yma, nid **rhiglo** sydd yn golygu ei glanhau yn achlysurol, sef ei **sgwrio.**

Preblach – yr agosaf iddo yn y *Geiriadur Mawr* yw **brebwl** – **clebrwr** neu **babbler.** Ond defnyddir y gair breblach yn hen dafodiaith Môn i olygu siarad neu bregethu efo fo'i hun neu **siarad dan ei wynt** yn ddi-baid a phrysur fel rhywun oedrannus, meddw, neu mewn tymer ddrwg – sef cynnal trafodaeth frwd efo fo'i hun yn ddiddeall o bawb o'i gwmpas.

Dyma hen rigwm, sydd efallai'n rhan o hen bennill colledig, i ddymuno iechyd da i gyfaill efo peint cyntaf y noson:

> **Iechyd da i'r iacha'n tŷ**
> **A'r gwaela yn y gwely.**

Clywais hon gan Bob Bach, Neuadd, Cemaes.

Y carlamwr – neu **ffisig cachu'n sydyn.** Cyffur rhyddhau rhwymedd hynod o rymus sef **jollop** neu **jallop** yn yr hen oes. Hylif heb liw nac arogl oedd **y carlamwr** a galwyd ef yn hyn o achos ei fod yn effeithiol dros ben. Buasai ond llwy de yn dod â rhyddhad o'r rhwymedd mwyaf, neu os oeddech **wedi rhwymo'n gorcyn** meddai'r hen do. Roedd mor rymus fe'i rhoddid i geffylau fel ffisig effeithlon a chlywais chwedl hynafol o'r Llan ynglŷn ag effaith **y carlamwr.** Pan oedd fy nain Kate Owen yn 11 oed ac yn dechrau gweini fel morwyn fach ar fferm Coedana Llannerch-y-medd tua 1896-97, cynhaliwyd Sasiwn Bregethu yng Nghapel Jerusalem MC y Llan pan oedd y Diwygiad ar y gorwel ac enwogion mwyaf y gweinidogion Calfinaidd wedi ymgynnull yno i bregethu tros wythnos gyfan. Roedd y Llan yn orlawn o ymwelwyr i wrando ar y Sasiwn a phob gwely sbâr hefo dau ynddo. Gwahoddwyd saith neu wyth i aros yng Nghoedana a gwaith fy nain oedd cynorthwyo'r morynion eraill i baratoi ar eu cyfer trwy eirin (*to air*) y dillad gwelyau a darparu jygiau a basns 'molchi a photiau **colch** ar eu cyfer. Bob amser cinio ac amser te fe borthid yr enwogion yn y New Hall, neuadd y pentref. Roedd holl wragedd y pentref oedd yn aelodau o'r capel yn rhannu'r baich o ymgeledd y diwinyddion enwog gyda'r bwyd gorau wedi'i gludo yno gan ffermwyr cefnog ac yn cael ei goginio yn y **tŷ popty** fel y câi ei adnabod (byth fel becri na becws). Rhoddwyd y dasg o wneud grefi ar gyfer y cig eidion a thatws rhost i'r hen Jane Jones, Siop y Prentas, y Llan. Wedi iddi droi ei chefn fe wagiodd Gruffydd John, ei mab direidus, botelad fawr o'r **carlamwr** i'r sosban enfawr o grefi. Bu cryn ddryswch ar y Sasiwn am ddyddiau hefo gweinidogion a blaenoriaid yn rhedeg fel cathod i gythraul o'r pulpudau a'r sêt fawr mewn modd nad oedd yn gweddu i'w hurddas. I wneud pethau'n waeth, gefn nos yng Nghoedana, wedi i'r gwahoddedigion diwinyddol fynd i'w gwelyau, daeth cnoi – poenau yn y perfedd ac arwydd i garlamu am y tŷ bach ac wedi hen lenwi'r potiau colch bu raid carlamu i'r ardd gefn fel criw o Dderwyddon ar ffo oddi wrth y Rhufeiniaid. Wedi cwblhau'r gorchwylion angenrheidiol cawsant eu rhwystro rhag dychwelyd i'r tŷ gan y cŵn corddi oedd yn rhydd i warchod y teulu yn y nos. Cafwyd cwrdd gweddi digymell yn y barrug i ymbil am gymorth. Daeth hwnnw gan fy nain a'i chyd-forynion oedd wedi eu deffro gan y llefain. Hon oedd hoff chwedl fy nain ac adroddodd hi i mi'n aml.

Ar ffair – cyfnewid rhywbeth neu **ffeirio**, fel 'ces i'r wats yma ar ffair hefo Wil fy mrawd am honno oedd gen i.' Neu 'Mi rois swllt **ar ffair** am hon,' – hynny ydi derbyn swllt yn ychwanegol yn y cyfnewid. Mae'r gair **ffeirio** yn cyfleu i mi y cyfnod o hen, hen ffeiriau cefn gwlad a roddodd eu henwau i lefydd fel Mynydd Ffair Rhos ger Pontrhydfendigaid ac yn y blaen, lle digwyddai cyfnewid nwyddau yn hytrach na phrynu a gwerthu gydag arian pan oedd cylchrediad arian bath yn beth prin iawn.

Pethau da – gair Môn am felysion. Ceir **da-das** yn Nyffryn Ogwen, **jois** ym Mhen Llŷn, **fferins** yn Arfon a Meirion ond **pethau da** bob amser ym Môn. Yr unigol yw **peth da**.

Jolihowtio – gair Môn sy'n golygu'r un peth â **chlanti**o neu **galifantio**, sef mynd **i hel ei draed** neu fynd o'r tŷ am dro i rywle. Yn ôl yr hen Caradog Jones, Cemaes, morwyr oedd yn **jolihowtio** rôl cyrraedd porthladd pan gaent oriau'n rhydd i fynd i'r lan a mwynhau eu hunain. **Jolihowtar** oedd y cwch nid y **tsiff** cyflenwi nwyddau, ond tacsi dŵr rhwng y llongau mawr wrth angor a'r porthladd. *Jollyboat* oedd enw hwn yn Saesneg. Clywais y term **jolihowtio** laweroedd o weithiau, o hyd ar ddefnydd gan rai oedrannus. Roedd morwyr eraill, rhai fel Huw Roberts Bank House, yn sôn yn aml am y jolihowt fyddai'n eu cludo nôl a blaen o'r llongau rhyfel oedd yn gorfod angori mewn dyfnder dŵr ymhell o'r lan pan oedd y Llynges Frenhinol wedi angori mewn cad drefniad oddi ar Ynysoedd yr Orkneys yn y Rhyfel Byd Cyntaf.

Tro dwytha fuo Nain yn wael, fuo hi farw – ateb sarhaus i rywun oedd yn cwyno fod ganddynt gelf neu beiriant wedi torri, neu geffyl neu dda byw arall wedi marw efo salwch cynyddol. Roedd hwn yn ateb i 'Wel roedd o'n iawn ddoe,' neu 'doedd dim byd o'i le arno fo ddoe er fod o dipyn yn ara deg' (ceffyl) – neu 'mi wyddwn i fod 'na rywbeth bach o'i le ddoe ond mae o **wedi ei phacio hi** heddiw.' Wedyn y deuai'r ateb a oedd yn golygu bod y cwynwr yn ymwybodol bod rhywbeth o'i le ynghynt ac roedd digon o gyfle iddo wneud rhywbeth am y peth cyn iddi fynd i'r pen.

Wedi ei phacio hi – wedi marw neu wedi torri tu draw i drwsio. Fersiwn arall o fod **wedi mynd i'r gwellt**.

Mi wnâi ddrwg rhwng cardotyn a'i gwd – yn golygu'r un peth â **mi godai dwrw mewn tŷ gwag** i ddisgrifio rhywun sy'n hoffi codi twrw rhwng pobl ac yn **chwidlwr**, yn un fyddai yn cario straeon am gamweddau eraill i awdurdodau, boed yn feistr, heddlu, priod, neu athro. Roedd y dywediad hwn ar droed ar hyd a lled yr Ynys.

Dim mwy o dryst yno fo na twll din babi – hen ddywediad arall i ddisgrifio rhywun gor-siaradus â thueddiad i chwidlo ac a allai newid ochrau i blesio pawb ac yn hoff o **losgi'r gannwyll yn y ddau ben**. Nid yn yr ystyr gweithio ei hun i farwolaeth ond yn hytrach mynd o garfan i garfan yn codi **cnecs**.

Carfan – ffrâm goed yn ffitio ar du blaen trol ar ongol o 45 gradd at allan ac yn unionsyth yn ei thin i ganiatáu cario llwythi mwy o wair neu ysgubau ŷd. Sylw doniol i rywun boliog oedd **mae gen ti garfan go dda**.

Uwch greddf na meddwl – un o hoff ddywediadau John Williams Ynys Groes gynt. Roedd hon yn hen ddihareb meddai ac yn rhan bwysig o'i athroniaeth ddofn bersonol fel un oedd yn hollol unol â'i gynefin a'i ffordd o fyw. Yn ôl yr hen ŵr, roedd greddf yn drech na meddwl os ydi dyn yn fodlon ildio i'w reddf a'i datblygu trwy ddilyn ei chyfarwyddyd fwy. Nid oedd yn bychanu grym nac ehangder meddwl dyn o gwbl ond yn grediniol nad yw dyn ddim yn gyflawn os na ildith i'w reddf gan fod meddwl pawb yn cael ei siapio gan ddylanwadau allanol, er gwell er gwaeth, tra bod greddf yn bur ac yn oruwchnaturiol. **Pawb â'i bethau**, meddai gan ddyfynnu'r hen ddihareb, **rhai i'r maes a rhai**

i'r mynydd, rhai i'r glyn a rhai i'r glannau, ac nid meddwl sydd yn symbylu dyn i'w alwedigaeth, ond ei reddf. Roedd yn hoff o adrodd **greddf yw mam anian a sbardun awen dyn**. Nid ydi grym meddwl, pa mor ddisglair bynnag y bo, yn gwneud llawfeddyg yn fardd na bardd yn llawfeddyg – rhaid i reddf arwain yr unigolyn at ei alwedigaeth a chynorthwyo'r meddwl i ddatblygu ei ddawn. Hon oedd ei ddadl. Rhaid cofio bod John Williams yn gymeriad dyfn iawn a hynod o reddfol, i'r graddau o fod yn gyfriniol yn ei fedrau, yn gallu greddfu salwch mewn anifail ymhell cyn i symptomau ymddangos, yn anhygoel o ddawnus wrth farnu cymeriad arall ar unwaith ac yn berchen ar ddealltwriaeth eang, nid yn unig o amaethu, ond hefyd o fyd natur a'r amgylchfyd.

Roedd gan fy nhad allu anhygoel i reddfu salwch mewn anifail oedd tu draw i brofiad a rhesymeg ac yn dangos greddf yn ei yrfa loyw fel amaethwr a phorthmon. Yn achos fy nain famol, Kate Owen, roedd ei greddf yn hynod o gryf, bron fel pe gallai ragweld digwyddiadau fel marwolaethau, gwaeledd a gofid o hirbell. Yn yr un modd, mae greddf mam yn rym cyfriniol iawn ac yn aml iawn yn trechu rhesymeg ddisgleiriaf meddyg os yw ei baban yn dioddef o salwch neu'n ei deffro yn awtomatig yn y nos a thrwy hynny osgoi sefyllfaoedd perygl iawn, fel morwyr yr hen longau hwyliau oedd yn gallu greddfu cyfeiriad mewn niwl trwchus a hyd yn oed wybod cyfeiriad drwy edrych ar y dŵr yn unig – gweler llyfr Aled Eames *Heb Long wrth y Cei*.

Ac i gloi yr hen ddihareb **uwch greddf na meddwl**, edrychwn ar fyd natur lle mae anifail yn gallu byw'n gyfan gwbl bron trwy ymarfer ei reddf yn hytrach na'i feddwl.

Arferiad yw meistr bob gwaith – hoff ddywediad Twm Jones y Tyddyn, nad oedd yn bychanu dim ar y syniad o reddf ac **awen,** ond yn sylw rhesymol iawn i lencyn fel roeddwn i yn sincio a damio am na fedrwn gyflawni tasg o waith gyda'r un **sglein** – hynny ydi, gyda'r un ddawn – â rhywun mwy profiadol. Roedd yn gwneud i rywun fynd yn ôl at ei goed, i fynd ati i ymdrechu gyda'r dasg efo mwy o amynedd a hunan hyder.

Drogan (*o darogan*) – fel 'rown i'n **drogan** ma gwell fasa aros ychydig yn hirach cyn cychwyn lladd gwair,' neu 'o'n i'n **drogan** fasa ti yma heno'. Mynd â ni yn ôl eto i uwch greddf na meddwl, lle mae greddf a meddwl yn cydweithio a chydweddu'n berffaith i alluogi unigolyn i ragfynegi neu ragweld. Defnyddid yn llawnach gan yr hen do fel, 'Rown i yn **drogan,** fatha fysa rywbeth yn deud wrtha'i, y basa nhw'n priodi.'

Er hynny, defnyddid y gair hefyd i olygu bod rhywun wedi **myfyrio** dros sefyllfa, neu'n **bwrw amcan** – ond pwy a lle all ysgaru greddf o ddychymyg a dyfaliad? 'Does neb yr oes yma yn **drogan** fawr ddim o reddf na rheswm, ac yn llawer mwy baes (*shallow*) eu meddyliau na'u cyndadau.

Mwgro – fel 'Beth sydd yn **mwgro** petha ydi'r glaw 'ma' neu 'Fedra i ddim gweithio hefo fo, tydi geg o ddim yn cau a mae o'n **mwgro** 'mhen i'n lân'. Roedd y gair **mwgro** yn boblogaidd iawn efo'r hen do. Bwriaf amcan mai'r gair Saesneg, *bugger,* wedi ei dreiglo i fod yn **mwgro** ydi hwn, er ei fod yn air hollol dderbyniol i'w ddefnyddio o flaen gweinidog neu berson.

Statu ati – mae **statu** yn hen air ym Môn yn golygu **gwastadu** rhywbeth sydd wedi camu fel y gwelais o hen fil gan Owen Ifan y Gof i 'nhad – **statu traul** (echel) 3/6d. Defnyddid **statu** i lawer ystyr fel 'Mi **statodd** ei bres i gyd yn Ffair Borth', sef 'Mi wariodd ei bres yn anghyfrifol' neu 'Mi *statais* i o efo uffar o landar', neu *statu* tomen o gerrig, *statu* clawdd, ac yn y blaen.

Ond clywais i ddywediad **rhaid statu ati i fyw** gan y diweddar Huw Owen Rhosengan. O dyddyn bach Tywyn, Cemaes oedd Huw yn enedigol – reit ar ffin y traeth, ac yn hogyn Cemaes i wadnau ei draed. Ei ddehongliad o o *statu ati*, meddai, oedd ei fod yn derm morwrol. Es i holi Caradog Jones Cemaes beth roedd y term yn ei olygu. Dehongliad yr hen forwr oedd bod cwch neu long hwyliau, hyd yn oed yn y gwynt mwyaf ffafriol, yn gorfod cael ei **thrimio a'i llywio** yn gyson i gadw cwrs gwastad, sef **cael ei statu**, a gorchymyn y ciaptan i'r llywiwr yn gyson oedd **stata ati i'r starfwrdd** (neu **i'r porth**) (port & starboard). Aeth hwn yn ddywediad ledled yr Ynys, yn golygu **gafael yn'i** neu **ymdrechu**.

Mor oriog â Mawrth – anodd iawn ydi dilyn prosesau rhesymeg awduron *Y Geiriadur Mawr*. Yn y rhan Gymraeg – Saesneg ceir **oriog** i olygu *gwamal* a *di-ddal* (*fickle*) ond yn y rhan Saesneg – Cymraeg yr ystyr yw *pwdlyd a chyfnewidiol* (*moody*). Ym Môn rhywun **oriog** ydi rhywun cyfnewidiol ei hwyliau (*moody*) ond yn **anwadal** pan fo'r unigolyn yn wamal a di-ddal. **Dyn oriog** ydi dyn cyfnewidiol ei hwyliau sydd ddim bob amser yn **wamalwr**, gan fod **dyn cas wrth ei waith** yn oriog a chyfnewidiol ei hwyliau ond byth bythoedd yn **wamalwr** nac yn **ddi-ddal**; yn hytrach, mae fel arfer yn gadarn iawn ei fwriad ond ddim yn un hawdd byw hefo fo.

Nid oes dim yn fwy oriog na Mawrth. Mis twyllodrus o gyfnewidiol ei hwyliau ac yn ddigon tyner i ddenu nadroedd oddi ar eu nythod ac adar i nythu yn ei hanner cyntaf ond yn troi heb fath o arwydd i fod mor filain ag Ionawr yn ei ail hanner. Addas iawn ydi'r hen ddywediad **oriog fel Mawrth**, neu **mor oriog â Mawrth** oedd yn boblogaidd gan yr hen do.

Pren tagu – welais i 'run o'r rhain ers pan oeddwn yn blentyn ifanc iawn. Pren hirgrwn oedd hwn gyda dwsinau o fân dyllau ynddo a dau gengl, ac fe'i defnyddid i achub bywyd buwch oedd yn tagu hefo tatan neu feipan fechan wedi lojo yn ei gwddf. Nid oedd modd gwthio'r rhwystr yn ôl i lawr y gwddf rhag ofn ei wthio lawr y ffaryncs neu'r **dagell** yn lle'r **llwnc** (*gullet*) a gwneud niwed i'r feinwe fregus. Wrth osod y **pren tagu** ymhell yn ôl yn y geg a'i gadw yno hefo'r cenglau, oedd yn mynd y tu ôl i'r clustiau a dan yr ên, roedd y fuwch yn medru anadlu. Ar yr un pryd roedd ager twym yn cronni yn y gwddf, yn iro'r llwnc ac yn meddalu'r rhwystr fel y medrai hwnnw lithro yn hwylus i lawr y llwnc. Efallai bod hwn yn declyn cyntefig ond roedd, er hynny, yn hynod o effeithlon, wedi achub bywyd llawer buwch ac yn declyn a gâi gymeradwyaeth milfeddygon y cyfnod.

O'r llaw i'r genau, ac o'r din i'r domen – dywediad hynafol iawn a glywodd fy mam yn blentyn ifanc gan gefnder fy nhaid, William Owen, sef Siôn Prydderch. Arferid y dywediad trwy Fôn a chlywais ef gan Llew Llwydiarth a JW y Llan yn fy arddegau cynnar, ac fe wnaeth yr hen Lew y sylw ei fod yn hen iawn. Yr ystyr yw rhywun hynod o dlawd, sefyllfa sawl un yn nirwasgiadau'r ganrif ddiwethaf, pan oedd raid i lawer un fyw ar ei wits o ddydd i ddydd. Wrth fyw **o'r llaw i'r genau** roedd pob ceiniog a enillid yn gorfod mynd yn syth i gynnal y teulu gan nad oedd dim modd rhagweld pryd y deuai'r nesaf i mewn – *hand to mouth* neu *day to day existence* yn Saesneg. Ac **o'r din i'r domen** yn golygu nad oedd obaith rhoi ceiniog o'r neilltu a phryd bynnag y câi unigolyn tlawd fel hyn arian ychwanegol roedd dyledwyr yn dal eu dwylo allan i dderbyn tâl.

Clywais ddwy ran yr ymadrodd yn cael eu defnyddio'n annibynnol ar ei gilydd. Yr ail ran ar ddefnydd gan fy nhad i ddisgrifio sefyllfa druenus ambell i amaethwr mewn dyled drom pan âi pob dimai a ddeuai i mewn *o'r din i'r domen*, sef mynd yn syth i gredydwyr oedd wedi cael gaddewid ad-daliad. Adroddodd fy nhad ei hanes pan oedd yn dechrau amaethu a phorthmona yn ystod dirwasgiad yr 1930au ac yntau'n gyrru gyrr o ddynewaid yr oedd wedi eu magu i arwerthiant da byw Llannerch-y-medd a methu cael yr un cynnig arnynt o achos bod y farchnad yn gyffredinol wedi mynd â'i phen iddi a neb eisiau *yr un corn* – hynny ydi, math o anifail. Wedi dychwel ei ddynewaid yn ôl i'r caeau yr oedd yn eu *dal* (eu rhentu), tarodd ar hen ŵr a oedd hefyd wedi methu â chael math o gynnig ar ei warteg ei hun. Dywedodd fy nhad yn ei siomiant, 'Fuaswn i'n fodlon ond cael gwerthu un, heb sôn am y cwbwl i gyd.' Atebodd yr hen ŵr gyda geiriau a ddaeth yn fythgofiadwy i fy nhad, 'Fy ngwas bach i, taswn i yn medru gwerthu hanner un, mi fuaswn i'n fodlon ac os fuaswn yn medru gwerthu'r cwbwl *o'r din i'r domen*, mi fasa'r pres yn mynd p'run bynnag.'

Clag, mynd i'w glag o – hen air Môn am wddf, a defnyddid y gair mewn ffordd ffraeth neu sarhaus. Er enghraifft, ni fuasai neb yn dweud 'Mae gen i ddolur yn fy *nghlag*,' neu 'Ni wnaiff y goler 'ma ffitio fy nghlag i'. Roedd *mynd i glag* rhywun yn golygu 'run fath â *mi es i i'w ben o* neu *mi alwais i o i gyfri* yn yr un modd ag y buasai rhywun yn dweud *mi es i'n syth i'r gwddf* (fel I *went straight for the jugular* yn Saesneg).

Yn yr un cyswllt chlywais erioed am neb 'run fath â hen gymeriadau Môn am *sychdagu* eraill yn llythrennol, a chlywais lawer tro, ran amla gan Robat Williams Crydd neu Jac Fawr Pencefn Bach, 'Mi es i'n syth i'w *glag* o a'i sychdagu o' neu 'Mi rois i flaenau fy modiau yn *llwnc ei glag* o' – peth dipyn mwy difrifol na rhoi *clets, bonclust, pump* neu *chwilat* ond dim digon difrifol i roi'r *beulan, swadan* neu *landar.* A dyna godi dywediad arall trwy i mi ddweud bod tueddiadau ffyrnig ein cyndadau ymhell o'r ddelwedd wasaidd, ostyngedig a gwaraidd a gyflwynir amdanynt heddiw, trwy i gyfeiriadau fel *mynd i'w glag o* ac yn y blaen *gnocio hoelen wyth yn arch* yr argraff yna ohonynt.

Cnocio hoelen wyth yn ei arch o neu hi oedd rhoi gofid terfynol i rywun, neu drechu rhywun i'r fath raddau fel na allai agor ei geg ar y pwnc, na gweithredu arno mwyach.

Te coch – te heb lefrith ynddo. Digon dibwys i'w gynnwys yma efallai ond yn ddiweddar mi es i'n *gonion* (yn wallgof) o weld gŵr ifanc yn tywys grŵp mawr o fyfyrwyr Sbaeneg trwy Fangor, ac yn dod i mewn i'r caffi lle roeddwn i yn cael panad o goffi. 'Deuddeg coffi gwyn,' meddai wrth y cownter, 'ac un te du.' Mi gododd fy ngwrychyn yn syth bin o glywed y fersiwn steil newydd yma o Gymreigio Saesneg ac ymarfer 'Cymraeg gwneud' yn hytrach na defnyddio iaith a dywediadau ein cyndadau fel *bwrw'r Sul* yn lle'r gair diawl 'na, 'mynd am benwythnos'. Cefais fy nghymell i ddweud wrtho fy mod wedi fy magu gan wraig a anwyd yn 1885 nad oedd erioed wedi cymryd llefrith yn ei the, ac a oedd gyda llawer gwell safon o Gymraeg nag oedd ganddo fo o bell ffordd, ac os am siarad yr iaith, ei siarad yn wreiddiol. Gofynnodd mewn syndod at beth oeddwn i'n cyfeirio? 'Beth sydd gen ti was,' atebais gan bwyntio at ei gwpan, 'yw *te coch*, dim te du.'

Bwyd, adar a chachu – hen ddywediad ym Môn yn mynegi dicter a siom o obeithio gwneud elw allan o ieir dodwy a dofednod yn gyffredinol, ac yn golygu bod rhoi bwyd drud i adar yn cynhyrchu mwy o gachu nag o wyau: 'tydyn nhw ddim yn talu am eu bwyd heb sôn am wneud proffid'. Cân a ganwyd yn gyson gan bob gwraig fferm dros yr oesoedd. Ond rhaid cofio bod llawer i hen wraig fferm wedi celcio swllityn neu ddau reit ddel o bres wyau a dofednod tra'n cwyno wrth ei gŵr wrth lefaru'r geiriau hyn, fel preliwd at ofyn am fwy o arian i redeg y tŷ. Esgobaeth y wraig fferm oedd y moch, dofednod a thrin menyn, a derbyniai yr elw at gostau'r aelwyd er mai ei gŵr oedd yn darparu'r haidd, yn flawd, i'r moch, yn darparu ŷd cymysg i'r dofednod a gadael y wraig i brynu'r India Corn, a chario costau porthi a phrynu i mewn fuchod newydd a thalu am fagu'r lloi, a oedd yn rhan o diriogaeth y wraig. Er yr hen gŵyn gron am *fwyd, adar a chachu*, nid oedd math o sôn am wragedd fferm yn cael 'madael â'u hieir o gwbwl.

Tu draw deall yw dyn – clywais y ddihareb yma yn weddol aml gan fy nain, Kate Owen, Robat Williams Crydd, John Williams Ynys Groes yn ogystal â chan fy nhad a JW y Llan. Pan lefarid hon roedd mewn cyd-destun clywed am ryw ynfydrwydd ar ran y sawl oedd yn destun y sgwrs, fel: 'Be? Mi wnaeth o'r peth a'r peth? Wel wir Dduw mae'r hen air **'tu draw deall yw dyn'** yn ddigon gwir i chdi.' Posib bod trafodaeth athronyddol yn hon, ond nid fan yma!

Siariwrs oedd cyfranddalwyr llongau gweddol fawr a rhai bach, a'r unigolion i gyd yn dod o'r un pentref. Yn ôl Eifion Jones, Amlwch, roedd 64 siâr i bob llong, efallai y capten hefo deg, y gweinidog hefo deg, rhywun gweddol gefnog hefo deg, ambell i wraig weddw hefo pump ac yn y blaen. Byddent yn cytuno â'r ciapten ar faint ei gyflog, a ychwanegid at elw ei siâr.

Rhychu – yr hen air diamrwd am gyfathrach rywiol. Clywais hwn gan Robat Williams Crydd a Thwm Bach y Blodau a hefyd gan rai o rannau eraill o'r ynys. Wrth gwrs nid oedd yn air nac yn destun mor agored â merch yn *magu* neu'n *cario*, a thermau beichiogrwydd eraill, ond serch hynny yn air llawer iawn mwy parchus a naturiol na rhes o eiriau amrwd â'u gwreiddiau un ai o fyd y da byw neu'n rhai o'r Saesneg o'r môr. Doedd Twm Bach y Blodau ddim yn ddyn ffraeth-amrwd nac yn fudur ei dafod. Un rhadlon a chyfeillgar oedd Twm ond hefyd yn ddyn doeth a chyda hynny'n chwedleuwr gyda'r gorau. Pan gafodd ei longyfarch ar ei ystwythder corfforol a fyntau yn ei 6oau, cytunodd heb ymffrost gan bwysleisio'r angen i gadw'n ystwyth drwy waith diwyd a maeth digonol gan ychwanegu, bron yn swil ond yn falch, ei fod yn dal i fedru *rhychu* gyda'r wraig o hyd. Dywedodd un hen ŵr, sydd yn dal gyda theulu ar yr ynys ac felly gwell peidio enwi, yn hollol naturiol a pharchus ei sgwrs a'i gymeriad, nad oedd wedi rhychu gyda'i wraig cyn priodi. Roedd y gair lawn mor barchus â'r hen air Saesneg to *swive* am gyfathrach rywiol, neu â 'gorwedd â ...' yn y Beibl, neu'r Saesneg to *make love*.

Yn ddifar < *yn edifarhaol*. Dyma'r rhybudd a gefais yn ddiddiwedd gan fy nain, Kate Owen pan wnawn ryw ddrygau neu'i gilydd, nid fel y dywedir heddiw: 'mi fyddi di'n dyfaru'n o fuan.' Hynny ydi roedd amynedd yr hen wraig ar ben ac mi fuasai'n gadach llestri gwlyb ar draws y coesau wedi iddi ddweud yn yr hen dafodiaith – '**Mi fydd hi'n ddifar arnat ti** mewn munud, y diawl bach.'

Ryparu, ond erbyn heddiw **repario** neu **reperio** am drwsio rhywbeth wedi torri ond fe Gymreigiodd yr hen do y gair i'r fath raddau nes peri iddo, o'i glywed yn cael ei lefaru â'r hen acen araf ac agored, swnio fel gair hynafol Cymraeg. Er eu bod lawn cyn amled yn defnyddio **trin** megis yn 'mynd â'r gwŷdd at y gof i'w **drin**', neu '**trin** toeau siediau cyn y gaeaf' neu 'fynd â'r corddwr at y saer i gael **trwsio** ei wintyll', roeddent hefyd yn arfer **ryparu** gyda'r cynaniad **rŷ-paru**, ac i'r enw **rŷ-pârs**. Roedd y defnydd o'r rhain fwy at drin neu drwsio a chynnal adeiladau neu dai yn hytrach na pheiriannau, fel yn 'Mae 'na waith *ryparu* ar y tŷ cyn gaiff neb symud i mewn', neu 'Os ofynna i i'r stad am fwy o *rypars* fe godith o fy rhent i' neu 'Fy nghyfrifoldeb i fydd y prisiad ond cyfrifoldeb y stad fydd y *ryparu*'.

Prisiad – yn Saesneg *incoming valuation* neu *outgoing valuation* ar ffaerm neu dir rhent. Digwyddai hyn pan oedd tenant yn gadael ac un arall yn cymryd ei le. Roedd hyn yn dipyn o boendod i ddarpar amaethwr na wyddai'n iawn a allai dalu'r prisiad ai peidio a fyntau gyda dipyn o stoc wedi eu magu a'u hel i stocio'r ffaerm newydd. Tydi egwyddor na dull *prisiad* ddim wedi newid hyd heddiw; mae'n ofynnol ar bob tenant un ai wrth gymryd y lle o'r newydd neu pan fo'n gadael ac yn system eitha teg i bawb.

Roedd ffermydd yn newid dwylo ar un o ddau ddyddiad: un ai **Clanma** (Calan Mai), y dydd cyntaf o Fai, neu ar **Wilihengal** (Gŵyl Fihangel), sef 13 Tachwedd. Ar un o'r dyddiadau yma y byddai tenantiaeth yn darfod neu gychwyn. Câi'r amaethwr a symudai allan gyfarfod gyda'r *prisiwr*, sef rhywun annibynnol ar y landlord a'r tenant fel y diweddar Mr Tom Muir, Bodorgan – un a chanddo brofiad mawr a chymwysterau arbennig. Wedyn cerdded y ffaerm ac archwilio ei chyflwr, y ffosydd, y **caeadau** (y cloddiau, y waliau a'r gwrychoedd), sut *rypâr* oedd y tŷ a'r adeiladau ynddo a chymharu hyn oll hefo cyflwr y ffaerm ar ddechrau'r denantiaeth. Fel arfer roedd pob ffaerm mewn *rypâr* da, diolch i'r gwaith cynnal cyson, yn enwedig gan y **dynion caled** oedd yn cael eu galw i mewn. Os oedd yn weddol agos i'w chyflwr gwreiddiol nid oedd raid i'r ffermwr a adawai dalu *iawn* am ddirywiadau. A dim ond ffermwr ynfyd adawai i'w ffaerm fynd i gyflwr a'i gorfodai i dalu *iawn*. Wedi cwblhau hynny roedd *prisio* yn digwydd o ddifri – mesur y rhesi tatws, rwdins, maip a moron, mesur a barnu'r cnydau *ar eu traed*, y caeau gwair ac ŷd, a phopeth mewn *stôr*. Os oedd yn **brisiad Gwilihengal** rhaid oedd mesur y teisi gwair ac ŷd a phopeth mewn *stôr* yn ogystal, ac unrhyw beth oedd heb ei **gnafu** fel y tatws a'r rwdins ac yn y blaen. A gellwch fentro, roedd y ffermwr oedd yn 'madael wedi bod yn **loyw iawn ar ei wŷd** yn ystod ei flwyddyn olaf, wedi tyfu llawer mwy o gnydau ac wedi cronni mwy o *stôr* nag arfer. A dim syndod gan fod y swm a dalai ei olynydd fel **prisiad** yn fath o bolisi yswiriant wrth ymddeol iddo. Fel arall gallai dalu am **brisiad** y fferm newydd y symudai iddi. Roedd cyfrifoldeb ar y tenant newydd i dalu'r **prisiad**, hyd yn oed hyd at faint y domen dail, y domen galch yn ogystad â'r **cnydau** a'r **stôr** a hefyd am gadw'r fferm yn yr un cyflwr. Weithiau câi ostyngiad rhent, ond peth anarferol iawn oedd hynny, fel y medrai ddod â'r lle i well cyflwr.

Pris cwningod – yn ddi-os ar fferm â thenant arni, eiddo'r stad neu'r landlord oedd yr adar gwyllt, y ffesants, y petris, y giachod, y cyfflogod, y gwyddau gwyllt a'r hwyaid gwyllt yn ogystad â'r **pry mawr** (a gâi ei hela oddi ar gefn ceffylau fel y llwynog a'r carw). Ond cyfrifoldeb y tenant oedd cadw rheolaeth ar y cwningod ac yn y cyfnod dan sylw roedd y rheini'n niferus iawn ac yn bla. Dau ddewis oedd ganddo – un ai gwneud fel fy nhaid, John Jones Pen Padrig, eu dal ei hun a'u gwerthu i'r asiantaethau a'u gwerthai yn Lloegr, neu droi at y **bois cwningod**, y dalwyr proffesiynol. Gwnâi gytundeb cyfrcithiol gyda'r rhain i werthu'r hawl flynyddol i ddal cwningod ar y fferm, a'i adnewyddu bob **Gwilihengal**. Roeddent yn asesu'n bras faint o gwningod oedd ar y tir ac yn bargeinio neu gyrraedd cytundeb ar y pris, allai fod yn draean rhent blynyddol y fferm os oedd y cwningod yn niferus. Roedd y rhain yn wyliadwrus a chenfigennus o'u *tir dal cwningod*, a rhai ohonynt fel hen deulu Tŷ Wïan, Llanfair-yng Nghornwy, yn cyflogi 10-15 o ddynion dim ond i ddal cwningod ar eu tir cwningod, oedd yn cymryd i gyfri miloedd o erwau. Gwae i unrhyw un botsio ar eu hesgobaeth nhw, o achos nid hela er pleser iddynt eu hunain oeddynt, ond rhedeg busnes eang a chyfrifol.

Penwaig Moelfre – dyma ddanteithfwyd na welodd neb mohono ers amser maith, ac a wnaeth Moelfre yn enwog a ffyniannus – mwy hyd yn oed na'r ddau borthladd bychan arall oedd yn cystadlu am yr un goron, Porthdinllaen a Nefyn. O achos ei phenwaig blasus a diguro, Moelfre oedd yn gyfrifol am i hen gwmni *London, Midland and Southern* Railways (LMS) agor y rheilffordd Gaerwen – Benllech er mwyn cludo'r penwaig i farchnadoedd yn Lloegr.

Yn ôl Eifion Jones, roedd pysgota penwaig yn brif ddiwydiant y pentref bach hynod o ddiwyd yma a oedd yn byw bron yn gyfan gwbl oddi ar y môr, o redeg sgwneriaid mawrion ledled y byd i fasnachu a chludo nwyddau ar hyd yr arfordiroedd lleol mewn llongau bychan iawn. Does fawr o olion ei threftadaeth forwrol ar ôl heddiw, ond mae ei hanes yn rhan bwysig o dreftadaeth Ynys Môn ei hunan a chyda thrysor gwerthfawr o hanes cenedlaethau di-rif o hogia gwydn a dawnus oedd yn gallu troi erwau eang y môr yn llawn mor ffrwythlon a phroffidiol ag erwau iraf y cefn gwlad. Cyffrous ydi hanes y pysgotwyr penwaig a oedd yn mordwyo cyn belled ag ynysoedd gogleddol yr Alban yn eu cychod (nid llongau) penwaig agored. Doedd y rhain ond rhyw 20 troedfedd o hyd ac yn hollol agored gydag ond un mast reit yn y *bwa* (*bows* – tu blaen y cwch neu long) gyda *chadeiran* (*tiller*) yn unig i lywio, a rhwyfau wrth gefn rhag i'r gwynt ddisgyn. Roeddent bron iawn yr un cynllun â *cat boats* enwog Cape Cod a Newfoundland a oedd, yn y dwylo iawn, yn gychod diguro mewn unrhyw fôr efo'u *rhwydi drifft* (*drift nets*) i gynaeafu'r *penwaig arian*. Gelwid y fordwyaeth allanol **Y Pysgota Mawr** a'r fordwyaeth adref **Y Pysgota Bach**, wrth iddynt hela a dilyn yr heidiau anferthol a nomadaidd am gannoedd o filltiroedd. Mae trafod ysbryd anturiaethol morwrol hogia Moelfre gydag Eifion yn aml iawn yn dod â ni at ddamcaniaeth a rannwn yn daer, sef fod gwaed y Daniaid (y Northmyn) a oedd mor gysylltiedig â'n brenhinoedd a'n tywysogion yn gryf iawn yng ngwythiennau tylwythi morwrol Moelfre. Gwnâi nhw'n fwy mentrus a greddfol o'r moroedd na'r morwyr penigamp eraill o borthladdoedd bach Môn a Gwynedd, a oedd eu hunain yn forwyr enwog trwy Gymru.

Pennog coch, pennog hallt a phennog picl – tair ffordd o gadw a pharatoi y **penwaig arian** neu'r penwaig ffres a oedd yn gwneud Moelfre yn enwog. Y rhain oedd bron yr unig fath o bysgodyn ar fwydlen y ffermydd cefn gwlad, yn enwedig y **pennog coch** a oedd yn brif ffefryn y werin bobol a'r ffermydd llai, fel yn ucheldiroedd arfordirol yr Alban a Gorllewin Iwerddon. Roedd **pennog arian** neu bennog ffres yn cael ei drin mewn **tŷ mwg** efo **mwg oer**, lle roedd yn cael ei selio yn araf gyda'r mwg, ac er yn newid lliw, roedd yn cadw ei siâp i roi'r **pennog coch** enwog (*bloater* yn Saesneg, neu, wrth gwrs, *smoked herring*).

Doedd 'na ddim enw, na thraddodiad paratoi **cipars** (*kippers*) ym Moelfre gan mai traddodiad yr Alban yw hwnnw. **Pennog arian** neu bennog ffres eto ydi'r cipar, wedi cael ei drin mewn **tŷ mwg** ond efo **mwg poeth** uwchben tân poeth iawn, oedd nid yn unig yn cadw'r pysgodyn ond yn ei goginio hefyd.

Pennog hallt ydi pennog arian neu bennog ffres wedi cael ei bacio mewn halen sych. Roedd hwn hefyd yn ddanteithfwyd poblogaidd ond dim i'r un graddau â **phennog coch**.

Pennog picl ydi pennog hallt (*nid* pennog arian) wedi ei biclo mewn finegr a sbeisys yn cael ei werthu wrth y gasgen fel **penwaig hallt.**

Roedd rhai ym mhob ardal, fel Wil Tidli (Dudley) a Malan Penwaig (Mali Jones), y ddau o'r Llan, yn ennill eu bywoliaeth dim ond trwy grwydro ffermydd yn gwerthu penwaig – Wil Tidli gyda merlen a wagen fach fflat a Malan gyda **mwstan** (basged fawr wiail), bob amser yn cael ei chludo ar ei phen. Roedd Kate Owen, fy nain, yn cofio'n iawn yn y cyfnod cyn y Rhyfel Byd Cyntaf brynu **penwaig coch** ganddynt am geiniog-a-dimai yr un, neu ddau bennog ffres am yr un bris. Doniol oedd eu bloeddiadau yn cyrraedd pentrefi – **Penwaig Moelfre, ffres o'r môr**, hyd yn oed os welodd y penwaig erioed mo Moelfre, ond roeddent yn honni eu bod, gan mai'r rhain oedd y rhai gorau. Mae hefyd hen ddywediad am '**benwaig Moelfre – cefnau fel ffarmwrs, boliau fel tafarnwrs.**'

Os nad yn rhy drwm neu rhy boeth – atodiad cyffredin iawn ym Môn gan yr hen do, wrth ddisgrifio rhywun â **llaw flewog** (lleidr), fel 'Geith ddim byd lonydd ganddo, ac fe ddwynith rywbeth **os nad yw'n rhy drwm neu rhy boeth** (i'w cludo)'. Defnyddid hwn fel ateb ynddo'i hun pan ofynnai rhywun, 'Sut ddyn ydi hwn?' – deuai'r ateb dan ysgwyd pen – '**...os nad yn rhy drwm neu rhy boeth, ynte,**' ac roedd hynny'n cyfleu'r cwbl.

Ar f'enaid i – ni allwn adael y dywediad hwn allan gan mai dyma lw brodorol Môn, peth mor bur Fonwysiadd ag **inja roc Nymbar 8 Llannerch-y-medd, penwaig Moelfre** a **Ffair Borth**. Dim ond ym Môn y defnyddir hwn, ac yn gadarn dyma fy hoff lw Gwlad y Medra.

Athen Môn, Tre'r Cryddion neu **Llannerch-y-medd y Mondo** – disgrifiadau hynafol gan eraill o'r Llan. Cafodd y teitl **Athen Môn** ddwy ganrif yn ôl o achos ei bod yn ganolfan diwylliant Cymraeg yn ogystal â bod yn enwog am ei thelynau. Rhoddwyd y teitl **Tre'r Cryddion** oherwydd ei phrif ddiwydiant, sef gwneud esgidiau a chlocsiau: amcangyfrifwyd fod 76 o gryddion yn gweithio yno ar yr un cyfnod yn ystod y 19eg ganrif.

Does neb erioed wedi gallu esbonio **Llannerch-y-medd y Mondo** ond gwyddwn ei fod yn dod o farddoniaeth goll, a does dim ond ychydig o linellau ar ôl:

> **Yn Llannerch-y-medd y Mondo**
> **Y claddwyd Brenin Pabo**
> **A'i Frenhines deg ei gwedd**
> **Yn Llannerch-y-medd y Mondo**

Coediach – gair Môn am dyfiant ifanc o goed gwyllt mewn coedwig neu ar gongol o dir gwastraff: 'Fe ododd y ci acw geiliog ffesant o'r **coediach** 'na'. Neu fe'i defnyddid i ddisgrifio coed tân wedi eu hel i'w llosgi, fel: 'Dos i hel dipyn o **goediach** pnawn ma'.

Brawd – defnyddid **brawd** gan yr hen do fel cyfarchiad cwrtais a mynegiant o gydraddoldeb oedd yn datgan, 'dwyt ti ddim gwell na mi, a dydw i ddim gwell na ti, felly mi siaradwn ni'n blaen efo'n gilydd', oedd yn cael ei ddatgan yn blwmp ac yn blaen wrth rywun diarth – 'Sut ydach chi **frawd**?' Defnyddid **brawd** fel modd o roi cerydd – 'Ylwch chi **frawd**, bod dawel fasa orau i chi,' – neu 'Be haru chi **frawd** wir Dduw, i wneud peth mor wirion.' Hefyd mae'n cael ei ddefnyddio fel cyfarchiad personol a chyfeillgar fel 'Sut mae'r hen **frawd**?' neu 'Sut wyt ti'r hen **frodyn**?'

Mi dynnwn i o drwy rych fy nhin – yn golygu 'chwarae bach fasa i mi roi cweir i hwnna', yn mynegi gwawd o'r mwyaf at y llall ac yn datgan 'mi sychwn i fy nhin efo fo yn lle efo papur tŷ bach'. Roedd hwn yn un o hoff ddywediadau Dic Lewis, Garreg-wen.

Sodro – gair Môn am ddau wahanol beth. Yn gyntaf, roedd yn cyfeirio at **rychu** brwd ar ran y gwryw, fel ***mi sodris i hi neithiwr***, neu ***mi sodris hi'n racs***. Yn ail, roedd yn cyfeirio at gweir rymus ac egnïol ac yn mynegi llwyr orchfygaeth, fel ***mi gafodd ei sodro***. Yr unig air tebyg iddo yn y *Geiriadur Mawr* yw **sodro**, asio, sawdurio (*to solder*). Efallai bod yna gyfatebiaeth rhwng y weithred gyntaf â **sodro**, ond tydi'r ail weithred, rhoi cweir ffyrnig a therfynol, ddim yn cyfateb o gwbwl.

Wnes i ddim mwy na lled fy nhin – hen ddywediad am gyflawni ychydig o waith a chlywais hon gan fy niweddar dad yng nghyfraith, John Owen. Tyddynnwr a chyn-geffylwr gloyw oedd yr hen John Owen annwyl, a oedd o ran edrychiad a chymeriad yn efaill i'w gefnder, Twm Jones y Tyddyn, ac os rhywbeth roedd John Owen hyd yn oed mwy ffraeth na Twm Jones, ac yn fwy effeithiol gyda'i sylwadau sychddoniol. O fyd y meysydd y daeth y dywediad hwn a oedd yn boblogaidd ym Môn: 'Roedd y wedd mor wael **'nes i ddim 'redig lled fy nhin** drwy'r bore,' neu 'Roedd y gwair wedi gorfadd mor ddrwg fel **na fedrais i ddim lled fy nhin** drwy'r pnawn'. Teg yw adrodd mai nid ***dyn lled ei din***, fel y gelwid garddwyr neu bladurwyr diog, oedd yr hen fachgen, ond ***dyn rodda erwad onast*** o waith gloyw a dyn hunanfeirniadol am ei fod yn teimlo nad oedd ei ymdrechion caled yn ddigonol.

Slanu (*y ferf*) ***slaniad*** (*yr enw*) – curo, rhoi cweir neu orchfygu rhywun neu rywbeth, fel 'roedd Mam yn ein ***slanu***

ni yn ôl yr hen drefn os oedda ni'n cambyhafio'. Neu 'tydi'r diawl ddim mor barod ei dafod ar ôl y *slaniad* 'na rois i iddo fo'.

Yn ôl yr hen drefn – hen ddywediad oedd yn golygu cyflawni rhywbeth yn ôl yr hen ddull traddodiadol ac yn **naturiol ac ymarferol**, os nad yn **reddfol** bron. Er hynny, nid oedd yn fath o fychanu ar unrhyw ddull newydd, ond yn hytrach yn mynegi parch o'r mwyaf at draddodiad neu ddulliau traddodiadol oedd wedi eu perffeithio gan genedlaethau o brofiad ymarferol. Cheir dim gwell cyfatebiaeth i hwn na'r adnod drawiadol yn Llyfr y Diarhebion, Pennod 22, adnod 28: **Na symud mo'r hen derfyn, yr hwn a osododd dy dadau.**

Ond rhoddid y dywediad hwn i lawer defnydd gwahanol ac mae llu ohonynt. Clywyd uchod am fam yn *slanu* ei phlant *yn ôl yr hen drefn*, hynny'n codi hen sylwad arall 'Wnaeth cweir 'rioed ddrwg os oedd o'n ei haeddu hi'. A dyna oedd dull ymarferol yr hen famau gyda phlant gwrthryfelgar – roedd eu teuluoedd yn rhy fawr i ymarfer seicoleg, a'r pwysau gwaith yn rhy drwm a'r amser yn rhy brin i fynd i ymresymu a phregethu'r Gwynfydau.

Rwy'n cofio eistedd wrth fwrdd mawr y gegin gyda John Williams a'i wraig yn Ynys Groes, y Llan gyda'r nos ar ôl darfod cneifio'r defaid Llŷn, a'r rheini oedd ei brif falchder. Ac yno yng ngolau'r lamp baraffîn a churiad y cloc mawr, yn setlo i lawr i gael gwledd o fwyd cartref, a minnau ychydig yn swil wrth fwrdd diarth yn cael gorchymyn tadol, 'Tyd wàs, byta lond dy fol nôl yr hen drefn.' Hynny ydi, 'bwyta'n iach a phaid â sefyll ar seremoni'. Roeddem wedi cyflawni diwrnod gonast o waith yn llwyddiannus ac yn haeddu pob tamaid oedd o'n blaenau ni, a **bwyta'n ôl yr hen drefn** oedd cael ein haeddiant a chladdu pryd o fwyd gyda mwynhad i ddathlu'n gwaith gan ddilyn arfer cenedlaethau o'n blaenau ni.

Yn ôl fy nhad dim ond un ffordd oedd o gael y maen i'r clawdd – pa mor anodd bynnag oedd y gwaith a'n hwynebai, boed yn gynhaeaf gwair trwm neu'n ddidol cannoedd o ddefaid mewn corlan – sef *gyda chwys talcen, amynedd a bôn braich 'nôl yr hen drefn.* Mynd ati yn yr un modd â'n rhagflaenwyr yn dilyn egwyddor *deuparth gwaith ei ddechrau* a gafael ynddi.

Het mynd a dŵad – het dau big, *deerstalker* yn Saesneg. Clywais John Jones Rhos-goch, Wil Jones Garreg-wen a John Jones Trigfa yn rhempio *byddigions* a'r landlordiaid gydag atgasedd a gwawd tanllyd. Y ddau olaf yn ddau frawd ac yn ffermwyr bach gwerinol (cyfyrdyr fy nhaid, William Owen) ac yn perthyn i ddechrau'r ganrif hyd at y 70au (John) a'r 80au (Wil). Y naill a'r llall yn Rhyddfrydwr Cenedlaethol, bron yn Sosialwyr eithafol, gafodd gartref yn y man gyda Phlaid Cymru. Wrth sefyll yn eu cwmni ger croeslon Brynddu, Llanfechell gwelsom gonfoi o geir drud a *Landrovers* yn pasio heibio gyda'u *sbangwn* a'u cŵn adar drudfawr, a phawb yn ei ddillad saethu ar ei ffordd i helfa ffesants ar stad gyfagos. 'Dyma nhw eto,' medden nhw'n wawdlyd a dilornus o'r bobl fawr yma, 'yr hogia *hetia mynd a dŵad* a *thrysysau dwyn fala*, y diawl 'ma yn lordio hi 'run fath â'r hen oes drosta ni'r werin.' Yn ddiweddarach deuthum ar draws Huw Owen Rhosengan-goch yn tynnu coes Jac Williams, Pyllau, Rhos-goch a oedd newydd gael prisiau da am ei wartheg stôr, ac yn ei brofocio wrth ddweud 'Wel wir Dduw 'rhen Jac, mi fyddi di'n ŵr mawr hefo *het mynd a dŵad* ffordd ti'n gneud pres hefo'r gwartheg 'ma.'

Yn wargad – clywais yr hen air hwn gan deulu Hafodllin Fawr, Amlwch pan oeddwn yn blentyn ac yn y cyd-destun hwn – 'Mi fyddan ni yn cadw 'chydig o ieir dodwy at iws y tŷ a gwerthu'r wyau sy'n wargad.' Hynny ydi, yn gwerthu beth oedd dros ben neu'n ormod i'w gofynion.

Allanhodion neu **Allan o hydion** – fel 'Mae o wedi bod yn y dre na ers **allanhodion**' neu 'Mae o wedi bod yn gweini yn Fferam Gyd ers **allan o hydion**' neu 'Rwyt ti wedi bod o'r tŷ ers **allan o hydion,** lle f'est ti dŵad?' Hynny ydi, am gyfnod hir o amser. P'un ai blynyddoedd neu oriau, 'run fath oedd y dywediad. Byddai Jac Neuadd yn dyfynnu hen ddywediad arall o'i amser ar y môr – 'Fe fuost **am allanhodion** yn lle a'r lle. Lle fuost ti dŵad? Ar y **welars**?'. Nid oedd yn eithriad i hogia'r **welars** (*whalers*) fod oddi cartref am ddwy flynedd neu fwy yn hela'r morfil.

Stryffaglio – gair sydd yn fyw heddiw; yr enw yw **stryffâg.** Sef ymdrechu'n gorfforol i'r eithaf neu ymlwybro trwy neu dros rwystr anodd fel drysni neu dros glawdd. Clywir ef yn ei gyd-destun fel 'Be haru chi ddyn? Tydach chi wedi mynd yn rhy hen i **stryffaglio** i gadw defaid' neu 'does ryfadd bod ganddo gricmala (crud cymalau) ar ôl bywyd o **stryffaglio** mewn ffosydd gwlyb'. Neu fe glywir stryffâg megis yn 'Oedd hi'n uffarn o **stryffâg** trio symud y **trymblar** yna,' neu 'Gad o lonydd wir Dduw, mae o'n ormod o **stryffâg** i ond dau ohonan ni.' Mae'n debyg iawn i **strachio** a **strach** ar y tir mawr.

Cribinion – neu **hel cribinion,** sef lloffa, casglu ynghyd yr ychydig o wair rhydd neu ŷd sydd hyd y cae ar ôl cludo'r cnwd i mewn gan ddefnyddio **cribin wair,** sef cribin lydan o waith pren. Y **cribinion** ydi'r lloffion a **hel cribinion** ydi'r weithred o gasglu'r **cribinion** neu loffa. Anghytunaf yn llwyr â'r *Geiriadur Mawr* yn ei ddiffiniad o **lloffa** lle dywed mai'r ystyr yw '*crynhoi tywysennau ar ôl y medelwyr*'. Nid dyma beth yw **lloffa** neu **hel cribinion**. Ar ôl medi'r gwair, ei hel yn **waneifiau** neu **wannau** a'i droi a'i sychu'n iawn ceir ei hel yn sypiau yn barod i'w gludo gyda'r drol i'r daes, sef ei hel ynghyd yn dywysennau. Wedi'r cario y cwblheid y **lloffa** neu **hel cribinion** nid ar ôl y pladurwyr.

Ewyn fel **hen ewyn bach gweithgar**. Daw o **gewyn** am sinew neu *tendon*. Dyn o daldra byr ac ysgafn yr olwg ond yn ystwyth, cryf ac egnïol ac yn nodweddiadol o'r rhai a **ganlynai geffylau** – y ceffylwyr. **Winog** ydi rhywun gyda'r nodweddion a'r duedd egnïol yma.

Clenc neu **glencan** – cael codwm giaidd ydi ystyr **clenc** fel yn 'Ges gythraul o **glenc** yn y cowt gynnau' neu 'Watsiwch y stepan na rhag i chi gael **clencan**'.

Cnewian – cwyno a gweld bai'n ddiddiwedd, ac ymddygiad a allai barhau am ddyddiau neu wythnosau fel 'Uffarn am **gnewian** ydi'r hen ddynas 'cw' neu 'Neno'r Tad, roi di'r gorau iddi i **gnewian** ddiawl bob munud'.

Gŵr – nid hefo'r ystyr *priod*, ond yn cyfateb i *dyn* yn *gŵr bonheddig* a cheid arferiad o alw, fel enghraifft, ffarmwr Tŷ Gwyn yn **gŵr Tŷ Gwyn**. Doniol tu hwnt oedd clywed Jac Fawr Pencefn Bach yn adrodd ei hanesion fel **dyn caled** a saer cerrig pan gyfeiriai at y ffermwr yr oedd wedi gwneud gwaith iddo fel hyn – 'Dwi'n cofio codi cilbostiau yn Hafod y Meirch ac mi blesiont y **gŵr** cyn gymaint fe roddodd o hanner coron dros ben i mi hefo'r pris.' Pan fo'i atgofion yn sur, yn lle gŵr fe ddywedai, 'Dwi'n cofio agor ffoes gamlas yn Sarn Fadog a'r erthwl uffarn o'r hen ddyn 'na yn taeru doedd hi ddim digon tyfn.' **Tyfn** ydi'r cynaniad ym Môn am *dyfn* (dwfn).

Crafwr – mae sawl math o **grafwr**. Ceir y **crafwr dan din** hefo delwedd yn **gini hyntar**; un sy'n ffalsio a chanmol i'r fath raddau fel bod y sawl sy'n derbyn ei **ledod** neu'n llyncu **ei grempog** neu **ei bwdin** yn troi'n hael a llawagored. A choeliwch chi fi, y **dynion prynu moch** neu'r **porthmyn moch** oedd y **crafwyr dan din** mwyaf medrus, nhw oedd y rhai mwyaf dauwynebog, y rhai â **thafodau arian**. Mae'n syndod cymaint o ffermwyr craff a wyddai'n dda am y farchnad a'r newidiadau diweddaraf yn y **trâd** moch oedd yn cael eu swyno ganddynt. Er, roedd y mwyafrif yn eu gweld fel cymeriadau doniol ac annwyl, ond er hynny'n rhai i'w gwatsiad – i'w gwylio ac osgoi cael eu swyno. Nid y porthmyn hyn oedd yr unig **grafwyr dan din** ond y nhw oedd yr esiamplau mwyaf nodedig.

Hefyd ceir **crafwr** gydag ystyr gadarnhaol am rywun oedd yn **hen grafwr ffetus ar y dian**. Defnyddid **hen grafwr ffetus** am un nad oedd raid iddo fod yn gybyddllyd nac yn ddidostur, ond yn hytrach yn **un da at ei fyw** fel rhywun gofalus a chwim i fanteisio ar unrhyw gyfle i wella'i sefyllfa, un **bachog** heb fod yn hunanol. Defnyddid y gair benthyg o'r Saesneg stiwt (*astute*) yn aml i ddisgrifio unigolyn o'r fath, a chlywais fy nhad yn llawn canmoliaeth o'r hen John Williams Ynys Groes am fod yn 'hen **grafwr** ar y dian ac yn **siortyn go lew** wedi bod yn ddigon **stiwt** i ddringo **uwch ben baw sawdl** i fod yn ddyn **gwartheg teiriau** sydd arno fo ddima i neb'. Disgrifiad arall o rywun 'run fath oedd **dyn wedi gafael yn'i** neu **ddyn da at ei fyw**.

Y **crafwr** arall wrth gwrs oedd y cybydd a'r barus. Dyn yn ôl Ifan Ifas, Castell Eden, Gwalchmai (fy nghcfnder) sydd yn un o'r esiamplau cliriaf o **grafwr ffetus ar y dian, ac yn ddyn digon stiwt i fod wedi codi ei hun yn gefn dyn** (eglurir **cefn dyn** yn nes ymlaen) oedd **dyn a fasa'n llifio dima er** *mwyn cynilo*, hen ddywediad Gwalchmai. Gelwid y teip yma yn **hen groen** gan yr hen do, a chlywais Glyn Tŷ Croes, Glyn Williams, Pen-sarn gynt o Gemaes, sydd yn ei 8oau yn sôn am 'fynd i weini i'r hen **groen** diawl 'na, Twm Thomas, Felin Groes, oedd yn marcio'r dorth fara rhag i rywun ddwyn bechdan'. Roedd y geiriau **crafwr** a **chroen** yn gyfnewidiol pan fyddid yn cyfeirio at rywun cybyddllyd a chynnil.

Rhosyd – hefyd yn **rhoswch, rhosais i, mi rosaf**, o'r gair **aros**. Yn Arfon, basa gwas fferm er enghraifft yn dweud, 'Dwi am aros am dymor arall fan yma,' ond ym Môn dywedid 'Dwi am **rosyd** cyn i'r plant ddod o'r ysgol cyn picio allan,' neu 'Well **rhosyd** fan yma tan stopith hi fwrw glaw.'

Bangor – cafwyd esboniad gwych a thrylwyr gan y diweddar Athro Bedwyr Lewis Jones o ystyr y gair **bangor** yn ei lyfr *Iaith Sir Fôn*, a dyfynnaf: 'Rho fangor iddo' meddir gan olygu taro anifail â ffon. Fe'i defnyddir hefyd am ddyrnod, swadan, neu ergyd. Hen ystyr **bangor** oedd gwaroden ar hyd pen gwrych neu berth a dyna'r gair a roes ei henw i dref **Bangor**. O gwmpas llan Deiniol, codwyd gwrych plethedig amddiffynnol, neu **fangor**. Ym Morgannwg gynt gelwid y wialen neu'r ffon a ddefnyddid i yrru ychen yn fangor, fel y tystia un triban:

> *Mae Wil o Dy'n y Berllan*
> *Yn gyrru iwc o ychain*
> *Â bangor hir, yn fawr ei frys*
> *Heb hidio chwys ei dalcen.*

Credaf fod yr Athro yn anghywir yn ei ddisgrifiad o leoliad gwaroden, neu **grodan** fel y'i cynenid ym Môn. Ofer fuasai gosod grodan esmwyth ar ben gwrych plethedig amddiffynnol – buasai hynny'n hwyluso'r ffordd i elyn neu leidr ddringo drosti a gwneud **bangor** yn ofer. Os edrychwn ar ei ddiffiniad o *aelen* – neu *eulen* fel y disgrifiais hi yn flaenorol yn y nodiadau hyn (gweler y nodyn ar **Chwaen**), y polyn neu stanc tenau unionsyth a osodid ar ei ben yn y ddaear ydi *grodan* neu *waroden* i blethu neu eilio y gwiail rhyngddynt, nid fel *rail* yn Saesneg i redeg ar ben y *fangor*. Pan ddysgwyd i mi sigo a phlethu drain trwyddynt gan yr hen Jac Sachins, roedd o'n cyfeirio at y polion unionsyth fel *grodan* neu *groda* yn y lluosog. Ni chlywais i erioed neb yn cyfeirio at ffon fel *grodan* na *bangor*, ond dim ond fel ffon. Mae dywediad ym Mryngwran, Môn sy'n defnyddio *grodan* am ffon 'Mae isio rhoi *grodan* ar ei gefn o' am rywun sydd yn haeddu cosb neu gerydd am gamymddwyn.

Nid wyf yn dadlau fod rhai ym Môn yn defnyddio *rhoi bangor* fel trawiad efo ffon neu ddwrn, ond petawn i wedi dweud hyn yng nghlyw fy nhad, buaswn wedi cael clets nes faswn i'n troi, o achos i'r hen do hynach roedd y term *bangor* yn golygu mastwrbeiddio!

'Chan, ychan – atodiad at frawddeg neu sylw. Er ei fod ar ddefnydd ar y tir mawr, mae o'n frith ym Môn a bron iawn yn cael ei atodi ar ôl pob lleferydd. Fel 'Dew, dwi wedi blino *'chan*', neu 'Yndw *'chan*' neu 'Nagdw *'chan*'. Roedd yr hen do â'i acen araf ac agored yn fwy tueddol o ddweud *ychan* na *'chan*. Er bod dweud *chan* neu *ychan* yn berffaith naturiol a diddrwg i'w ddefnyddio, rwyf yn cofio yn blentyn ifanc iawn yn ysgol Carreg-lefn, lle bûm am un tymor cyn cychwyn yn Ysgol y Llan, cael sgwd anferthol gan athrawes y dosbarth babanod am ddefnyddio *'chan* wrth ei hateb. Hen ferch fawr gachu oedd hon wedi mudo i'r ynys o'r Canolbarth ac yn amlwg ddim yn gynefin â thafodiaith Môn. Roedd hi'n ddigon sychdduwiol a chymanllyd ei hagwedd i geryddu plentyn pum mlwydd oed am fod yn amharchus ohoni. Tasa'r hen **grebachan gymanllyd** (disgrifiad o hen

ferch neu wraig, ond hen ferch gan amlaf) wedi mynd i ddysgu i'r Llan neu i Walchmai buasai wedi rhoi'r gorau i'w gyrfa a mynd yn lleian wrth iddi glywed geiriau llawer iawn mwy annerbyniol na'r *'chan* diniwed.

Cymanllyd – cymeraf yn ganiataol heb orfod troi at arbenigwr bod **cymanllyd** yn dod o cymen, ac yn ôl y *Geiriadur Mawr* mae cymen yn golygu *dillyn, celfydd, huawdl, twt, destlus, gorffenedig*. Ond mae hyn ymhell ohoni 'ran y defnydd o'r gair ym Môn. Yn yr hen dafodiaith rhywun **horti** neu **snorit**, sef *uchelffroenus* a *thrachwantus*, oedd rhywun **cymanllyd**. Hefyd golygai rywun sychdduwiol, yn foesol hyd at fod yn eithafol o waraidd ar fater pleserau'r cnawd, bron ofn gwenu. Yn gryno, cyflead perffaith o hen ferch gysetlyd, gapelaidd a gwrthddynion.

Ewa – yn y *Geiriadur Mawr* nodir mai cywasgiad tafodieithol sydd yma o *ewythr* ond ym Môn gall olygu *taid* neu *bentylwyth*. Clywais Jac Sachins yn cyfeirio at ei daid o Burwen fel **yr hen ewa** mewn ffordd hoffus wrth adrodd imi ei straeon. 'Certio nwyddau hefo wagan a bastardiad mul oedd gwaith **yr hen ewa**' meddai, 'a chawn swllt ganddo bob tro yr awn i'w weld yn Burwen.' Pan ofynnais pam fod *taid* yn cael ei alw'n **ewa** atebodd, 'Dyna oeddan ni yn galw y penteulu.'

Wrth drafod hyn hefo Dr Dafydd Alun Jones soniodd am fachgen oedd yn y coleg hefo fo, y diweddar John Robat Huws, un o Ddyffryn Conwy a'i rieni yn rhai o Fôn, a *fy ewa* ddywedai ef bob amser am ei daid.

Tada – efallai bod cylchrediad eang y tu draw i Fôn i'r gair yma. Ond 'chyfeiriodd 'run o fy ewythrod na fy modrybedd at fy nhaid mamol, William Owen, ond fel **tada**. Clywais fyrdd o bobol sydd heddiw yn eu 70au a'u 80au yn cyfeirio at eu tad fel *tada* ac roedd y ffurf yn hynod o boblogaidd yn y Llan a'r cyffiniau.

Awran – fel 'Fydda i ddim *awran* yn picio nôl a mlaen i'r dre' neu 'Wela i di mhen ryw *awran* neu ddwy'. Cyfeiriad at gyfnod o amser o gwmpas awr, gall fod hyd at ddwy awr. Ar ôl dwy awr dechreuai'r sawl oedd yn disgwyl am rywun bryderu, ei weld yn hir gan ddweud, 'dwn i ddim ble mae o, ddwedodd peth dwytha na fasa fo ddim *awran*.'

Bachiad, bachu a bacha – mae'r tri yn tarddu o *bach*, sef colyn, bachyn, a **bachu** ydi dal â bach. Ym Môn mae ganddynt ystyron gwahanol iawn i'w gilydd. *Bachiad* ydi cael swydd neu waith fel yn 'Fe gafodd o *fachiad* ar ei union yno' neu 'Ar ôl gadael Tyn Rhos lle rown i'n was fe ges *fachiad* yn Chwaen Goch fel porthwr'. *Bachu* ydi dwyn neu ladrata fel yn 'Mi *fachodd* y diawl fy meic i' neu 'Peidiwch â thwtsiad yno fo, dwi'n gwybod bod o wedi cael ei *fachu*' neu 'mi *fachith* rwbath os nad ydi o'n rhy drwm neu'n rhy boeth'. *Bacha* – yr un ystyr â *miglo hi* neu *ei gluo hi* fel 'Bacha hi o'ma'r tinllach cyn i mi roi troed dan dy din di', neu 'Mi welis i'r cipar tua dau gae i ffwrdd a mi *bachais* hi o'na yn reit handi.'

Sinach – neu *shinach*, yn golygu rhywun dan din, slei, a diegwyddor a ffals. Ond tarddiad *sinach* neu *shinach* yn hen dafodiaith Môn yw y stribedyn anodd ei drin sydd rhwng pen y cwysi lle codid yr arad i droi ar y dalar ac er gwaethaf pob garddwr gloyw, ni allai gael *pennau'r cwysi*, hynny ydi lle mae'r gŵys yn darfod yng nghwr y dalar, i ddarfod yn yr un lle ar yr un lefel. Wrth ddarfod aredig y dalar olaf un roedd cwysi'r dalar ar ongl sgwâr i gwysi'r clwt neu'r cae ei hun ac yn gadael stribedyn o dir cul heb ei droi yn iawn rhwng y *cwysi tir* a'r *cwysi talar*. Melltith o beth ydi'r *shinach* pan eir ati i drin y mwydion a hau oherwydd bod ynddo amrywiaeth rhwng bod yn gŵys wedi ei throi a *thyndir*, hynny ydi tir caled heb ei droi. Anodd iawn ydi ceisio cael *shinach* yn orffenedig a chyson; mae'n gwastraffu amser wrth gau dannedd yr og gyda thywyrch a cherrig ac yn rhy anwastad i'r rowlar wneud ei waith, a byddai'r ŷd yn anwastad a thenau yno am nad oedd mwydion y *shinach* ddim digon mân. Mewn *ras 'redig* cheir fawr ddim o *shinach* o achos safon uchel a'r gofal trylwyr a roddir i'r gwaith, a buasai *shinach* yn colli pwyntiau gan y beirniaid, ond ar fferm brysur, 'does byth ddigon o amser i fod mor drylwyr.

Mae'r *Geiriadur Mawr* yn nodi mai **sinach** yw clawdd, ffos, banc, congl cae â drain a mieri ayb. Efallai bod congl wyllt yn cael ei disgrifio fel **sinach** ar y tir mawr, ond nid ffosydd, cloddiau a chonglau cae. *Anialwch* fuasai congol wyllt yn cael ei galw ym Môn, neu *ddrysni, lle gwyllt* neu *goediach*. Er bod yr Athro Bedwyr Lewis Jones yn hollol gywir wrth ddisgrifio *'hen 'nialwch hyd y lle 'ma'* h.y. petheuach blêr neu flerwch, *rubbish, junk* yn Saesneg, gelwid llecyn gwyllt yn *anialwch* hefyd ond doedd o ddim yn **sinach**.

Codlio – mae tri ystyr i *codlio* ym Môn. Y cyntaf ydi *cyboli, malu awyr, lolian* ac yn denu'r ymateb 'Paid â *codlio* ddiawl, siarada'n gall nei di'. Yr ail ydi *codlio* fel 'Mae o'n *codlio* efo'r hogan na sy'n gweithio yn y siop', hynny ydi yn *trio cael hwyl arni* neu *yn cyboli efo hi*, sef un ai ceisio cychwyn carwriaeth â hi neu mewn perthynas a dealltwriaeth efo hi sydd ddim yn garwriaeth gadarn a ddim yn *garmon* (cariadfab) llwyr iddi hi. Gall y berthynas fod yn un rywiol neu ddiniwed. Y trydydd ydi gair benthyg o'r Saesneg, *coddle* neu *mollycoddle* fel 'mae hi'n *codlio* gormod ar y plant 'na sydd ganddi hi, a mae'n amser iddi roi'r gora i'w difetha nhw'.

Dal dêr – dywed yr Athro Bedwyr Lewis Jones yn ei lyfr *Iaith Sir Fôn* mai *oedi neu ddiogi yn lle mynd ymlaen â'i waith* yw **dal dêr**. Ond nid yn y cyd-destun hwn y clywais i o'n cael ei ddefnyddio. **Dal dêr** i mi oedd *ymarfer pwyll ac amynedd ac aros i'r cyfle iawn godi*, sef yn hollol i'r gwrthwyneb i fod yn frysiog, diamynedd a byrbwyll.

Dyma rai o enghreifftiau o'r defnydd a glywais i: fy nhad yn dweud wrth amaethwr gweddol dlawd oedd gyda rhyw ddwsin o wartheg stôr ar werth, 'Wel mi pryna'i nhw os dyna da chi isio, ond tydy nhw ddim yn gwerthu'n dda yn yr hirlwm 'ma. Mae ganddo chi ddigon o wair ar eu cyfer nhw, pam na wnewch chi **ddal dêr** tan y gwanwyn a mi gewch chi lawer gwell pris amdanyn nhw'. Clywais Twm Bach y Blodau'n dweud, 'Dwi'n gwbod bod hi'n mynd yn hwyr ar waetha rhywun i blanshio cennin, ond dwi am **ddal dêr** tan fydd y peryg o farrug wedi mynd heibio'. Neu JW Llan gynt yn dweud am ei benderfyniad i beidio ag anfon cywydd i Eisteddfod Talwrn ac 'am **ddal dêr** ar hon tan Eisteddfod Môn, mi wnaiff hi'n well fan honno'. Ac i gloi, cofiaf fy nain yn dweud wrthyf ar ôl i mi dderbyn hanner coron yn anrheg gan fodryb, 'Yli mi gymera i hwnna i'w gadw er mwyn i ti **ddal dêr** arno fo tan y trip ysgol Sul wythnos nesa.'

Mynd â chwningen ddof i hela – hen ddywediad ffraeth oedd yn boblogaidd iawn ymysg **carmoniaid** yr oes a fu, ac fe'i clywais gyntaf gan Robat Williams Crydd oedd yn dyfynnu ei frawd Lewis gynt, a ddisgynnodd yn y Rhyfel Byd Cyntaf. Roedd Lewis yn hoff iawn o ferched meddai Robat Williams, neu yn **rêl boi am ei bwdin**, yn ôl hen ddywediad amrwd arall o'r Llan. Pan ofynnodd Robat iddo, yn ddigon diniwed, os oedd o am fynd â'i gariad efo fo i Ffair Borth, atebodd Lewis, 'Wel i be wnawn i hynny, hogyn? Dwi ddim am *fynd â chwningen ddof i hela* debyg.' Hynny ydi, roedd ei gariad yn barod ei gwasanaeth caru iddo bob amser ond *hela cwningen wyllt* oedd ei fwriad a *chadw'r gwningen ddof yn ddiogel yn y cwt.* Hynny ydi, roedd eisiau ei draed yn rhydd i gael gafael ar eneth ddiarth am y noson. Nid rhyw ddywediad unwaith ac am byth oedd hwn gan Lewis, gan i mi ei glywed droeon gan Twm Nan Ifas Gwalchmai pan fyddai'n gwneud esgus i beidio mynd â'i wraig i Brimin Môn (Sioe Amaethyddol Môn) am yr un rheswm, a chan eraill oedd *isio newid blas y pwdin.* A phan oeddwn yn llencyn, cefais dynnu fy nghoes gan y diweddar Now Cae Coch, Rhos-goch – roeddwn am fynd â fy nghariad ar y pryd i'r Eisteddfod Genedlaethol, a mi es â hi chwarae teg, er i Now ddyfynnu'r hen ddywediad wrtha'i!

Holwth meddai'r hen do, ond *holwyth* meddai eu holynwyr. Mawr, anferthol, cawraidd ydi'r ystyr. Defnyddid *holwth* i ddisgrifio rhywbeth neu rywun anghyffredin o fawr ac ar adegau, trwm hefyd. 'Mi gefais i *holwth* o gnwd tatws diweddar 'leni, diolch i'r ragluniaeth famol,' clywais John Williams Ynys Groes yn ei ddweud yn aml iawn. 'Mi ei di'n *holwth* o ddyn wedi darfod tyfu,' meddai d'ewyrth Gruffydd Owen wrtha'i, 'mi ei di cyn gymaint o ddyn â Jac Fawr, Pencefn Bach, a welish i erioed cyn gymaint o *holwth* o ddyn â hwnnw.' Roedd am unwaith yn anghywir, rwyf yn 6′2″, tua 2 neu 3 modfedd yn llai na'r hen Jac, a chwarter ei nerth corfforol. Meddai fy nain, Kate Owen: 'Mae'n brigo (yn cychwyn hel barrug), dos i nôl mwy o lo i ni gael *holwth* o dân i fyny'r simdda.'

Holwyth a ddefnyddir gan y rhai fengach, fel fy nhad er enghraifft, yn dweud un tro wrth amaethwr a oedd yn

cynnig gwerthu tarw iddo, 'Mae'n **holwyth** o anifail, ond
tydw i ddim yn rhy hoff o'i siâp o, mae ei grwmp o'n rhy fain
gen i.' Neu yr anfarwol Jac Pen Padrig wrth ddynes yn
arwerthiant da byw Llangefni: 'Dew! Da chi'n hen **holwyth**
gref o ddynas Misus, ond 'sa gen i ofn i chi rowlio arna fi yn
y nos, fel hwch ar fochyn bach.'

Chadal – hen air o Fôn yn golygu 'o'i gymharu â sut oedd hi
ynghynt' – fel fy nain, yn dweud amdanaf i, 'Mae o'n byta'n
iach **chadal ag oedd o'n fengach**', neu fy nhad: 'Mae hi'n
well haf 'leni **chadal ag oedd hi y llynedd** hefo'r glawogydd
mawr 'na cyn y cnua gwair.' Neu Jac Fawr Pencefn Bach yn
yfed peint o gwrw yn y Bull, Llannerch-y-medd ac yn lleisio
ei farn ar y safon, 'Twt lol, dwn i'm pam aeth Lloyd George
o bawb i fysnesu â chwrw **chadal ag oedd o erstalwm**. Tydi
hwn ddim cryfach na phiso dryw ar ddrycin.'

Chwadal – sydd yn hollol wahanol, a thybiaf ei fod yn dod
o'r gair 'chwedl'. Mae chwadal yn golygu 'meddai, yng
ngeiriau, yn ôl' – fel '**chwadal** Mam erstalwm, ceiniog
annheilwng aiff â dwy efo hi', neu 'a **chwadal fy nhad** druan,
dyn drwg oedd John Williams Brynsiencyn yn **pysoidio**
(perswadio) hogia bach ifanc i fynd at sowldiwrs ac ynta'n
weinidog yr efengyl.' Neu 'Rhaid dod â'r gwartheg i mewn yn
y gaeaf adeg Ffair Borth **chwadal** y gŵr 'cw.'

Ffordd arall o ddefnyddio **chwadal** ym Môn yw 'yn hytrach
na' – fel 'Fasa'n well i chi gymeryd y býs 'na **chwadal na**
cherdded yr holl ffordd yn y tywydd yma.' Neu yn ôl John
Williams Ynys Groes, 'Dilyn ei reddf ddyla dyn neud
chwadal na gwrando ar y ffyliaid na o'r Ministry of
Agriculture 'ma sy'n dallt dim am gadw moch.'

Stricio – gwaelu, colli cyflwr corfforol, torri (h.y.

heneiddio). Gair a ddefnyddid ledled yr Ynys hyd at gyfnod fy nhad (1910-1970) ond ddim mor amlwg bellach. Fel, yn ôl Bob Huws, Hafodllin Fawr, Amlwch gynt – 'Beth bynnag wnewch chi lanc, peidiwch â chweirio moch 'run adeg â'u dyfnu nhw neu mi *strician* nhw yn ofnadwy i chi.' Neu, yn ôl fy nain, 'Mi *striciodd* William y gŵr yn arw yn ystod blwyddyn ddwytha ei waeledd.' Neu, yn ôl fy nhad, 'Ma'r hen greadur Ifan Thomas druan wedi *stricio*'n sydyn iawn ar ôl colli'r wraig.'

Cyfin – cyfyng wedi ei gynanu yn nhafodiaith Môn. Clywid am 'hen lôn go *gyfin* i ddau basio yn sâff', neu: 'mae'r porth yn rhy *gyfin* i fynd â dyrnwr mawr drwyddo, bydd rhaid chwalu cilbost.' Neu, i ddisgrifio rhywun sy'n dlawd ac mewn dyled helaeth – 'Mae'n o *gyfin* arno fo efo'r banc dyrnodia yma.' Clywais John Williams Ynys Groes a Twm Jones Tyddyn yn galw'r rhaniadau pren rhwng *stolion* (*stalls*) y ceffylau gwedd yn y stabal yn *gyfin*, lluosog *cyfina*. Cofiaf Twm Jones yn adrodd hanes rhyw hen geffyl 'hefo cast o wasgu rhywun yn erbyn y *cyfin*' a gofynnodd John Williams i mi unwaith, 'Dos i nôl fy nghôt i, wasi, dwi wedi ei gadal hi ar *gyfin* y stabal.'

Yn ei lyfr *Iaith Sir Fôn*, nododd yr Athro Bedwyr Lewis Jones mai *cyfwng* oedd 'y parwydydd sy'n gwahanu rhwng ystafelloedd mewn tŷ, lluosog *cyfynga*.' Mae'n debyg mai cynaniad yr hen do o cyfwng a cyfynga oedd *cyfin* a *cyfina* am y rhaniadau pren mewn stabal.

Er hynny, ni chlywais neb yn defnyddio *cyfin* am raniad concrid neu bren yn gwahanu stolion mewn stabal. *Partisiwns* oedd y gair a ddefnyddid. Ond clywais fy nhad yn dweud fod eisiau i mi 'roi coedyn go hir yn *gyfin* rhwng y ddwy fuwch 'na yn y stôl bella' h.y. clymu tyst o bren i *rodan* (gwaroden neu 'rail') rhwng y **bing** a'r **minshar** i rwystro buwch farus ac aflonydd rhag troi ar draws y **lleusod** a rhoi ei thin o dan **eurw** (cadwyn) y fuwch arall a'i thagu.

I gloi ar y gair **cyfin**, clywais y term **cyfin-gyngor** droeon gan fy nhad, sef cyngor byr a phendant oedd bron yn orchymyn, ac yn sicr yn rhybudd cadarn terfynol oedd gystad â dweud, 'Yli, mond unwaith ddudai wrtha chdi, felly gwell fasa i ti gymryd sylw'. Fel, 'Mi ro'i **gyfin-gyngor** i ti rŵan, paid ar boen dy fywyd a jansio mynd i mewn i'r sied at y tarw 'na.' Neu wrth amaethwr arall un tro wrth ymarfer ei reddf anhygoel bod anifail yn wael – 'Ylwch mi ro'i **gyfin-gyngor** i chi rŵan, mae'r fuwch 'na sgynno chi yn mynd lawr efo clwy llaeth, well i chi ffonio'r ffariar yn syth bin.'

Mewarth – fel **cnegwarth** neu werth ceiniog, ychydig, mymryn, tamaid bach, pinshad, ayb. Cofiaf yn dda yr enwog Huw Jones, Inja Roc Llannerch-y-medd, y gwneuthurwr **inja roc nymbar 8** gwreiddiol a diguro, a oedd â siop yn Llan a stondin tu mewn i Neuadd y Dref Llangefni bob dydd Iau. Pan ddôi cwsmer at ei stondin, fe dorrai ddarn bach o'r inja roc a gofyn, 'Gymerwch chi **fewarth** bach i brofi?' Cyfnod Huw Jones, a etifeddodd y busnes gan ei fam Jane Jones, oedd oddeutu 1908-1987. Erbyn hyn, mae'r rysáit inja roc nymbar 8 wedi diflannu am byth.

Cofiaf fy nain, Kate Owen, yn gofyn i mi fynd i'r ardd fore Sul i nôl **mewarth bach o fintys** ar gyfer cinio Sul, a chofiaf hefyd JW y Llan yn dweud 'Dim ond **mewarth** o betrol dwi angan yn y moto beic pan a'i i edrach am fy nhad, mae'n rhatach i'w rcdag na'r hen geir 'ma.'

Pegan – prynu am grocbris neu werthu **dan draed**, sef cywilyddus o rhad – cael eich twyllo wrth brynu neu werthu, neu dderbyn bil mawr oedd yn gwneud dipyn o dwll yn y boced. Fel, 'Ges i uffar o **began** yn sêl Llangefni, mi berswadiodd Johnny Parri Moch fi i werthu'r torllwyth iddo fo cyn i'r sêl ddechra, ac mi entrodd y diawl nhw ei hun i'r ocsiwniar a chael llond het o broffid.' Neu, 'Mi gafodd o dipyn o **began** yn y fuwch 'na brynodd o gan Now Cae Coch, mae hi'n gymaint o **gicrag** (cicwraig – yn cicio wrth ei godro) fel fedar neb fynd yn agos iddi i'w godro.' Neu, 'Dew, mi ges i **began** go giaidd bore 'ma efo'r bil lectric, roedd yn bell dros ddau gant.'

Cymones – neu **gmonas** yn nhafodiaith Môn. Dehongliad yr Athro Bedwyr Lewis Jones o **cymones** yw gair amharchus am ddynes sef **comones**, un goman (*common*). Ni chlywais i erioed y gair yn cael ei arfer fel hyn. **Dynas goman** neu **hen beth goman** fuasai'r hen do yn ei ddweud, ynghyd â llu o ddisgrifiadau eraill fel **rafin, ciaridým, sguthan, giachan** ond byth **comones**.

Fy nehongliad i o **gymones** oedd dynes mewn perthynas gadarn a pharhaol gyda dyn, ac yn byw gyda'i gilydd fel gŵr a gwraig ond heb fod wedi priodi â'i gilydd. **Byw tali** neu **byw talu** oedd disgrifiad arall o hyn, ond nid oedd hynny o anghenraid yn cyfleu **coman** hyd yn oed ers talwm. Mae **dynes goman** yn ddynes anfoesol, gyda thueddiad i hel dynion, yn sarhaus o deimladau eraill, yn ddigywilydd a di-hid o barchusrwydd a chwrteisi. Clywais lawer tro gyfeiriad at bartner fel **cymones** – 'Sut mae'r **gmones**? Welish i ddim mohoni ers tro.' Gair arall a ddefnyddid yn y cyd-destun hwn oedd f**y nghymar** neu *fy nghymhares*.

Tywydd côb a chrysbas – clywais y dywediad hwn gan Dic Lewis Garreg-wen, a ddywedodd fod ei daid yn arfer ei ddweud, felly roedd yn tarddu o ganol y 19eg ganrif. Tywydd oer a rhynllyd ydi diffiniad o **dywydd côb a chrysbas**, h.y. tywydd oer iawn, ond nid o anghenraid yn wlyb. **Côb** oedd **jiansi las** at y cluniau o gotwm trwm a wisgid gan weision fferm (a'r werin bobl yn gyffredinol). Nid oedd yr un fath â'r **jiansi las** a wisgid gan weision fferm oedrannus yn ein cyfnod ni, gan mai math o grysbas o liain yw hon, yn cau o'r top i'r gwaelod efo botymau. Roedd y gôb yn cael ei thynnu dros y pen ac o gotwm trwchus fel *smock*, ond ei bod yn fyrrach. Gwelir o hyd mewn hen luniau mewn archifdai o weision yn y cynhaeaf gwair wedi codi'r godre a'u tycio i mewn i'w gwregys yn yr haf, gan dorchi llewysau. Tros grysau gwlân ac is-grysau gwlân, roedd y gôb yn ddilledyn hen ddigon cynnes ar ei ben ei hun ond pan oedd yn anghyffredin o oer, gwisgid crysbas hefyd. Siaced frethyn oedd **crysbas** yn llaes at y cluniau efo dwy res o fotymau (*double breasted*) a'i thoriad yn dibynnu ar steil y teilwriaid lleol. Roedd yn gweithredu fel **top côt**.

Trowsus ffustion – clos ffustion – llodrau ffustion. Roedd yr enw cyntaf yn amrywio, i **glos** neu **lodrau** o unigolyn i unigolyn a oedd yn adrodd am y dilledyn hwn. **Ffustion** yw *fustian* yn Saesneg, ac mae'n ddefnydd trwchus a stiff, bron yn ddigon trwchus ei wehyddiad i ddal dŵr. Gildiodd ei dir i'r defnydd **melfaréd** yn chwarter cyntaf yr 20fed ganrif. Yn ôl Jac Sachins, roedd y dywediad **mae o bellach yn ei ffustion** yn arwydd fod bachgen wedi tyfu'n ddyn, h.y. wedi gweithio digon ar y tir i allu fforddio ffustion a oedd yn ddrutach na brethyn, a'i wisgo yn arwydd bod ei berchen bellach yn ddigon hen i arbenigo yn ei waith, ac nid yn was bach neu'n laslencyn mwyach.

Cadach gwddw a ffunan bocad – roedd cadach gwddw yn addurniadol yn hytrach nag ymarferol, ac yn ffefryn gyda cheffylwyr oedd bob amser yn dipyn o ddandis. **Ffunan**

bocad oedd hancas boced fawr sgwâr yn ddigon o faint i lapio brechdanau ynddi, ac yn aml bwrpas.

Llwyddo cael y mochyn i wichian – hen ddywediad a glywodd fy nain, Kate Owen, gan ei thad yng nghyfraith, John Owen. Golyga hyn rywun pryfoclyd a smala, oedd gyda'r ddawn o dynnu coes hyd at gael y sawl yr oedd yn tynnu arno i fynd i stêm a **thyngu llyfannau**, sef rhegi yn lloerig bost. Roedd bron yr holl ddynion ar ochor fy nhaid mamol yn enwog am eu dawn i **lwyddo i gael y mochyn i wichian**.

Pwdin teim – dywediad hen wragedd y Llan a chyfoedion fy nain Kate Owen. Dywedid fod rhywun wedi cyrraedd yn y pwdin teim, sef ar yr union amser oedd ei angen, neu ar yr eiliad olaf. Fel 'Rwyt ti yma yn y **pwdin teim**, mae'r trên yn tynnu i mewn,' neu 'Mi ges i'r gwair i'r daes **yn y pwdin teim** cyn y glawogydd'. Cynenid hwn hefyd fel y **pwtin teim**.

Sengol – dywed yr Athro Bedwyr Lewis Jones fod 'wedi cael **sengol**' yn golygu wedi cael curfa drom. Ond chlywais i erioed **sen gol** (cynenir yn ddau air) yn cael ei ddefnyddio fel hyn. Un defnydd a glywais oedd **cael coblyn o sengol** a oedd yn golygu dioddef trawma neu *set-back* yn Saesneg. Fel 'Fe gafodd hi dipyn o **sengol** wrth golli ei gŵr a'i brawd yn agos at ei gilydd, a ddaeth hi byth at ei hun yn iawn wedyn.' Neu 'Mi gafodd o uffar o **sengol** ar ôl i'r bobol treth ddal i fyny â fo, ac mi gostiodd ffortiwn iddo yn y diwadd.'

Mae **sengol** hefyd yn golygu gwasgfa neu cael ei wasgu i farwolaeth neu cael ei wasgu a'i anafu, fel 'Mi roth yr hen ast fach gythral o **sengol** i'r llgodan fawr ddaeth o'r sach bwyd ieir.'

Rorcloth neu **orcloth** – o'r Saesneg *oilcloth* neu *roll cloth* yn golygu *lino* neu hen *American cloth* a ddefnyddid fel lliain bwrdd. Câi ei ddefnyddio hefyd fel gorchudd llawr nad yw yn garped (*mat*) ac ar ffurf linoleum. Cofiaf fy nain yn dweud, '**Rorcloth** oedd gynno ni ar y bwrdd bwyd adra ers talwm, ond rhown liain arno pan oedd pobl ddiarth yn galw.'

Mat racs – mat o'r hen gyfnod oedd hwn, wedi ei wneud o sach mân dal peilliad, wedi ei olchi a'i agor allan a chyda lliaws o ddarnau o ddefnydd dros ben wedi ei wnïo arno. Arferid gosod **mat racs** o flaen y tân neu wrth ochor y gwely ar ben **rorcloth** i roi cynhesrwydd i'r traed.

Tatws pum munud (**tatw popty**) – un o hoff fwydydd Môn dros genedlaethau ac yn hynod o boblogaidd hyd heddiw. Roedd tatw yn cael eu sleisio yn dafelli tua chwarter i hanner modfedd, a'u gosod mewn dysgl bob yn ail â nionod wedi eu malu neu eu sleisio, a stoc cig a chig moch wedyn i orchuddio'r cyfan; yna ei roi yn y popty efo digon o halen a phupur wedi ei sgentio drosto. Yn Rhosyr, arferid ei ferwi mewn padell, a phum munud gymerai hi felly i baratoi y bwyd. Roedd angen crasu am oddeutu awr!

Lopsgows – ffefryn arall, sef cawl trwchus a maethlon o datws, llysiau a chig eidion (coes las gan amlaf). Cafodd ei enw gan longwyr yn yr hen amser ac mae'n air benthyg o Lerpwl, er bod y bwyd hwn yn draddodiadol ym Môn ers canrifoedd bellach. Defnyddir lopsgows hefyd i ddisgrifio sefyllfa ddryslyd a chymysglyd neu waith di-lun, fel **mae hi'n lopsgows arna ni** neu 'Wel am **job lopsgows** os welish i un erioed.'

Migmans – fel 'mae'n ddistaw tua'r llofft 'na ers meitin, mae o fyny i ryw **figmans**,' am blentyn i fyny i'w driciau. Neu **be**

di dy figmans di ta, hynny ydi, rwyt ti'n actio'n amheus iawn. Clywid hefyd *mi aeth hi'n uffar o figmans rhwng y ddau* – sef fe aeth yn ffrae ffyrnig hyd at gwffio. Hefyd clywid *paid â dechra dy figmans efo fi*, sy'n golygu 'Paid â meiddio ei gymryd allan arna fi'.

Mae nhw allan â'i gilydd fel yr hwch a'r ast – yn debyg i *ffraeo fel ci a chath*. Clywais hyn droeon yng ngogledd Môn, yn enwedig yn yr hen Lannerch-y-medd. Chwadal John Williams Ynys Groes – 'does 'na byth dda rhwng ci a mochyn, dim mwy nag sydd rhwng ci a chath neu Sgotyn a Gwyddel. Mae ast bob amser yn llawer callach na chi ac yn llawer mwy milain (at gŵn defaid yr oedd yn cyfeirio) na chi a bob amser yn methu madda rhoi *weg* (brathiad) slei i din bob hwch bob cyfle geith hi.'

Fel Sgotyn a Gwyddel – hynny ydi, ni allant gydweddu na chyd-dynnu o gwbl, yn union fel ci a chath neu gi a mochyn. Roedd Jac Fawr Pencefn Bach yn defnyddio'r dywediad hwn, yn ogystad â John Williams Ynys Groes, a hefyd fe'i clywais gan John Williams Postman, Llanrhuddlad. Gan fod y tri wedi bod yn y Rhyfel Byd Cyntaf, credaf mai o'r cyfnod hwn mae'r dywediad yn tarddu. Roedd croniclwyr byddinol yn nodi ei bod yn beryg bywyd cymysgu catrawdau o Wyddelod ac Albanwyr gan eu bod yn casáu ei gilydd. Mae hanes yn dangos hyn – lle bynnag maent yn byw ochor yn ochor, boed yng Ngogledd Iwerddon, Glasgow neu Lerpwl, mae gwrthdaro. Er yn Geltiaid, a'r Cymry llawn mor hoff o un ag o'r llall, maent yn gwbl groes i'w gilydd o ran cefndir, crefydd a chymeriad.

Mor ffyddlon ag ast – mae hwn yn ddywediad hynafol iawn o ogledd Môn, a ddefnyddid i bwysleisio pa mor ffyddlon oedd rhywun. A gwir yw'r gair, o achos mae unrhyw ast, yn enwedig ast ddefaid, yn llawer mwy ffyddlon na'r ci ffyddlonaf. Anamal yr â ast ddefaid, hyd yn oed pan fo'n cwna, i grwydro ymhell, ac mae'n hynod o warchodol o'i pherchennog a'i deulu, ac o'i thiriogaeth. Os caiff rhywun diarth **weg** ar ei sawdl wrth groesi cowt fferm, mae bron yn sicr mai'r ast, nid y ci, sy'n gyfrifol.

Yn dena fel brân dyddyn – un o hoff ddywediadau fy mam ac yn gyffredin iawn. Tenau iawn oedd bywyd tyddynnwr, neu dywedir ei bod yn *fain arno, yn galed* neu'n **dlawd**, neu **dim ond crafu bywoliaeth mae o**. Ac os oedd hi'n fain ar y tyddynnwr, tlotach byth oedd hi i'r frân. Dywediad arall cysylltiedig yw **byw brân**, neu **byw brân dyddyn** sydd yn dlotach fyth.

Yn gefn dyn – fel 'Cafodd ei fagu'n dlawd iawn ond mae o yn **gefn dyn** erbyn heddiw,' hynny ydi, rhywun wedi llwyddo mewn bywyd i godi ei hun **uwch baw sawdl**. **Cefn dyn** yw dyn llwyddiannus a blaengar yn ei gymdeithas sydd yn ddigon ffyniannus i fforddio medru gadael ei gyfoeth i edrych ar ôl ei hun a threulio amser gyda gweithgareddau eraill sydd o fudd i'w gymdeithas, fel bod yn Ustus Heddwch, aelod cyson o'r Cyfarfod Misol, cynghorydd lleol, neu lywydd eisteddfodau a sioeau amaethyddol, a hynny pan oedd y mwyafrif o'r boblogaeth yn rhy brysur yn trio cael dau ben llinyn ynghyd heb sôn am ysgwyddo beichiau ychwanegol dielw.

Ffigiaris (ffigiarings) – mae hwn yn air doniol ac aml bwrpas, a dyma ddywed yr Athro Bedwyr Lewis Jones: 'ffigiaris – silff ben tân yn llawn o snorits a ffigiaris ffair. Fe'i defnyddir am addurniadau a thrimins, rhai digon di-werth yn aml'. Defnyddiai fy nhad **ffigiaris** yn aml mewn modd diamynedd, yn aml fel y buasai'r Sais yn defnyddio *thingamyjigs*, *whatyoucallit*, neu *whatsits*. I fy nhad, 'y *ffigiaris* newydd llwyd 'ma o Ffrainc' oedd gwartheg Charolais.

Strybibo (*strybibiad*) – sgothi yn rymus fel chwistrell, er enghraifft: 'Doro lai o'r triog casgen (*molasses*) 'na i'r buchod, ma nhw'n strybibio cachu ar hyd waliau'r beudy.'

O *flaen ei well* – o flaen Ustusiaid Heddwch neu Lys Barn am droseddu. Un o hoff chwedlau fy nhad am fy nhaid, John Jones Pen Padrig, a oedd yn Ryddfrydwr Cenedlaethol brwd, yn anghydffurfiwr rhonc, yn eithafol o wrth-Eglwysig o achos Rhyfel y Degwm, ac yn cyfri Lloyd George fel pedwerydd aelod o'r Drindod bron. Crafodd yn erbyn car modur y Rheithor gyda bothan (*hub*) ei gar a cheffyl ar lôn gul. Wedi sylwi mai'r Rheithor oedd gyrrwr y car modur, ac yn waeth byth, Tori rhonc, aeth fy nhaid yn hollol **gonion** a gwrthod syrthio ar ei fai, gan fygwth y Parchedig gyda chwip hir. 'Mi a'i â chi **o flaen eich gwell**!' ebychodd y Rheithor, ac atebodd fy nhaid yn syth bin, 'Mi gei di a dy debyg job ar y diawl cael hyd iddyn nhw, y degymwr diawl.' Dyma sut ddynion oedd hogia Lloyd George!

Giâm, cymryd rhywun yn giâm – gwneud rhywun yn destun sbort a sarhad, ac yn gocyn hitio mewn modd creulon, tu draw i dynnu coes. Clywais ieuenctid Amlwch yn defnyddio'r gair hwn, fel: 'Yli, mi fedrai gymryd jôc yn iawn ond wyt ti yn dechra fy nghymryd yn **giâm**.' Mae terfyn clir rhwng **llwyddo i gael y mochyn i wichian** (tynnu coes) a **chymryd rhywun yn giâm** (gwneud sbort am ben rhywun).

Rar ŷd (llawn mor aml â rar wair) – yr hyn a elwir ar y tir mawr yn **ydlan** neu'n **gadlas**. Llecyn o dir sych yn agos i'r cowt wedi ei amgylchynu gydag amgaeadau (fel arfer waliau cerrig sych) gyda giât (llidiart) yn fynedfa i'r cowt ac un arall yr ochor draw yn fynedfa i'r caeau. Yma y ceid y teisi gwair a theisi ŷd oedd yn aros tymor dyrnu glangaeaf. Yn fwy diweddar pan ddaeth tai gwair, y rhan fwyaf ar steil *dutch barns*, yn fwy poblogaidd yn yr 1930au, cawsant eu gosod yn y **rar ŷd** neu'r **rar wair**, lle maent hyd heddiw.

Twll din a chlustia – fel 'Mae'n **dwll din a chlustia** arna i i fynd i'r sêl heddiw am fod y fuwch goch yn hwylio dod â llo' – h.y. 'does na ddim gobaith i mi fynd i'r sêl heddiw'. Defnyddir hwn hefyd fel **mae o wedi mynd i'r gwellt** neu **mae o wedi mynd i'r wal**. Eglurodd William Jones, Garreg-wen, Rhos-goch yr egwyddor wreiddiol tu ôl i'r dywediad hwn, sef ei fod yn deillio o'r achlysur pwysig hwnnw, **diwrnod lladd mochyn**. Pwysleisiodd pa mor werthfawr yw'r mochyn wedi ei ladd, o achos fod y cyfan o'r corff yn fwytadwy (y pen i wneud brôn, y traed i'w berwi'n araf i wneud danteithfwyd hynod o flasus, a hyd yn oed y perfedd wedi ei olchi a'i ffrio i wneud pryd arbennig o dda). A gwir oedd y gair mai'r unig ddarnau na ellid eu bwyta oedd y **twll din a'r clustia**. Roedd diwrnod lladd mochyn yn denu llu o berthnasau'r teulu i din-droi a ffalsio, gyda'r gobaith y caent ryw ddarn blasus am ddim i fynd adref, ac o achos hynny ni hysbysid yn union pa bryd oedd y diwrnod lladd. Erbyn iddynt gael gwynt o'r hyn oedd yn digwydd, byddai'n rhy hwyr a byddai bron yn **setio** (yn y powliau o dan bwysau, y traed a'r perfedd wedi eu bwyta a'r gweddill yn ei halen – h.y. wedi ei halltu'n sych ac wedi ei hongian i galedu'n iawn am ddeg diwrnod i bythefnos cyn iddo fod yn barod). A'r ateb i'r crafwyr tin a ddôi heibio i **sgrafenjo** gan ofyn os oedd rhywbeth yn sbâr oedd, 'Arna'i ofn nad oes dim byd ar ôl i chi ond y twll din a'r clustia, mae'r gweddill yn ei halen neu yn y ceudog' (h.y. eisoes wedi ei fwyta). Felly, yn ôl Wiliam Jones, daeth **twll din a chlustia** i olygu bod rhywun un ai wedi colli'r cyfle neu ei bod hi ar ben arnynt.

Yfad yr afonydd – os oedd bwyd yn rhy hallt, 'Mi fydda i'n **yfad yr afonydd** yn o fuan ar ôl hwn,' neu 'Does na neb gwell am fecyn cartra na John Williams Ynys Groes, ond bod rhywun yn **yfad yr afonydd** ar ei ôl o.'

Ebwch – disgrifiad o ddyn sych ac annymunol oedd wedi colli'r ddawn o wenu ar neb. 'Wel **rêl hen ebwch** o ddyn' neu 'Be haru'r **ebwch** ddiawl?' Roedd fy nain a'i chyfoedion yn defnyddio'r gair hwn yn aml.

Siswn (siswrn) – cynenir heb yr 'r' ym Môn fel arfer. Disgrifiad o ddynes siaradus a beirniadol o eraill sy'n gyson yn bigog ac yn gweld bai, fel 'Mae hi **rêl hen siswn** o ddynas' neu 'Mae o'n un o fil yn medru byw hefo **hen siswn** o ddynas fatha honna.'

Cloffrwm (cloff rwym) – pan oeddwn yn blentyn ifanc, cofiaf fy nhad yn rhoi **cloffrwm** ar fuwch farus a oedd gyda chast o **dorri dros derfyn**, h.y. o fynd dros ben cloddiau a waliau yn gyson ond yn **odrag** (godrwraig) **rhy dda** i gael 'madael â hi. Llunnid cloffrwm o wellt ceirch (gwellt ŷd) a oedd yn gryfach a llawer mwy hyblyg na gwellt haidd a gwenith, a'i wneud yn rhaff drwchus **dennyn pen bawd**, sef wedi ei dycio o dan y gesail chwith a'i droi gyda'r llaw dde. Gosodid y cloffrwm fel **fflethar sipsi** (*hobble* yn Saesneg) i glymu'r ddwy goes flaen o dan yr egwydi i gyfyngu ei symudiadau i sboncian yn drwsgl yn unig, ond eto yn caniatáu iddi bori. Hefyd defnyddid **cloffrwm** mewn modd gwahanol – e.e. 'Ma'r cricmala ma wedi mynd yn **gloffrwm** i mi' neu 'Mi roth ei draed mewn dipyn go lew o **gloffrwm** gan y banc wrth brynu'r ffarm.'

Yn syth fel corsan – enw arall am frwynen neu gawnen ydi **corsan** (corsen). Defnyddid i edmygu dyn ystwyth a heini efo cefn syth cadarn.

Latsh (o'r Saesneg *lads*) – defnyddir hwn wrth siarad â thri neu fwy o ddynion neu lanciau fel 'Dowch yn eich blaena **latsh**, neu chyrhaedda ni ddim Llannerch-y-medd' neu 'Dowch am y tŷ, mae cinio'n barod **latsh**.' Ni chaiff y term byth mo'i ddefnyddio fel hyn: 'mae'r **latsh** ar eu ffordd i Amlwch'. Yn hytrach, buasid yn dweud 'Mae'r hogia ar eu ffordd i Amlwch'. Hefyd roedd yn cael ei ddefnyddio fel ebychiad, 'Wel **latsh bach**! Wn i ddim be' i wneud o hyn.'

Ditan – cynaniad Môn o deth neu diten, ond at deth dynes y cyfeirir. Defnyddir mewn modd sarhaus gyda babi mam, er enghraifft: 'Be haru chdi bod mor blentynnaidd? Dos adra at dy fam i gal **ditan** wir Dduw.' Neu i geryddu glaslencyn sydd yn rhoi'r argraff ei fod yn gwybod y cyfan: 'Peth gora i ti neud, yli, fasa mynd yn ôl adra at dy fam i gal dy **dditan** nes wt ti yn ddigon hen i wrando ar y rhai sy'n gwbod.'

Bwrw eu plu – mae ieir yn bwrw eu plu yn flynyddol a stopio dodwy am sbel nes cael plu newydd, ac ar ôl bwrw eu plu maent yn edrych yn hyll o flêr. Ond mae'r dywediad hwn yn cyfeirio at rywun sydd wedi mynd i lawr yn y byd a ddim mor llewyrchus o ran ei wisg, e.e. 'Mae honna wedi **bwrw ei phlu** gryn dipyn i fel oedd hi, mae'n rhaid bod hi yn dena ar y diân arnyn nhw.'

Hel dwylo – neu fel y dywedir ym Môn, **hel dulo**. Yr ystyr yw rhoi curfa i rywun na all achub ei gam neu ei cham, fel y dywedodd fy nhaid wrth athro fy nhad yn yr ysgol gynt, 'Da chi'n hoff iawn o **hel eich dulo** ar fy hogyn i fel dwi'n dallt, wel gwnewch chi eto ac mi wranta'i y cewch chi lawer gwaeth gen i.'

Fel gŵr â chledd – fel 'Mae o'i ofn o **fel gŵr â chledd**' neu 'Mae o'n beryg **fel gŵr â chledd**.' Amrywiad ar y dywediad hwn yw *yn beryg fel gwn* er efallai nad yw hwn yn cyfleu'r un ystyr â'r dywediad gwreiddiol.

Cledda – gair a ddefnyddid tan yn ddiweddar am golfachau (*hinges*) llydan a chryf i hongian drws, o achos ei siâp sy'n debyg i lafn cledd gyda'i groesfar. *Colfach* yw'r gair am *gledda* drws. Peth diweddar iawn ydi'r *golfach fôn/ymyl* (*butt hinge*) sydd ar ddrysau ffasiwn newydd ar dŷ, wedi ei wneud allan o brês (*brass*) ond ar yr hen ffermdai, yr un colfach a ddefnyddid ar ddrws y tŷ a'r cytiau, sef *cledda* o ddur da wedi ei wneud yn yr efail.

Hei gancar! – ebychiad hynod o boblogaidd, i fynegi syndod, siom, neu hyd yn oed fesur o gydymdeimlad, fel '*Hei gancar*, hen dro gwael ges di.' Roedd Siôn Wiliam Carreg-lefn yn hoff o'r ebychiad hwn, fel pob un na fynno regi neu *lyfanu*, sef defnyddio *llwfon* neu eiriau anweddus. Weithiau byddai'n cael ei ddefnyddio i roi rhybudd neu ddwrdio ysgafn i blentyn oedd yn cambyhafio, yn aml yn cael ei ddilyn gan winc neu wên!

Hei lwc – yr hen ffordd o ddymuno'n dda i rywun mewn modd dilys a gwirioneddol ac yn golygu llawer mwy na datgan 'Gobeithio aiff pethau'n dda i chi' neu lith o ddymuniadau da. Roedd hwn, yn fy mhrofiad i, yn dod o'r galon, fel Robat Williams Crydd a oedd y dyn mwyaf strêt a welais i erioed, a byth yn mynegi dim ond yn union beth oedd ar ei feddwl, yn cydio a gwasgu fy llaw yn dynn, a dweud *Hei lwc i chi, frawd* wedi genedigaeth fy mhlentyn hynaf. Ac wedi i mi fynd ar gyfeiliorn ac wedi bod yn y *cwad*, neu'r carchar, anghofia'i byth ddyn dilys a gonast fel dur, Tomi Williams, Amlwch a oedd yn swyddog efo hen Gyngor Bwrdeistref Ynys Môn ac yn gonglfaen y sêt fawr gyda'r Methodistiaid yn Amlwch, yn mynd o'i ffordd i fy nghyfarch a dymuno *hei lwc i chi* dan ysgwyd fy llaw yn gadarn. Roedd ei lefariad gyda'r dysteb fwyaf a gefais erioed.

Ar erioed – roedd yr hen do yn hoff iawn o'r dywediad hwn yn lle jest dweud *erioed* i bwysleisio 'o'r dechrau un' neu 'gydol ei hoes' neu 'ers cyn cof': er enghraifft, meddai fy nain, Kate Owen, 'Roedd mam o Dinas yn Llŷn ond roedd teulu 'nhad o'r Llan *ar erioed.*' Ac meddai hen deulu Hafod Llin Fawr, Amlwch: 'Da ni wedi bod ar y tir *ar erioed.*'

Chwinciad chwannan – fel 'Fydda i ddim *chwinciad chwannan* yn y siop,' neu 'Steddwch i lawr, fydd bwyd ddim chwinciad chwannan.' Hynny ydi, moment fer, amrantiad o amser. Gall ddod o **chwinc**, fel **chwinc llygad** (*wink*) neu o air brodorol Môn **chwinc** fel **chwincian o gwmpas**, sef fel plentyn bach yn rhedeg o gwmpas yn egnïol ac aflonydd. Clywais rhai yn disgrifio yr hen Washi Bach, y cardotyn, fel bod **chwain yn chwincio arno**, yn yr un ystyr â'i fod yn **berwi o chwain**.

Rashiwns – cynaniad Môn o *rations* yn Saesneg. Yn fwy diweddar, dywedir **rasions**, fel 'pan oedd rasions adag rhyfal'. Mewn ymateb i 'Sut mae pawb acw?' dywedid, 'Wel mae pawb yn bwyta'i **rashiwns**', yn golygu fod pawb yn ddigon **stumongar** ac felly'n iawn a digon iach. Yn ôl Robat Williams Crydd a'i gyd-oroeswyr o'r Rhyfel Byd Cyntaf, nid o'r mesurau cynilo ar fwyd a geid rhwng 1914-1918 ac 1939-1945, y deillia **rashiwns**. Yn ôl Caradog Jones, Cemaes – un â chefndir morwrol – o'r byd môr y daeth **rashiwns**, yn golygu lwfans o fwyd dyddiol a rennid allan i'r criw (ran amla yn gynnil ac yn ei rafun gan y ciaptan). Yn llyfr difyr iawn Aled Eames, *Heb long wrth y cei*, sonnir mai'r ciaptan oedd yn gyfrifol am fwydo'r criw, a bod y bwyd mor brin ac ofnadwy nes i'r prentisiaid ddod i ddysgu sut i ddwyn bwyd ychwanegol o stôr y stiward, ac i fachgen o Lanbedrog yn y capel sibrwd wrth ei fam, wrth weld ciaptan casol yn llamu am y sêt fawr, 'Da chi'n gweld ei fol o Mam? Mae hanner hwnna'n perthyn i mi – mi lwgodd o fi a'r hogia eraill a dyna sut mae ei fol o mor fawr.'

Jygyn – hen air Môn sydd yn dal ar ddefnydd heddiw, ac yn golygu llwyth bychan o wair neu dail mewn trol sy'n llawer llai na llwyth arferol, fel 'Does na ond rhyw **jygyn** bach o dail ar ôl i'w gario, a waeth i ni ei wneud cyn cinio ddim.' Neu defnyddir **jygiad** yn yr un modd, heb fath o berthynas i jwg fel jwg lefrith, fel 'Gwnaeth yr hen warheg yn iawn allan dros y gaea ar rhyw jygiad bach o wair bob dydd a digon o gysgod eithin iddyn nhw yn yr hen boncia 'ma.' Yn ei lyfr *Iaith Sir Fôn*, eglurodd yr Athro Bedwyr Lewis Jones mai gair benthyg o Saesneg yw, sef *jag* sy'n golygu 'llwyth bychan ar drol'.

Pen fel pen cath wrw – sef pen mawr ei faint, heb olygu **pen mawr** (rhywun llancaidd). Fel 'Dwi ddim yn ffansïo hwnna fel stalwyn. I fod yn onast mae ganddo **ben fel pen cath wrw**, a dwi'n i weld o braidd yn hyll.' Defnyddid yr ymadrodd hefyd mewn ffordd fwy amrwd a phryfoclyd, fel 'Mae nhw'n deud bod gen ti ddipyn o ddarn, a phen arni **fel pen cath wrw**.'

Stans (*stance*) – **dyn â stans gynddo fo**, sef dyn cadarn ac egwyddorol, neu ddyn â safiad neu â gwaelod, ac yn glod o'r mwyaf. Neu i'r gwrthwyneb – 'Does na ddim **stans** iddo fo', yn golygu dyn na chadwith ei air a thueddiad i fod yn wan ac annibynadwy, diegwyddor a di-asgwrn-cefn.

Yr hen bres, eu cyfri a disgrifiadau – mae'n gam mawr i'r to ifanc nad oes neb wedi trafferthu egluro iddynt am yr hen bres, ers degoli arian (*decimalisation*) yn 1970. Rhaid cadw mewn cof i ddechrau fod 240 o geiniogau yn y bunt, 12 ceiniog mewn swllt, ac ugain swllt yn y bunt. Dyma'r darnau pres/arian:

Hatling – y pisyn pres lleiaf, sef un rhan o wyth o geiniog.
Ffyrling (*farthing*) – roedd hon werth chwarter ceiniog.
Dimai – roedd hon werth hanner ceiniog.
Ceiniog neu 1d – roedd 240 mewn punt.
Tair ceiniog wen – 3d
Pisyn chwech (**cheiniog**) 6d
Swllt 1/-
Dau swllt (**fflorin**) 2/-
Hanner coron – dau swllt a chwe cheiniog 2/6
Coron – pum swllt 5/-
Wedyn roedd pres papur:
Chweigian – 10/-
Punt – £1
Cyn hynny:
Pisyn grôt – 4d
Gini – sef punt a swllt £1.1.0. Dyma oedd **sofran** (sovereign)

Ers pobiad – fel **welish i 'mona chdi ers pobiad neu ddau**, neu **welish i 'mona chdi ers oes pys**. Neu dywedid hefyd **ers allan hodion** am amser maith. Mae'r dywediad am bobiad neu ddau yn cyfeirio at amser pan oedd gwraig fferm neu dyddyn yn pobi bara unwaith yr wythnos, er mwyn arbed amser a thanwydd. Byddai gan bob gwraig amser penodol a rheolaidd i wneud hyn, ac roedd **pobiad** yn garreg filltir wythnosol i'w chyrraedd yn y mesur o amser. Roedd diwrnod pobi yn fonws gwerth ei gael i weision pan oedd gwraig y fferm yn pobi, a byddai gwraig fferm garedig yn gwneud mwy nag yr oedd ei angen er mwyn i'r gweision gael gwledda ar fara ffres a chynnes. Byddai cryn ffalsio'r fistras ymlaen llaw gan y gweision i gael y tamaid blasus hwn. Ar y cyfan, bara o leiaf ddau ddiwrnod oed fyddai'n cael eu bwyta ar ffermydd mwy cynnil, rhag i'r gweision fwyta'n ormodol. Dywediad arall tebyg yw **boban** – fel 'Tydw i heb weld **boban** ohono ers oes pys.'

Brwyna – roedd hwn yn gynhaeaf ynddo'i hun tua mis Awst i ddechrau Medi, cyn i'r cynhaeaf ŷd gychwyn, pryd y pladurid y brwyn o'r gweunydd a'r corstir, ei adael i grino a'i gario fel gwair rhydd at y tŷ. Fe'i defnyddid i roi to ar y teisi, i ddal dŵr a gwneud **sylfaen gaea'** yn y siediau gwartheg, yn blyg isa i wneud gwely i'r gwartheg er mwyn arbed ychydig ar y gwellt, ac i sugno'r gwlybaniaeth yn well. Yn fy amser i wrth gwrs, roedd cyfnod gwneud a thoi teisi drosodd ers tro, ond glynodd fy nhad at yr hen draddodiad o wneud **sylfaen gaea'**. Heddiw, mae presenoldeb brwyn yn peri cywilydd i amaethwr, ond yn yr oes a fu, roedd gwerth mawr i frwyn.

Cyflo (**yn drom o lo**) – sef heffar neu fuwch wedi **sefyll tarw**, a dod yn feichiog o lo. Dywedir bod buwch yn **ailofyn tarw** os nad ydi hi wedi **cyfloi** neu wedi **sefyll**. **Heffrod agored** ydi heffrod heb eto gael tarw, a gelwir buwch heb gyfloi yn **wag**.

Brac – tir wedi ei aredig ac yn hawdd i'w drin yn **fwydion**, yn bridd mân agored sy'n barod i'w hau. Fel arfer **tyndir**, tir heb ei aredig ers peth amser, ac yn cael ei aredig Glangaeaf neu yn ystod y gaeaf ac yn cael ei adael i **afael y gaea'** (i'r rhew a'r barrug gael ei fracio, sef llacio tyndra'r cwysi) yw **tir brac**. Y rheswm dros adael tir i **fracio** oedd i arbed llawer o'r gwaith trin tir yn y gwanwyn a oedd yn waith dwyslafurus iawn ac araf efo ceffylau. Nid oes neb yn cadw tir brac ers dyfodiad y tractor ac mae peiriannau modern yn gwneud y gwaith o wneud mwydion yn ddidrafferth.

Ar drana (taranau) – mae sawl ystyr i hwn. Fel 'Mae o **ar drana** isio cael gwas arall,' neu *fel hŵr ar drana* (ar frys mawr i gwblhau rywbeth) neu *fel iâr ar drana* (mewn penbleth llwyr ac yn methu ag ymdopi).

I'r fei – gair Môn am rywbeth oedd ar goll neu allan o'r golwg, ac wedi dod i'r golwg – 'Mae o wedi dod *i'r fei*.' Fel, 'Paid â poeni os na fedri di gael hyd i'r papur 'na, mi ddoith *i'r fei* cyn bo hir.' Hefyd clywais: 'Rhyw ddydd Gwener mi ddoith y cwbwl *i'r fei* ac mi fydd hi'n ddifar arnyn' nhw.'

Daliad – daw hwn yn wreiddiol o fyd ceffylau (neu ynghynt o bosib, o fyd ychain) ac mae'n golygu eu cyfnod gwaith yn eu harnais. Clywais John Williams Ynys Groes yn dweud, 'Roedd y wedd *ar ddaliad* gen i'n barod i 'redig pan ddôth y trafaeliwr blawd 'na.' Nid *dal* fel dal cwningen neu ddal iâr yw hwn wrth gwrs, ond yn golygu *gafael* fel mewn gafael neu mewn llaw (in hand). Y daliad ydi'r cyfnod o amser pan nad ydynt yn rhydd yn y cae neu'r stabl. Ac mae **gollwng y wedd** yn golygu ei rhyddhau o'i gwaith, nid fel gollwng y buchod yn rhydd o'r beudy. Os buasai'r ceffylau yn cael eu cadw yn y stabl, *mi ollyngais i'r cesig i'r stabl*, ac roedd hynny'n golygu eu cadw yn y stoliau yn rhwym i fwyta a gorffwys ar ôl gweithio. Yn gryno, ar waith maent **ar ddaliad**, yn segur maent **ar ollwng**. Hefyd defnyddir dal neu *daliad* i olygu cael ei gadw'n hir i oedi, fel 'Ges i'n **nal** i siarad' neu 'ges i **ddaliad** go hir yn lle doctor.'

Rhyfeirig – gair hen iawn a ddefnyddid gan Siôn Goch, John Williams Ynys Groes, Dic Lewis Garreg-wen a'u cyfoedion i ddisgrifio buwch yn gofyn tarw. Cofiaf Twm Jones y Tyddyn yn dod draw i ofyn a gâi ddod â buwch am darw fy nhad, gan ddweud bod hi'n **rhyfeirig**. Er nad oedd fy nhad yn defnyddio'r gair **rhyfeirig** fel arfer, byddai'n dweud wrthyf am ollwng buwch at y tarw am ei bod yn **dangos ryfeiria**. Hynny ydi, yn gollwng hylif clir o'r **faneg** (*vagina*), sef arwydd ei bod yn gofyn tarw. Clywais rai 'fengach yn cyfeirio at hyn fel **glyfeiria**, a oedd yn gamddefnydd, achos **glyfeirio poer o'r genau** yw ei ystyr cywir. Mae'n bosib bod rhyfeiria yn dod o **rhyferad** (*drivelling*).

Berdio, berdin – mae'r gair **berdio** yn amlbwrpas ac yn golygu popeth o gau bwlch mewn caead cae dros dro efo brigau drain neu eithin, hyd at wneud caeau yn ddi-fwlch rhag i anifeiliaid dorri'r terfynau trwy unrhyw gyfrwng, o sigo a phlethu drain, neu trwy ddefnyddio gwifren neu gerrig. Rhan amla beth bynnag, plygu drain fyddai rhywun i greu berdin. Cyfeirid at gae wedi ei amgáu yn dda fel **cae â berdin da**.

Twddu – cyflwr olaf buwch gyflo pan mae wedi magu pwrs a'r llo yn **gostwng**, yn disgyn yn is – dywedid bod y **fuwch yn llaesu** wrth iddi baratoi i roi genedigaeth (*to engage*). Hefyd gelwid y gostyngiad a'r agor neu ledaenu'r esgyrn naill ochr i'r faneg, esgyrn pen y pelfis pan mae'r llo yn agos i gael ei eni, yn **dwddiad**. Ni sonnid fyth am **eni llo**, ond **bwrw llo**, ac mae hyn 'run fath i gaseg, dafad a hwch.

Clafychu – buwch, dafad, hwch neu gaseg yn paratoi i esgor yn mynd yn **glaf**. Nid yn yr ystyr o fod yn sâl, ond ei bod efo arwyddion o esgor fel hwch wedi gwneud ei nyth yn barod, dafad wedi ymwahanu oddi wrth y praidd a dod o hyd i lecyn cysgodol ac yn tindroi yn aflonydd. Gall dyn stoc profiadol adnabod arwyddion clafychu ymhell cyn i'r anifail ddangos y **swigan ddŵr**, ymddangosiad cyntaf y **wisg** (*placenta*), neu cod embryo yn dechnegol, cyn i'r dŵr dorri, hynny ydi gollwng yr hylif embryonaidd yn syth cyn esgor.

Cyfab* – *yn gyfab – caseg neu ferlen yn cario cyw. Clywais hwn am y tro cyntaf gan Jac Fawr Pencefn Bach wrth iddo ddisgrifio'r **gini hyntars** isel iawn eu parch, gweision bach hollbwysig i swyddogion y fyddin, a fyddai'n mynd o gwmpas y ffermydd i brynu ceffylau gwedd dan orfodaeth adeg y Rhyfel Byd Cyntaf, i'w hanfon i Ffrainc i dynnu'r gynnau mawr. Yr unig esgus oedd gan amaethwr i warchod ei gesig rhag cael eu cipio, yn ôl Jac ac eraill o'i gyfoedion, oedd datgan bod y cesig yn gyfab – bod cywion ynddynt. Chlywais i neb fengach na Jac a'i gyfoedion yn defnyddio'r gair.

Rhempio – fel 'Mae nhw'n ***dy rempio di*** yn o arw tua'r Hafod 'na,' h.y. lladd ar rywun neu redeg arno fo. Neu dywedid ***rhempio*** am rywun wedi mynd i stêm am rywbeth fel 'Mae o'n ***rhempio*** a rhegi'r injan ladd gwair am ei bod wedi torri.' Hefyd roedd defnydd fel 'Mi ga'i hwn i ***rempio*** yn o fuan, dim ond sôn am ei hen lefran o,' sef tynnu rhywun i bregethu a bytheirio wrth sôn am ei hoff gŵyn.

Torri ciaractor – h.y. maeddu enw da rhywun, neu torri cymeriad rhywun. Fel ar ôl gwneud cyhuddiad ar gam – 'Mae o 'di ***torri ciaractor*** yr hogan bach 'na.'

Sownd/ yn o sownd – roedd sawl ystyr i'r dywediad hwn:

Yn torri'n ciaractor ni yn o sownd – yn llwyr, yn bendant
Mae'r ddau yn o sownd dyddiau yma – yn caru yn glòs
Mae nhw yn o sownd tua'r Hendre 'na – yn ffyniannus a di-ddyled
Mae o'n hen foi reit sownd – yn ddibynadwy ac egwyddorol
Mae 'na ddafad yn sownd mewn mieri – wedi ei dal yn y mieri a methu torri'n rhydd
Roedd hi reit sownd tua'r capal – pentwr wedi mynychu'r cyfarfod
Defnyddid ***reit gyfa*** yn yr un modd â ***sownd***.

Plant neu **gywion gwyllt** – plant anghyfreithlon. Hefyd dywedir **plant siawns**. Cofiaf un cymeriad o Ros-y-bol na allaf ei enwi wrth gwrs, yn ymhelaethu ar y dywediad hwn pan ofynnwyd iddo faint o blant oedd ganddo: **dau ddof a thri gwyllt**.

Garw – nid cwrs, bras aflednais, na chras ond gydag ystyr anwesol – **un garw ydi'r hen Wil** – sef dweud fod Wil yn gymeriad, neu'n weithgar, neu'n annwyl fel **hen gymeriad go arw** am rywun efo cymeriad lliwgar neu enwog. **Un garw am ei waith** sef rhywun dygn a gweithgar.

Ceid **cysgod garw** am sied agored mewn cae lle y cysgodai gwartheg adeg y gaeaf. Soniai'r diweddar Tecwyn Owen, Rhiwmoel Fawr, Rhos-y-bol am ei dad yn codi **cysgod garw** i wartheg stôr, sef codi sied allan o shitiau sinc (*corrugated iron*) yn y caeau. Clywais fy nhad yn sôn am amaethwyr gorhyderus o'r farchnad wartheg yn syth ar ôl y Rhyfel Byd Cyntaf yn stocio'n ormodol ar wartheg stôr ac 'fel ffyliaid yn codi **cysgodion garw** i aeafu'r gwartheg', yn syth cyn cwymp mawr 1923.

Clewtan, cliwtan – darn neu lwmp helaeth ydi **clewtan**, y cynaniad yn newid o ardal i ardal ym Môn. **Clewtia** neu **cliwtia** yw'r lluosog. **Clewtan** o fechdan, **clewtan** o garrag, **clewtan** o ddynas nobl. Neu i ddyfynnu *Iaith Sir Fôn* yr Athro Bedwyr Lewis Jones, 'torri ŵy ar ymyl y badell a'i ollwng **yn glewtan** i'r saim', h.y. yn un talp. Hefyd clywid am rywun yn **disgyn yn glewtan**, fel 'Mi faglis i dros hen wreiddyn eithan a **disgyn yn glewtan**.' Hynny ydi, disgyn yn ddiymadferth a thrwsgwl heb rybudd na chyfle i geisio achub ei hun.

Clwff (**clyffia**) – fel **clwff o fara** neu ddarn trwchus o fara.

Ar adegau, clywid **clyffyn o fara**, fel bachigol i clwff. Neu dywedid wrth ganmol cogyddes dda, 'O's na jans i gael **clwff o fara** efo'r ogla da 'na sgynno chi?' – fel bod oglau'r bwyd mor dda, buasai'n fodlon ar ddim ond clwff i fynd efo fo.

Clindran – twrw ffrïo mewn padell pan mae becyn neu wy yn ffrio yn swnllyd mewn môr o swigod saim. Chwadal fy nhad ers talwm, 'Braf ydi dod i mewn am frecwast ar ôl rhyw awr neu ddwy o borthi a sŵn y becyn yn **clindran** yn y badall yn codi blys bwyd ar rywun.'

Caea' cadw – caeau glas wedi eu neilltuo i gadw yn wair neu i'w cadw ar gyfer tyfu'n boriant i droi gwartheg allan iddynt yn y gwanwyn, neu i ddefaid newydd ddod ag ŵyn bach. Gelwid nhw'n **gaea' cadw** achos cedwid da byw rhag pori ynddynt.

Peswyn – gair Môn am us (*chaff*). Clust y grawn a adawyd ar ôl wrth ddyrnu, a ddigynnai o fol y dyrnwr mawr. Gwaith y gwas bach oedd clirio **peswyn** efo picwach neu gribin wair wrth ddyrnu, a'i hel i sachau i'w gadw yn ddefnydd gwely i foch bach a ieir. Defnyddid **peswyn** hefyd i ddisgrifio gwair mân a hadau gwair ar waelod y **bing** lle storid gwair i'r buchod. Gorchymyn a gawn yn gyson gan fy mam cyn i mi ddod i'r tŷ ar ôl bod yn porthi oedd i lanhau'r **peswyn** oddi ar fy nillad.

Lafrwyn – cymysgedd o wair a brwyn wedi ei godi a'i fedi oddi ar gorstir. Porthiant israddol iawn oedd lafrwyn, oedd yn prin gynnal anifail yn y gaeaf. Arferid yn yr hen oes fwydo gwartheg stôr ar lafrwyn ac ychydig o geirch, dim ond i'w cynnal drwy'r gaeaf heb ddisgwyl iddynt besgi. Defnyddid lafrwyn main, hynny ydi heb flodau arno, i wneud rhaffau gwair efo **pren rhaffa**, teclyn o goed efo sgriw hirben i wehyddu **rhaffa main** ar gyfer cadw to tas yn ei le.

Pigsofl – chlywais i fawr neb ar ôl fy nhad yn defnyddio'r gair hwn. **Gwair ifanc** a ddywedai pobl fengach. Hwn yw'r gwair gorau a mwyaf maethlon o'r cnwd cyntaf un o wair a dorrwyd o gae wedi ei ailhadu yn ddiweddar. **Pigsofl** neu **wair ifanc**, a oedd yn gyson yn destun ffrae rhwng y porthwr a'r ceffylwr.

Gwair Mehefin, gwair Gorffennaf a gwair Awst – heblaw'r pigsofl neu wair ifanc, **gwair Mehefin** yw'r gwair gorau, yn uchel iawn mewn protin. 'Mae llond picwach o wair Mehefin werth llond nithlan o wair diweddar,' chwadal Tomi Ifas, Tan Lan, Bodorgan bob amser. **Llond het** meddai eraill. h.y. ychydig ohono sydd ei angen. Roedd **gwair Gorffennaf**, y prif gynhaeaf fel arfer, a chaniatáu tywydd ffafriol, yn wair o safon uchel, ond heb gyrraedd safon **gwair Mehefin**. Dywedid nad oedd **gwair Awst yn ddim gwell na gwellt** – gwair bras a choesog oedd fel arfer yn **gribinion** ar ôl lladd ysgall. Erbyn Awst, mae glaswelltyn wedi **hedag**, mynd yn llawn hadau efo deilen arw a choesyn caled.

Blaenion y borfa – y borfa orau bosib ar ôl iddi gael ei chadw dros y gaeaf, yn **bigsofl** neu'n **adlodd**, y twf trwchus maethlon o wair ifanc ar ôl i wair gael ei gario. **Troi gwartheg allan i flaenion y borfa** oedd pori'r blaenion am y tro cyntaf. Neu **rho'r defaid deuoen ar y blaenion**, fel y gorchmynnodd fy nhad i mi ers talwm, er mwyn i'r defaid gydag efeilliaid gael gwell tamaid i **flitho** (llaetha yn drwm).

Twtjis neu twtjins – (*touchy*). Câi hwn ei ddefnyddio i ddisgrifio rhywun mewn hwyliau drwg, neu yn fregus, hydeiml, croendenau, neu sensitif. Mae'n dal i gael ei arfer ledled yr Ynys. Cofiaf fy nain Kate Owen yn dweud, 'Welish i 'rioed ddynas mor **dwtjis**' am ddynes oedd yn hawdd iawn pechu yn ei herbyn. Hefyd dywedir, 'Mae hi'n **dwtjis** iawn o gwmpas y tŷ' (*houseproud*). Defnyddir hefyd i ddisgrifio rhywun ffwdanus a thrafferthllyd fel 'dyn **twtjis** iawn efo'i betha, mae'n gwbod lle mae bob hoelan.' Enghreifftiau eraill:

Peth twtjins iawn ydi'r hen injans moto beics 'ma – h.y. yn gymhleth ac eisiau cyffyrddiad trachywir.

Mae'i iechyd o reit dwtjins, yr hen galon 'di'r drwg – wrth drafod gwaeledd.

Croendena fel pwdin reis! – am rhywun *twtjins* ohono'i hun.

Yn grimpan – o'r gair **crimpio**, sef sych, caled, brau (*crisp, brittle*) i ddisgrifio rhywbeth yn mynd yn hynod o grimp wrth gael ei goginio neu sychu yn yr haul. Fel **mae'r cinio wedi llosgi'n grimpan**. Byddai fy nhad yn dweud, 'Waeth gen i heb na chael brest saim (*breast of lamb*) os nad ydi hi'n **grimpan** rhwng bechdan.' Neu, am wair ar lawr heb ei gario, 'Fydd rhaid bêlio'r gwair 'ma reit handi yn y gwres 'ma neu fydd o yn rhy **grimpan**.' Defnydd arall oedd ynghylch dillad yn sychu ar lein ddillad: **mae'r dillad 'ma'n grimpan sych**. Yn Rhosyr, defnyddid y gair am ddynes sych a diserch, fel **hen grimpan annifyr**.

Sanshws – O '*sandshoes*' yn Saesneg mae'n debyg, sef *pumps* neu *trainers*. Byddai plant yn gwisgo'r rhain yn yr haf i sbario eu hesgidiau lledr gorau.

Rotshwn – fel **welish i 'rioed rotshwn beth o'r blaen**. Weithiau dywedid **ratshwn**. Ffordd lafar arall o ddweud 'welish i erioed ffasiwn beth'.

Llyfrïa – rhywbeth wedi ei rwygo'n dameidiau yw un ystyr.

Clywais Robat Williams Crydd yn dweud hanes ymrafael bythgofiadwy rhwng Jac Fawr Pencefn Bach a chlamp o dincar o Wyddel ar ddiwrnod marchnad Llannerch-y-medd, a'r ddau yn ei galw'n gyfartal ar ôl dwy awr o ddyrnu, cicio a brathu – 'y ddau yn ysgwyd llaw, yn 'stillio gwaedu a'u dillad nhw'n *llyfrïa*.' Neu enghraifft arall yw 'Mi dynnodd y tŷ 'ma yn *llyfrïa* wrth drio cael hyd i'w gap gorau.

Treulia' – gair Môn am *berfedd* yn gyffredinol, boed yn *tynnu treulia' mochyn* wedi'i ladd o, neu 'ma' gen i ryw anhwyldar yn *fy nhreulia'*, rhaid mi fynd at doctor.' Sonnid hefyd am *fynd i dreulia'r dyrnwr i'w drin.*

Wmbrath – fel 'Mae 'na *beth wmbrath* o wair 'leni,' h.y. pentwr mawr.

Tuddad (*tuddedi*) – (*pillow case*), Yn Llŷn, dywedir câs cobennydd, ond *tuddad* ym Môn. *Tuddad cobennydd* a ddywedir ym Môn nid *tuddad clustog. Cobennydd* sydd ar y gwely a *chlustog* ar gadair.

Sbarblins neu *briblins* – tatws bach iawn. Dywedid am fferm wael iawn, 'Fasa ti ddim yn tyfu *briblins* o honna.' Hoff fwyd John Williams Ynys Groes oedd '*Sbarblins* o datws newydd yn 'u crwyn efo talp o fenyn a thafall o fecyn cartra'n grimpan o'r badall.'

Rhithod – tatws mân ynghyd â thatws iselradd a gedwid o'r neilltu ar ôl didoli tatws yn y sgubor ar dywydd glawog ar ôl cynhaeaf codi tatws. Berwid y rhithod yn y tŷ berwi a'u cymysgu â blawd haidd i besgi moch.

Sglagardio/ Sgraglardio – malu rhywun neu rywbeth yn ddarnau mân – e.e. *mi sglagardia'i di'r diawl bach.* Neu clywid am rywun yn **sglagardio** corpws cyw iâr wedi ei rostio ac wedi mynd yn oer, h.y. ei sgragio gyda'i fysedd. Yn ei ystyr wreiddiol roedd y gair **sglagardio** yn cyfeirio at falu darn mawr o **shiwat** (*suet*) yn friwsion er mwyn coginio gydag ef. Roedd **sglagardio** yn cyfeirio hefyd at roi andros o stîd/cweir i rywun.

Torri partnars – dau gyfaill agos wedi syrthio allan â'i gilydd, **mae nhw wedi torri partnars**. Neu yn achos cyfeillion mynwesol pan fo un wedi mynd ar drywydd caru'n glos, eu bod **wedi torri partnars**. Enghraifft arall oedd ymhlith gweision fferm, fel 'Rhaid i chi **dorri partnars** heddiw, dwi angan i Wil ddod i gerdded gwartheg efo fi a cei ditha Twm wneud y porthi dy hun.'

Wampio, wamp, ailwampio – gair brodorol cyffredin sy'n golygu glanhau, trin, twtio, atgyweirio, cwblhau gwaith, altro, gwella ac yn y blaen. Dyma rai enghreifftiau:

'Ella gai ffatsh i **wampio'r** llofftydd pnawn ma' – fel y dywedai fy nain ers talwm, yn golygu efallai y câi gyfle i lanhau a thwtio'r llofftydd.

'Doro **wamp dda** i'r drol efo brwsh a digon o ddŵr ar ôl darfod cario tail, er mwyn i ti ei chael hi'n lân i gario rwdins pnawn ma' – h.y. ei glanhau yn drylwyr.

'Mae drysau'r cytiau 'ma wedi mynd ddigon gwael, mi gâi Wil Owen Saer i'w **wampio** nhw cyn gaea' – cael saer i ddod draw i'w trin.

'Mi awn ni ati i roi **wamp** iawn i'r cae 'na ar ôl te' – rhoi pwcs caled o waith ar y cae.

Hefyd defnyddid **wampiad**, 'rho rhyw **wampiad** arall iddo efo'r og fawr.'

Aed – (sef **'haid'**) – fel **mynd yno'n un aed**, sef yn un haid, yn bentwr, mynd fel un dyn, mynd fel un gŵr. Fel y dywedodd Robat Williams Crydd, 'Pan oedd hi'n ddiwrnod ffair tua'r Llan, roedd hi'n wylia ar bawb ar ffarm ac roeddynt yn mynd *yn un aed* am y ffair, y gwas bach a phawb.' Neu yn fwy diweddar, 'Pan aeth Ieuan Wyn i fyny drosta ni yn 1987, roedda ni gyd *yn un aed* yn Sgwâr Llangefni, wedi llogi bws o'r Llan.'

Mynd i fyny – yn yr ystyr cael ei ethol dros etholaeth Seneddol neu fel cynghorydd i awdurdod lleol. Fel 'O'n i yn Llangefni pan aeth Ieuan Wyn *i fyny* drosta ni yn Sir Fôn.' Neu yn ôl un o straeon fy nhad, pan aeth ei ewyrth Bob Jones i *fyny* mewn etholiad yn yr 1930au cynnar. Roedd yn hen Ryddfrydwr hynod o radical ac ar y chwith o'r canol, ac er yn amaethwr canolig gyda cheiniog neu ddwy wrth gefn, roedd yn frwd iawn dros undebau llafur gweision fferm a buddiannau'r werin-bobl llai breintiedig. Chwadal fy nhad, 'Pan glywon nhw yn y Crown, Llanfechell, mai D'ewyrth Bob *aeth i fyny* dros ŵr y Brynddu (y Tori), mi neidiodd un hen gymeriad hyd y trawstia a malu'r lamp efo'i ben. Mi fotiodd pawb iddo fel un gŵr.'

Llybindio neu *llybeindio* – aflonyddu ar, pryfocio, cam-drin, herio, plagio, chwarae triciau. Yn aml iawn pan oeddwn yn blentyn cawn gerydd â chadach llestri am *lybindio* hychod Ifan Foel Bach – h.y. dywedid y drefn wrthyf â dos giaidd o'r cadach llestri, a oedd fel chwip syrcas yn nwylo fy nain. Mi daerwn y gallai'r hen wraig ddiffodd cannwyll dwy lath i ffwrdd mor fedrus oedd ei haneliad. Rhybudd fy nain inni yn blant, yn wyrion direidus iddi, oedd 'Peidiwch â *lybindio*'ch gilydd bob munud, mi fydd chwara'n troi'n chwerw yn o fuan.' Ac roedd hynny'n wir bob gafael.

'Roedd hi'n arferiad yma yn y Llan *lybindio* pob plisman newydd,' meddai Robat Williams Crydd, 'tan y gwelsen ni sut ddyn oedd o. Os oedd o ddigon o ddyn i atab i **slensio** (h.y. derbyn yr her i gwffio) roedd yn cael parch. Ond os ma un dan din a dipyn o gachwr oedd o, mi ga'i ei **lybindio** i gythral.' Cafodd sawl heddwas a fu'n gwasanaethu yn y Llan ei lybindio'n o arw, ei blagio gyda thriciau a'i erlid. Ond i hogia Llan, roedd heddwas a oedd yn fodlon ateb i slensio yn gydradd â nhw ac yn haeddu parch a chyfeillgarwch.

Slims, slimio – yn debyg iawn i'r hen ddywediad, **hitio'r post i'r parad glwad**, neu ddweud rhywbeth yn anuniongyrchol wrth rywun drwy gyfrwng unigolyn arall fel awgrym, rhybudd neu *hint*, e.e. amaethwr yn dwrdio'r gwas bach am sefyllian a siarad er nad y fo oedd y prif droseddwr, ond trwy ei gerydd roedd yn rhoi rhybudd i'r gweision eraill. Yn aml mae slims yn sylwadau pigog, creulon a chas gydag elfen gryf o edliw a chodi crachod. Byddai pobl Môn yn sôn am **daflu slims**, a chyfrwng cachgi yw taflu slims yn hytrach na siarad yn strêt efo rywun. Pan oeddwn yn byw ar y tir mawr, roeddwn wastad yn derbyn slims, fel 'Tydi pobl Sir Fôn ddim 'run fath â ni, mae 'na sôn am Foch Môn, 'does?', ac yn y blaen yn ddiddiwedd.

Pwmpio – taflu cerrig, peli eira neu unrhyw beth y gellid ei daflu yn lliaws ac yn rhwydd. **Pledu cerrig** a ddywedir ym Môn am daflu cerrig, ond **pwmpio** yw taflu llawer o gerrig yn frwd ac yn fuan, fel cawod o gerrig. Mae ystyron eraill i **pwmpio** hefyd. Gellir dweud **pwmpio mynd** am rywun yn reidio beic gyda'i holl egni. Clywais Twm Bach y Blodau, a oedd wedi ennill nifer o wobrwyon am rasio beics yn ifanc, yn disgrifio ras beics o Borthaethwy i Gaer ac yntau yn ei hennill, 'Resar Raleigh gen i, a finna'n **pwmpio mynd** ar y blaen yr holl ffordd.' Ystyr arall yw holi rhywun yn daer mewn sgwrs, neu i roi syniadau yn ei ben, fel 'Mae Wil Jones yn dod yma heno, peidiwch â phoeni, fydda i wedi **pwmpio**

digon arno fo, fydda i bownd o gael yr hanes i gyd.'

Bownd, yn bownd – yn bendant, sicr, diamheuaeth, heb os nac oni bai. Fel 'Mae hi'n **bownd** o fwrw glaw fory' neu 'Mae o **bownd** o alw yma fory.'

Eurw corn (**eurw** ydi gair Môn am **aerwy**, sef cadwyn haearn i rwymo anifail yn ei stôl). Dull arall o **gloffrwm** neu lyffethar i atal gwartheg barus rhag torri terfynau lle rhwymid un ai eurw gadwyn (haearn) neu raff o gyrn yr anifail a wedyn i'r droed. Roedd hyn yn galluogi'r anifail i bori'n ddidrafferth ond yn ei rwystro rhag dringo cloddiau neu neidio drostynt.

Llaeth a llefrith – defnyddir y ddau enw ym Môn, ond i wahanol bwrpas. Dywedai'r hen do **jwg laeth** ond byddid yn gofyn, 'Ydach chi eisiau chydig o **lefrith** yn eich te?', byth: 'Ydach chi eisiau chydig o **laeth** yn eich te?'

Mae amaethwr yn **gwerthu llaeth**, ond yr adwerthwr sy'n **gwerthu llefrith**. Hefyd **dyn llefrith** sydd yn ei werthu i'r cyhoedd. **Buwch laeth** ydi buwch sydd yn cael ei chadw ond i odro, a fyddai neb yn dweud **buwch lefrith** amdani. Defnyddid can **llaeth** a **chan llefrith** (*milk churn*), neu **bwcad laeth** a **phwcad lefrith**.

Tŷ llaeth oedd y '*dairy*', byth tŷ llefrith. Sonnid am fuwch yn **llaetha**, a **buwch laethog** neu **flith** oedd buwch yn cynhyrchu llefrith yn dda.

Pwdin llefrith a ddywedid, byth pwdin llaeth. Rheol syml yw bod llaeth o'r tŷ llaeth yn troi'n llefrith wrth gyrraedd y tŷ.

Roedd **tatws llaeth** a **bara llaeth**, lle tywalltid **llaeth enwyn** (*buttermilk*) dros datws neu fara. Ond **bara llefrith** ydi llaeth cyfa' neu laeth ffres wedi ei dywallt dros fara efo mymryn o siwgr drosto.

Er yn llefrith, sef llaeth cyfa neu ffres, ni ddywedid **rhoi llefrith i'r lloia**, ond yn hytrach **llaetho'r lloia** neu **rhoi llaeth i'r lloia**. Rhaid i mi anghytuno â R.C. Pierce a J.H. Roberts yn *Termau Amaethyddol Môn* ynghylch y gair **llithio**, gydag ystyr rhoi diod i fuwch neu lo (buchod rhyfedd iawn fyddai angen llaeth!). Dywediad o Arfon, Llŷn ac Eifionydd ydi **llithio lloia**, ac ni chlywais neb erioed ym Môn yn defnyddio'r dywediad hwn.

Mathau o laeth a llefrith, a gwneud menyn

Llaeth tor – **llaeth llo bach** (*colostrum, beestings*) sef llaeth trwchus, gludog, melyn-dywyll cyntaf y fuwch ar ôl dod â llo, a gynhyrchith am 3 neu 4 diwrnod cyn iddo ddod yn llaeth cyffredin. Mae **llaeth tor** yn angenrheidiol i'r llo bach, a phob mamal arall, nid yn unig oherwydd ei faeth arbennig ond am ei fod yn llawn o wrthgorffynnau (*antibodies*) sy'n cadw'r ifanc rhag salwch. Arferir o hyd roi ychydig o **laeth tor** i ŵyn bach gwan, newydd eu geni, pan mae'n rhaid eu bwydo â llaw (gyda llwy, neu botel â theth). Heddiw mae llawer o amaethwyr yn ymofyn **llaeth tor** gan amaethwyr llaeth a'i rewi ar gyfer y cyfnod wyna. Defnyddid y **llaeth tor** hefyd i wneud danteithfwyd ar y fferm, sef **pwdin llo bach**, wedi ei bobi mewn dysgl yn y popty. Roedd yn debyg i gwstard ŵy trwchus ac yn flasus dros ben.

Llanw y Blith – yn ystadegol, yn ôl gwyddonwyr ac arbenigwyr cynhyrchu llaeth, mae buwch yn cynhyrchu 50% y cyfanswm o laeth a gynhyrcha yn ystod ei chyfnod o laetha rhwng dod â llo ac o fewn y 3 mis cyntaf. Disgrifiai Annie Prydderch, fy hen fodryb, a fu'n cadw 7 neu 8 o fuchod godro ac yn gwerthu'r llefrith i bobl y pentref, y cyfnod llaethog hwn fel **llanw y blith**. Er mwyn iddi gael cyflenwad cydradd a chyson o laeth, roedd rhaid cael rhai o'r buchod i ddod â lloi yn y gwanwyn a rhai ar Glangaeaf. Yn ôl fy nhad, roedd hynny'n eithriad yn hytrach nag arferiad yn yr hen gyfnod. Er cadw dwy neu dair o fuchod i ddod â lloi Glangaeaf er mwyn cynhyrchu menyn ffres pan oedd yn brin, roedd y mwyafrif helaeth o fuchod godro a sugno yn dod â'u lloi yn Ebrill/Mai a chychwyn **llanw'r blith** ar y borfa newydd a maethlon ym mis Ebrill i ganol Mehefin. Roeddynt yn cael y cynnig cyntaf ar *flaenion y borfa*, yn enwedig ar y **pigsofl** a'r **caea' cadw**. Byddai'r porfeydd maethlon hyn yn cynhyrchu moroedd o laeth heb angen bwydo'r buchod ar **fwyd minshar** – blawd, haidd, ceirch, ac yn y blaen, a dim ond ychydig o **ebran** (bwyd minshar, sach, neu bwced) oedd ei angen, dim ond i'w cadw yn llonydd adeg godro – chwadal Twm Jones y Tyddyn, yn ei agwedd ofalus a charedig o'i holl dda byw – 'Pinshiad o **ebran** yn y minshar i bob un dan ei godro i ddangos bod ni'n dal yn fêts o hyd.'

Roedd yr hen do yn arbenigwyr ar hwsmonaeth porfa yn eu ffordd o gadw'r safon uchaf yn ddidoriad o Ebrill i Hydref, sef bod porfa ddeiliog a chynhyrchiol Mehefin yn gildio heb doriad yn safon y maeth i borfa **loferus** (*clovery*) pan oedd porfa wedi ei rhoi o'r neilltu ar gyfer y mis yma yn drwchus o'r *feillionen* (*red clover*). Bellach mae hon wedi gildio tir i'r **feillionen wen** sy'n frodorol o Seland Newydd ac yn llai bras, mwy deiliog a chynharach (mis Mehefin cynnar ymlaen).

Pan fyddai arafu ychydig ar lanw'r blith, fe ail-symbylid y cynhyrchiant llaeth ar yr **adlodd**, ail dyfiant ifanc a maethlon y meysydd gwair ar ddiwedd Gorffennaf wedi i'r gwair gael ei gario i mewn, a'r caeau wedi cael cawod o law i'w *ffresho* ac wythnos neu ddwy o lonydd i aildyfu'n drwchus. Wedi'r **adlodd gwair** ac ychydig o bori porfa Awst, ceid **adlodd yr ŷd** a oedd yn ddiwahân yn **bigsofl** newydd o hadau gwair wedi eu hau ym Mawrth/Ebrill yn syth yn y **mwydion** ar ôl hau ŷd.

Ffyrnigid, neu symbylid tyfiant glas y porfeydd, yn enwedig y pigsofl, gan **ail hin Medi**, h.y. cyfnod ffrwythlon Medi i ganol Hydref, sy'n dod efo'r hindda gymedrol a'r glaw ysgafn a elwir yn *second flush* yn Saesneg, sydd fel ail wanwyn y borfa. Adlewyrchid cyfnod yr ail hin yn yr **ail flith** o laeth, yn codi at benllanw arall ond heb fod mor gynhyrchiol â **blith llanw Ebrill-Gorffennaf**. Wedi hynny, wrth gwrs, ar wythnos Ffair Borth (24 Hydref) cedwid y buchod godro i mewn am y gaeaf a'u bwydo ar wair a'u **hebran** ar fwyd minshar tan ddiwedd mis Mawrth. Trwy'r dull hwn o hwsmonaeth ofalus, a phorthiant uchel ei safon, cedwid cyfnod llaetha buchod i redeg tan ymhell ar ôl y Calan, pryd yr **hesbid** y buchod i ddarfod cyfnod y llaetha a chael seibiant i *fagu cas*, neu *fagu cefn*, neu adennill cyflwr corfforol cyn dechrau **twddu**. Pan fyddent ar gychwyn twddu yn magu pwrs, neu'r pwrs llac yn llenwi, bwydid hwy yn hael ar **hebran** neu *fwyd minshar* i'w **pwrsu** (*steaming up*) i ddatblygu'r pwrs a rhoi cychwyn da i'r llaetha nesaf.

Doedd dim system o gadw Cofnodion Cynhyrchu Llaeth i bob buwch unigol fel heddiw ond yn ddiamheuaeth, yn ôl y pwysau aruthrol o fenyn a gynhyrchid ar bob fferm a'r hwsmonaeth drylwyr a gofalus o'r poriant a phorthiant, roedd yr hen fridiau cefn gwlad llawn mor llaethog â Friesians hollbresennol yr oes hon.

Yng nghyfnod Goronwy Owen, a chynt, cofnodwyd mewn

croniclau morwrol mai prif allforiad Môn, ac eithrio mwyn copr a phlwm, oedd menyn, yn ei gannoedd o dunelli'n flynyddol. Ac ar ôl hanner canrif o arbrofi efo'r dulliau gorau o gynhyrchu llaeth ym Mhrydain, maent wedi dychwelyd at yr hen ddull traddodiadol ac effeithiol hwn.

Y godro – roedd yr hen do yn hynod o lanwaith wrth drin llaeth ac wrth odro. Erbyn heddiw mae'r **garged** (*strepococcal mastitis*) yn weddol gyffredin o achos godro efo peiriannau godro a hynny'n frysiog, ond nid oedd mor gyffredin â hynny yn ôl fy nhad ac eraill pan oedd buchod yn cael eu godro efo llaw, a dim hen laeth yn cael ei adael ar ôl yn y pwrs i'r haint fagu arno. A doedd dim dolurio croen sensitif a bregus y deth wrth odro efo llaw. Eisteddai'r **porthwr** (a'r buchod godro oedd ei diriogaeth a'i esgobaeth gadarn ef) ar stôl gron dri-throed, bob amser ar ochr chwith y fuwch a'i ben yn gorffwys ar ei bol (a phig ei gap wedi ei droi at ei war rhag creu anesmwythyd i'r fuwch. Cap tu ôl ymlaen oedd porthwr yn ei wisgo bob amser). Wedi golchi'r tethi a'r pwrs efo dŵr cynnes, fe âi ati i odro efo'r bwced laeth rhwng ei goesau yn dynn. Godrid y fuwch trwy dynnu i lawr ar y tethi efo bys a bawd, neu ddau fys a bawd gan ddefnyddio'r ddwy law bob yn ail i greu rhythm.

Gelwid y llaeth cyntaf o bob teth yn **flaenion** (*strip milk*) oedd ddim mor hufennog â'r gweddill. Roedd pawb gyda'i fuwch neu ddwy fuwch gynefin a chynorthwyid y porthwr gan wraig y fferm a'r morynion, ond y porthwr oedd â'r awdurdod. Gwaith y gwas bach oedd casglu'r blaenion gan bawb ar gyfer y moch neu'r lloi gan nad oedd yr ychydig flaenion yn cael eu defnyddio i wneud menyn.

Wedi godro'r **blaenion** a'u gwagio, fe odrid yr **armel**, sef yr ail a phrif laeth y godro i gyfeiliant grwnan canu i rythm y llaeth yn taro'r bwced i liniaru a llonyddu'r buchod – roedd canu i'r buchod yn ddefod, bron. Wedi godro'r armel, rhaid oedd **tical** y pwrs, hynny ydi, tylino y pwrs yn berffaith wag o bob diferyn o laeth a'i odro allan. Hefyd **tical** oedd yr enw ar y llaeth olaf yma.

Hidlen – neu **hidlan** ym Môn, neu y **rhidlan**. Llestr pren crwn (a metel yn ddiweddarach) oedd hon yn wreiddiol yn culhau i wyth neu naw modfedd yn ei gwaelod, lle rhoddid dau blât rhidlan. Platiau tenau o fetel oedd y rhain efo dwsinau o dyllau mân ynddynt: gosodid **rhidall** (*filter*) o fwslin rhyngddynt a'u dal yn ddiogel yn eu lle gyda **cholar** (clip crwn o wifren ddur ystwyth) yng ngwaelod y rhidlan. Gosodid y rhidlan yn ei ffrâm a oedd yn ffitio yn drachywir ar draws y stên, sef llestr pridd enfawr, wedi ei enamlo y tu mewn, a thywelltid y **llaeth ffres** drwy'r rhidlan i'r stên, gan adael ar ôl bob blewyn rhydd neu damaid o faw.

Llestri pridd cadw llaeth – nid oes gen i fesurau o'r rhain ond o gofio yn fras, tybiaf y byddai stên yn dal 12-15 galwyn o laeth. Hwn oedd y llestr mwyaf, wedyn y **cunnog**, y **godart**, a'r lleiaf un oedd y **stwnt**.

Llaeth cadw – **llaeth ffres** oedd hwn neu'r **llaeth newydd** yn syth ar ôl ei hidlo i'r stên, a chedwid ef yno am rai dyddiau (yn dibynnu ar y dywydd) i **geulo**, hynny ydi i dwchu a dechrau troi'n **llaeth crych** yn barod i'w droi'n fenyn.

Corddi a thrin menyn – o gof plentyn yr wyf yn ceisio disgrifio'r broses o drin menyn, pan oeddwn yn mynd i Ynys Groes, gan nad oeddem yn gwneud menyn adref ers cyfnod fy nhaid tadol yn yr 1940au. Yn gryno, wedi i'r llaeth **geulo**, tywelltid ef i'r **corddwr**. Yr unig un roedd gen i brofiad ohono oedd **corddwr casgan** (*end over end churn*), sef casgen â chaead efo clipiau sgriwio i ddal y caead yn dynn yn ei le a gwasgu'n dynn y cylch rwber tu mewn i'r caead i selio'r gasgen. Eisteddai ar ffrâm gref o goed yn cydbwyso ar ddau dderbyniad echel crwn. Ffitiai'r echelion o'r gasgen i fewn i'r rhain, ac ar ochr y gasgen, roedd handlen ddur efo llawes bren. Troid yr handlen yn rymus nes i'r gasgen gyflymu din dros ei phen yn gynt na wêl y llygaid am gyfnod hir i wahanu'r **llaeth crych** yn ronynnau menyn ac yn llaeth enwyn.

Roedd mathau hynach o gorddwyr a elwid yn **fuddai** a llu o wahanol fathau ohonynt fel y fuddai gnoc a oedd fel crud pren caeedig a **buddai gwyntyll** ar ffurf casgen gul ei cheg â chaead efo coes bren hirgrwn yn mynd drwy dwll yn y caead gyda gwyntyll o goed derw arno i guro'r llaeth i dorri. Gelwid y gwyntyll yn **asgell gorddi** neu'n **wyntyll gorddi**.

Wedi gorffen corddi, gelwid y gymysgfa o ronynnau menyn, sef yr hufen trwchus mewn talpiau a llinynnau a'r llaeth enwyn yn laswyn a dyfriog (neu, fel y clywais yn Hafodllin Fawr, Amlwch y **llaeth glas**) yn **llaeth torri**.

Wedyn defnyddid y **noe** a'r **straenar** (neu **rhidlan gorddwr**). Maint soser oedd y straenar ac o siâp soser efo'r ymylon yn codi, a niferoedd o dyllau mân iawn i **hidlo** neu **ogrwn** y llaeth torri. Llifai'r llaeth enwyn tenau drwyddo yn rhwydd gan adael ar ôl y gronynnau menyn amryw siâp a maint hyd at y manaf ronyn. Wedyn gwegid ef i'r **noe**, dysgl bren denau a oedd yn dal y mwyafrif o'r gronynnau llaeth un corddiad. Wedi hynny, defnyddid **adan dyrru** (darn tenau hirsgwar a handlen o'r un darn o goedyn) i wasgu gronynnau menyn yn y noe a chodi y mymryn llaeth enwyn i'r wyneb a'i gantio'n ôl i'r corddwr. Wedi gwneud hyn yn drwyadl, roedd y gronynnau menyn yn hanner eu maint a gelwid nhw'n **fenyn noe** neu **fenyn gwlyb**. Trosglwyddid y menyn noe i'r

llechan menyn neu'r **bwrdd llechan** a oedd yn llechan hirsgwar tua thair modfedd o drwch efo wyneb esmwyth; wedyn i gwd o fwslin a'i glymu'n dynn – efo'r **adan dyrru** y trosglwyddid y **menyn noe** i'r mwslin. Cydid wedyn mewn dwy adan dyrru a **gweithio'r menyn**, hynny ydi ei wasgu bob siâp yn egnïol ac aml nes oedd y tropyn lleiaf o laeth enwyn wedi ei ryddhau. Wedi glanhau'r llaeth enwyn oddi ar y **llechan menyn**, yna golchid y menyn yn y cwd mwslin drwy ei orchuddio mewn **cunnog** o ddŵr glân a'i **glino** (*tylino – knead*) rhwng bys a bawd bob llaw i olchi i ffwrdd bob tras o'r llaeth enwyn. Wedi ei grafu allan o'r mwslin ar wyneb y llechan, fe'i tyrrid gydag aden dyrru, hynny ydi ei wasgu yn denau a **hau halen** yn gynnil hyd-ddo a'i dyrru yn flocyn hirsgwar ac yn *fenyn ffres* llawn a pharod i'w **stampio**.

Stampio – stamp oedd powlen bren tua tri chwarter modfedd o drwch gyda thwll crwn yn ei gwaelod a thrwy hwn y rhedai coes gron o bren yn diweddu mewn disg gron lydan efo stamp arni. Ar wyneb y stamp, roedd lluniau cerfiedig o wahanol bethau fel mefus a dail, pen buwch, brig o geirch ac yn y blaen, a phob fferm efo'i stamp ei hunan yn nod i ddangos o ble y daeth. Llenwid y **bowlen stamp** â menyn gydag adan dyrru a gosodid y llestr dros wyneb papur cigydd a phlymio'r goes i lawr a rhyddhau'r menyn mewn torth gron efo'r **stamp** ar ei ben. Roedd **stampiau** pwys, hanner pwys a chwarter pwys.

Sgaldian – cyfeirid at yr holl gelfi a oedd yn ymwneud â godro a thrin menyn fel **llestri – llestri godro** a **llestri corddi** neu **lestri llaeth**. Yn y dyddiau cyn cemegau diheintio, y dull o steryllu (*sterilize*) y llestri yn burlan oedd eu **sgaldian** mewn dŵr berwedig – nid dŵr poeth, ond dŵr berw agerllyd chwilboeth i doddi ymaith bob gronyn o **gaws** (*gronynnau menyn* neu *laeth* wedi caledu neu a oedd yn haenen seimllyd). Roedd pob llestr yn cael y driniaeth hon heblaw'r stôl odro – hyd yn oed y **pwcedi lloia**. Wedi gwneud hynny, rhoddid y llestri i gyd mewn **seston** (*cistern*) o waith brics wedi ei blastro yn llyfn oddi mewn i'r tŷ llaeth, a'u gorchuddio â dŵr oer glân wedi ei gymysgu â hylif o ddŵr berwedig a dau neu dri phwys o grisialau **soda** wedi ei doddi ynddo. O achos safon y glanweithdra, anghyffredin iawn oedd i gwsmer gwyno fod y menyn yn **sur**, hynny ydi, wedi mynd yn ddrwg o achos **diffyg trin** (nid **glanhau** neu **llnau**) y **llestri**, nac ychwaith am fod llaeth enwyn heb ei drin allan o'r menyn. Hwn oedd y troseddwr mwyaf oll i droi menyn yn ddrwg, a dyna pam yr holl drafferth i'w dynnu allan.

Menyn ffres a **menyn pot** (neu **fenyn cadw**) – gwerthid menyn ffres wedi'i stampio ar ei union un ai i gwsmeriaid cyson oedd yn glynu at yr un fferm neu ar stondinau yn y marchnadoedd gan **feuliwr**. **Menyn pot** neu **fenyn cadw** oedd **menyn ffres** heb gael ei stampio ac wedi ei roi **ar gadw** (*preserved*) yn un blocyn mawr mewn **celor** (*brine vat*) a'i nofio mewn **heli**. Nid heli môr wrth gwrs ond dŵr glân gyda halen wedi ei doddi ynddo. Rhaid oedd i'r heli neu'r picil fod ddigon hallt i ganiatáu i daten nofio ar yr wyneb heb sincio – dyna oedd y prawf mwyaf cywir wrth baratoi **heli celor** neu **bicil celor**. Pot pridd enfawr oedd celor fel arfer, er bod fy nhad yn cofio **cloria** (lluosog **celor**) wedi eu gwneud o goed ar ffurf casgen neu gist. Wedi rhoi'r blocyn enfawr o fenyn yn y celor, gosodid caead pren tynn iawn drosto a'i selio gyda chwyr a'i storio yn y **briws** neu o dan y **llechan fenyn** yn y tŷ llaeth. Roedd oes hir iawn i fenyn pot neu fenyn cadw, fel cig wedi ei biclo, ac at ddefnydd y tŷ ei hun oedd y menyn hwn adeg y gaeaf, pan oedd llaeth ffres yn brin. Er yn hallt ac angen ei olchi â dŵr glân cyn ei ddefnyddio, hwn oedd ffefryn y tylwyth a'r gweision a'r morynion – rhaid cofio fod ganddynt chwaeth wahanol i ni yr oes yma;

roeddynt wedi eu magu ar fwyd llawer mwy hallt.

Meuliwr (maeliwr, un sydd yn maelio neu fasnachu; *trader*) – roedd yr hen faelwyr ym Môn yn gymeriadau craff ond poblogaidd ar y ffermydd a'r tyddynnod yr un fath. Eu prif waith oedd prynu menyn ffres, wyau a dofednod gan wragedd fferm, a'u gwerthu wedyn ar stondinau yn Llannerch-y-medd, Llangefni a Chaergybi ar ddyddiau marchnad, neu roeddent yn eu hanfon i ffwrdd ar y rheilffordd yn achos wyau. Ychydig o elw a wnaent gan weithio yn ôl yr egwyddor *proffid bach, ond amal* a throi drosodd dipyn o gynnyrch bob wythnos. Nid gweithio ar *sbec* a wnaent, hynny ydi hela bargeinion. Cwsmeriaid cyson oedd y rhain, a dealltwriaeth rhyngddynt a'r gwragedd fferm i brynu'r cyfan oedd yn **wargad** (dros ben) yn rheolaidd bob wythnos. A byddai'r gwragedd fferm yn mynd ati i fagu mwy o ddofednod lladd, a chadw mwy o ieir dodwy ar gyfer y **meuliwr.**

Roedd y rhain yn bod cyn fy nyddiau i, ac yn nes at y cyfnod pan oedd y mwyafrif o ffermydd yn cynhyrchu menyn yn lle gwerthu llaeth a chyn dyddiau'r Bwrdd Marchnata Wyau. Dafydd Jones yr Halan oedd y mwyaf adnabyddus o Ogledd Môn, a bu farw gychwyn yr 1940au mewn oedran da. Roedd yn adnabyddus o achos ei gaseg wyrgam ei chefn, a sonnid tan yn ddiweddar am rywun gyda chefn crwbi neu ysgwyddau gwyrgam, eu bod *fatha casag Dafydd Jones yr Halan.* Cofiai fy nhad yr hen gymeriad yn dda iawn, yn galw'n wythnosol ym Mhen Padrig i brynu menyn a dofednod i'w gwerthu ar ei stondin yn Llangefni a Llannerch-y-medd. Cariai'r hen gymeriad hoffus gyflenwad da o **halan torth** (halen ar ffurf torth a oedd yn frasach na halen siop, ac ar gyfer halltu cig a **menyn pot**) ar ei **gar fflat** (wagen geffyl fechan â phedair olwyn) i'w werthu i'w gwsmeriaid yn ogystal â phrynu eu cynnyrch. Dwy geiniog a dimai'r pwys oedd ei elw ar fenyn, a cheiniog a dimai'r dwsin ar wyau, pan oedd menyn yn y cyfnod yma o gwmpas swllt y pwys a wyau'n chwe cheiniog y dwsin.

Crishwr (**creisiwr** sydd yn *Iaith Sir Fôn* gan yr Athro Bedwyr Lewis Jones) – yn y *Geiriadur Mawr*, nodir y gair fel **careisiwr** (cludwr, *carrier*). Fel **crishiwr** y clywais i'r gair yn cael ei gynanu gan yr hen do, ond nid fel cludwr y disgrifid ei waith. Cofiaf John Williams Ynys Groes, wrth ddanfon tatws a **charainj** (moron) i fy nhŷ efo caseg a char fflat, yn dweud wrth fy nhad, 'Dwi wedi mynd gyn gymaint o **grishwr** tatw ag ydw i o ffarmwr dyddiau yma.' Esboniodd fy nhad mae **crishwr** oedd rhywun oedd yn prynu, cludo efo ceffyl a char fflat, a gwerthu rhywbeth neilltuol fel **crishwr tatws** yn prynu tatws, rwdins, moron ac yn y blaen, a'u hailwerthu o dŷ i dŷ. Pan holais fy nain am y gair, chwarddodd a dweud nad oedd wedi ei glywed ers blynyddoedd (roedd hynny yn 1961). Soniodd am **grishwrs** yr hen oes – crishwrs penwaig, crishwrs pysgod eraill, crishwrs cocos, crishwrs matia morhesg (o Niwbwrch), crishwrs oel (paraffîn), a chrishwrs ffrwythau. Yn wahanol i faelwyr a oedd yn prynu menyn, dofednod a wyau yn unig i'w hailwerthu ar stondinau mewn marchnad, roedd y crishwr yn gwerthu un peth a galw yma a thraw i'w werthu **ar sbec**.

Digon balch a thlawd – 'Sut ydach chi?' a'r ateb **Digon balch a thlawd**. Mae hyn dangos natur ddiymhongar llawer o drigolion yr Ynys (*laid back* neu *modest*). Esiamplau tebyg ydi: 'Sut mae'r tŷ newydd godoch chi?' a'r ateb, 'Iawn am wn i, mi neith y tro'n Duw. Rywla i roi pen i lawr.' Neu wrth roi clod dilys i rywun fel y diweddar Huw Owen, Rhos Engan a gymerodd fferm gleiog a chorsiog a fu'n llan **llwgu** i bawb o'i flaen a'i throi mewn llai na dau ddegawd yn fferm laeth ffyniannus, ceid yr ateb hanner swil, 'Wel mae rhywun wedi rhygnu drwadd ddigon digri rhywsut. Yndi mi ddoth petha i le yn ddigon rhyfadd am wn i.'

Drwg ei ddiodda – i rywun o'r tu allan i Fôn, hawdd camddeall y dywediad hwn i feddwl bod y sawl a drafodir yn **anodd byw efo fo** ond nid dyna'r ystyr. Os oedd rhywun yn mynd trwy bwl o fod yn ddiamynedd neu di-hwyl, dywedwyd wrtho 'Paid â bod mor **ddrwg dy ddiodda** nei di?' Dwi'n cofio dweud wrth fy mam fod fy nhad fel arfer **ar bigau'r drain** (bron â gwingo o fod yn ddiamynedd ac yn bigog) ar gychwyn y cynhaeaf gwair. Hithau'n ateb, 'Mae o'n **ddrwg 'i ddiodda** ers dwi'n cofio, tan ma'r cnwd i mewn dan do.' Mae'r dywediad yn cyfeirio at rywun sy'n dioddef ansicrwydd, rhwystredigaeth, dryswch a diffyg amynedd.

Caru'r deryn er mwyn y nyth – byddai fy nain yn dweud hyn, a hefyd cyfeirir ato yn llyfr *Iaith Sir Fôn* yr Athro Bedwyr Lewis Jones. Mynd ati i briodi er mwyn elwa ar eiddo'r darpar ŵr neu wraig yw'r ystyr – **priodi i bres** yw ffordd arall o fynegi'r un peth. Clywais fy nain yn dweud hyn pan briododd gwas ffarm ferch y teulu lle'r oedd yn gweini.

Mwytho'r llo i blesio'r fuwch – mae mwy nag un ystyr i'r dywediad hwn. I ddechrau, caiff ei ddefnyddio am rywun sydd â'i lygad ar briodi gwraig weddw ac yn gwneud ei hun yn boblogaidd trwy **dimpwl** a gwneud yn fawr o'i phlentyn neu blant.

Ystyr arall oedd ambell i was ffarm cyfrwys, un wedi darganfod y gyfrinach a'r pwysigrwydd hanfodol o godi'i hun yn uwch ei barch ac esmwythach ei swydd trwy gyrraedd calon ei feistres yn bennaf, nid gymaint y meistr, trwy wneud ffwdan a lol o'r plentyn neu blant – e.e. trwy

ddod ag *inja roc* iddynt o'r ffair neu wneud **chwiban ysgaw**
neu fân bethau eraill i'w plesio. Unwaith roedd wedi plesio'r
feistres, roedd hi wedyn yn ei ganmol wrth y meistr a byddai
bywyd yn brafiach iddo.

Magu cywion chwiad gwyllt – (sef hwyaid gwyllt – cynaniad
Môn o hwyaden a hwyaid yw *chwadan* a *chwiad*). Clywais y
dywediad hwn gan y diweddar Ismail Jones, Pen y Bonc,
Llanfair-yng-Nghornwy (1904-1974), oedd yn saer coed,
baledwr a chwedleuwr heb ei ail. Er yn dad i nifer o blant ac
yn llysdad hoff a meddylgar, heb fod angen troi'r dywediad
ato fo'i hun, roedd yn ei ddefnyddio i gydymdeimlo ag
ambell ŵr. Clywais hwn hefyd gan Caradog Jones, Cemaes a
Wiliam Jones, Garreg-wen, Rhos-y-bol yn yr un cyd-destun,
sef pwysleisio mai peth ffôl oedd priodi gwraig weddw â
phlant, o achos y siom a'r loes y gellid ei gael yn y dyfodol.
Os oedd y wraig yn marw o'i flaen, yna ychydig o
deyrngarwch a gâi gan ei lysblant – nid oes yr un
ffyddlondeb ag mewn perthynas waed. Roedd yr un mor
berthnasol i ferched â dynion, wrth gwrs, os y priodai merch
â gŵr gweddw oedd â phlant.

Socsan – pechod o'r mwyaf i blant oedd cael **socsan** wrth
chwarae, hynny ydi mynd i ddŵr dros ben eu hesgidiau. Gair
am wlychu'r traed yn unig oedd **socsan**. Deallais hyn pan
ddaeth Jac Sachins yn hwyr i'w waith un bore, wedi cael ei
ddal mewn cawod drom annisgwyl ac yn wlyb 'dat ei groen.
'Gaetho chi **socsan** John Jones?' medda fi yn llawn consyrn.
'Taswn i mond 'di cal **socsan** faswn i'n iawn.' meddai, 'ond
dwi'n 'lyb diferol drostaf.' Ystyr arall i **socsan** yw cael eich
gwneud (twyllo) neu golli allan, fel, 'Mae'n beryg ar y diawl
cael **socsan** wrth brynu ceffyl gan jipsiwns. Da chi ddim yn
gwbod be gewch chi.'

Twndwl, dwndwl neu *pasta'* (*pastai*) – tomen a oedd yn gymysgedd o dail gwartheg, pridd mân, a chalch poeth neu unrhyw un o'r hen wrteithiau cemegol rhydd ar ffurf llwch bras fel *nitrogen sulphate, sulphate of potash* neu **giwana** (*guano* o Chile, baw adar sy'n hynod o uchel mewn nitrogen). Troid y **dwndal** drosodd yn aml a'i ailgymysgu yn drylwyr cyn ei ailgodi. Pan oedd yn amser hau'r gwrtaith (Glangaeaf i'r cymysgedd os oedd yn galch, neu'r gwanwyn fel arall) roedd wedi treiddio drwy'i gilydd ac yn fân fel compost ac yn hawdd iawn i'w hau. Câi ei wneud yn **ddwndwl** i rwystro'r glaw rhag toddi'r llwch bras a'i gludo'n syth i'r ffosydd, ac i atal y gwrtaith amrwd rhag llosgi'r borfa. Gwaith gweddol ysgafn oedd **hau'r dwndwl**, meddai fy nhad, gan fod y cymysgedd terfynol fel tywod ac yn ysgafn iawn.

Mynd i'r dwndwl neu **yn y twndwl** – sef mynd i ffrae neu gynnen, yn aml iawn ar gam neu'n anfwriadol. Cofiaf fy nain, Kate Owen, yn cynghori un o fy modrabedd mwyaf tanllyd pan godai helynt capal, i beidio **mynd i'r dwndwl**, hynny ydi peidio cael ei thynnu i mewn i'r helynt.

Roedd **yn y twndwl** yn cyfeirio at rywun yn rhan o gynnen neu'n rhan o gynllwyn, e.e. 'tydi'r mab yng nghyfraith na sgynny nhw fawr gwell, sa chi yn gofyn i mi, mae ynta **yn y twndwl** efo nhw dros ei ben a'i glustia.' Hefyd ceid 'Wel am **dwndwl** ar y diawl' am lanast neu lobsgows o beth, neu 'Yli, cadw fi allan o dy **ddwndwl**, does nelo fi ddim â'r peth.'

Cloban – ar y tir mawr, mae hwn yn golygu 'anferth o fawr', fel **cloban o garreg fawr** neu **cloban o gaseg fawr**, ond ym Môn fe'i defnyddir yn bennaf i sôn am ddynes hynod o gas, stormus a chegog, fel **hen globan front ydi hi**. Defnyddir **hen globan** am fuwch neu gaseg gas a chiciog yn yr un modd – 'Byddwch yn ofalus wrth fynd heibio'r hen fuwch goch 'na yn y beudy. Hen globan di hi, mi gicith hi chi.'

Diharab – pan fo rhywun neu rywbeth yn gwbl anobeithiol, annerbyniol, neu annioddefgar:

Mae hi'n ddiharab o fudur o gwmpas y tŷ.

Mae'r tywydd 'ma yn ddiharab o 'lyb.

Mae na olwg diharab yno.

Mae'n nhw'n blant diharab o ddrwg.

Hefyd dywedir **mae'n ddiarhebol o oer heddiw**, neu **welish i 'rioed ddau yn ffraeo 'run fath, mae nhw'n ddiarhebol**.

Codi clownsys neu **godi clownsia** – codi helynt fel arfer, ond yn Llannerch-y-medd, Rhos-goch a Charreg-lefn dywedid yn aml fod plant yn **codi clownsys**, sef ymddwyn yn afreolus o ddireidus. Y lle traddodiadol i blant godi clownsys oedd yn yr Ysgol Sul, mewn dosbarth athro nad oedd yn medru cadw rheolaeth, neu weithiau yn y cartref pan ymwelai rhywun diarth a oedd yn teilyngu'r parlwr ffrynt a'r llestri gorau. Byddai'n cychwyn gyda **piffian chwerthin** (*giggle*), tynnu wynebau neu dynnu 'stumiau, ac actio fel mwncwns. Pan fo plant yn dechrau **codi clownsys** maent yn aml yn colli arnynt eu hunain yn llwyr, ac yn anghofio'n lân y bydd cerydd go llym iddynt wedyn. Pan ddôi'r gweinidog i dŷ fy nain, byddem yn cael ein hel allan o achos, yng ngeiriau nain, 'Mi fyddwch chi bownd o **godi clownsys** fatha sa chi di cael eich weindio.'

Ciarpad bag – yn ôl fy nain, arferai morynion ddefnyddio **ciarpad bag** a bwndel mewn cyfnas gwely i gludo eu dillad a'u heiddo pan fyddent yn symud i **weini** i le newydd. **Cist**

weini oedd gan y gweision gan amlaf. Yn y *ciarpad bag* y cedwid y pethau mwyaf personol a chyfrinachol, fel llythyrau serch neu benillion serch gan lanciau oedd wedi gwirioni arnyn nhw. Ar ôl priodi, defnyddid y *ciarpad bag* i gadw *stifficets* (tystysgrifau) fel rhai priodas, bedydd, a marwolaeth.

Hefyd dywedid fod *mynd i'w giarpad bag o* yn golygu holi rhywun yn fusneslyd am bethau personol, neu edliw cyfrinachau, fel 'Dwi'n gwbod yn iawn be' sy yn ei *chiarpad bag* hi.'

Ceubal – ffurf arall ar *ceudog* fel 'Mi fytish i lond fy *ngheubal* i ginio', sef llenwi'r bol, neu chwadal JW, 'Mae gen i rhyw wynt ofnadwy yn *fy ngheubal*.'

Llaw galad – fel 'Gafodd yr hen gradur *law galad* iawn tra'r oedd o'n fyw.' Hynny ydi, cafodd oes o dlodi, poen meddwl, anghyfiawnder, a gwaith caled di-ddiolch. Dywedid bod rhywun yn cael *llaw galad* os oedd ganddo feistr neu wraig gas, neu efo gofal am rywun gwael am flynyddoedd.

Hafin (*having*) – bachog, eisiau mwy na'i siâr e.e. *roedd yn ddynas hafin ofnadwy*, yn chwenychu a chwantu bob dim.

Gadal tir – mynd yn hynod o gyflym un ai wrth redeg yn sionc, wrth garlamu ar gefn ceffyl, neu wrth reidio beic. Yn ddiweddarach câi ei ddefnyddio i drafod mynd yn gyflym ar feic modur. Clywais y diweddar Twm Lewis, Morfa, Rhos-y-bol a fu farw yn niwedd yr 1970au yn canmol beic resar newydd yr oedd newydd ei brynu: 'Os ro'i o yn y gêr yma, mi fydd o'n *gadal tir* yn drybeilig.'

Prynu'r stalwyn – neu *brynu'r cae* neu *brynu'r fuwch*.

Ateb a roddid gan borthmyn fel arfer i fynegi syndod ffug wrth ofyn am werth rhywbeth, e.e. 'Be? Pum cant am y gwartheg 'na? Down i ddim isio prynu'r cae hefyd!' Ac meddai hen amaethwr o Walchmai, a oedd wedi gyrru'r mab i holi am ffi 'stud' stalwyn bridio, a chlywed ei fod yn 25 gini – 'isio strocan i'r ferlan ydw i, dim prynu'r blydi stalwyn!'

Cantio / centio – disgyn, neu fynd ar osgo at yn ôl neu i'r ochor, fel trol yn tipio neu yn **mowntio llwyth** yn fwriadol neu'n ddamweiniol. Os y trodd y drol yn ddamweiniol dywedid 'mi fowntiodd drosodd ohoni'i hun' – neu 'mi gantiodd drosodd ohoni'i hun.'

Meriman – **mynd fel meriman**, i ddisgrifio plant aflonydd wedi'u windio, neu rywun yn mynd yn gyflym neu'n ysgafndroed er gwaethaf henaint. Fel 'Welish i Glyn gynna, roedd o'n **mynd fel meriman** i gyfeiriad y sgwâr.'

Lyfrins, lifrins – < lifrau (*uniform*). Soniai hen filwyr y Rhyfel Byd Cyntaf am eu '*uniforms*' fel **lyfrins**, e.e. 'dod adra yn fy **lyfrins** i weld Mam.' Clywais y ddiweddar Elinor Lewis, Dinas Noddfa, Llannerch-y-medd, oedd yn gyfoed â fy nain Kate Owen (1883-1962), yn dweud 'Mae'r hen blisman 'na o gwmpas yn ei **lyfrins** heno, mae 'na rwbath ymlaen.'

Meddai fy mam wrth sôn am hen ddillad oedd wedi gweld dyddiau gwell, 'Wel mi wnawn nhw **lifrins gwaith** o hyd.'

Caff – fforch hirgoes gyda'i phigau wedi eu llunio i droi at i lawr ar ongol o 90° i'r coesyn ar gyfer tynnu tail o drol yn **dympiau** (*tumps*), sef yn bentyrrau bychain crwn i gael eu chwalu bellach mlaen ar hyd y cae. **Tympio tail** y gelwid y gwaith hwn, a digwyddai yn yr hydref fel arfer. Defnyddid **caff** hefyd i dynnu matiau o dyfiant glas oddi ar afon neu ffos wedi iddynt gael eu torri'n ddarnau rhesymol efo rhaw neu filwg.

Ceffyl blaen – rhywun eisiau ennill awdurdod a llwyr ymddiriedaeth y meistr, neu eisiau cael eu gwthio ymlaen i'r Sêt Fawr neu ar bwyllgor – dywedid fod y rhain **isio bod yn geffyl blaen**. Yn yr oes a fu, ni chlymid ceffylau mawr ochr yn ochr i dynnu trol (dim fel gyda choets fawr, dyweder) ond yn hytrach un tu ôl i'r llall. Roedd ceffyl dibrofiad yn cael ei roi yn y **bôn** (llorpiau'r drol) a rhoddid y **ceffyl blaen** mwy profiadol o'i flaen, o achos ei fod wedi sadio mewn traffig, ac yn fwy llonydd a dibynadwy na'r ceffyl arall; hefyd roedd yn fwy egnïol ac yn ennyn y llall i ymdrechu'n galetach i dynnu llwyth trwm.

Dweud-a-mynd – rhywun sydd eisiau rhoi llond bol i rywun arall am ryw gamwedd neu'i gilydd ac yn llwyddo i godi digon o blwc i wynebu'r llall lygaid yn llygaid a **deud ei giaractor o** wrtho yn drwyadl a chadarn. Ond yn **ben set** mae o neu hi yn **chwythu'i blwc** ac yn gorfod bod yn fodlon ar danio pregeth fer a chyflym cyn dianc ac osgoi unrhyw ymateb.

Gordors, ordors – (*orders*), hynny ydi gorchmynion gan feistr i weision, neu gyflogwr i'r cyflogedig. Weithiau ni chynenir yr ail 'r' – **ordos** yn hytrach nag **ordors**, e.e. 'Gesh i ordos gin Mam i beidio bod yn hwyr,' neu 'Dwi di cal **ordos** gan y giaffar i redig y cae canol fory.' Ystyr arall yw hwyl, rhialtwch, adloniant llon, a ddisgrifir fel **ordor**. Fel 'Wel mi gaetho ni **ordor** tua'r Llan pnawn ma.'

Cyfamod – roedd yr hen do fel Jac Sachins, Robat Williams Crydd a'u cyfoedion yn defnyddio mwy ar **gyfamod** na **chytundeb**. Yn gryno, rhywbeth y cytunwyd arno oedd **cyfamod**, e.e. meddai Jac Sachins, 'Mi nes i gyfamod â'r meistr y baswn i yn aros yma am dymor arall adag Gwilihengal am ei fod o'n **wyllt** (brwd) i mi borthi.'

Trugaredda' – anialwch (*junk*), sothach, petheuach, ffigiarins. Fel, 'Dew, mae ganddo fo bob math o **drugaredda** werth pres yn y tŷ 'na.' (*antiques* ayb.) Neu 'Does ryfadd bod o'n ddistumog, mi fytodd o bob math o **drugaredda** tua'r ffair 'na.' (bwyta pob math o sothach.) 'Dos trw' bocedi dy drywsus a tynna'r **trugaredda** 'na allan i mi gael ei olchi' (cael gwared â gwahanol bethau o bocedi trywsus fel pres, papurau, cyllell boced ayb.)

Anialwch – mae dau ystyr i hwn ym Môn. Y cyntaf yn amlwg yw lle diarffordd ac anial, a'r ail ystyr yw petheuach blêr, fel 'Wel mae'r hogyn 'ma wastad yn hel rhyw **anialwch**.' (*junk, rubbish*).

Shafan – yr ystyr cyntaf yw sgleisen denau, fel **shafan o fecyn** neu **shafan o fechdan** neu **tynnu shafan o'i fys efo cyllell**. Yr ail ystyr yw bod yn hynod o agos i rywle, neu i gyflawni rhywbeth, e.e. 'Tydi'r gŵr ddim yn y tŷ, dach chi wedi ei golli o **shafan**.'

Llunio'r wadan fel bo'r droed – rhaid byw oddi mewn i'ch modd a bodloni ar hynny; os nad ydi'r cyflog neu'r enillion yn cyrraedd lefel y taliadau, rhaid cwtogi yn rhywle.

Digon o waith – ffordd o ddweud *faswn i ddim yn meddwl, go brin, fawr o obaith*. Fel '**Digon o waith** ddoith Huw draw drwy'r glaw ma,' neu '**Digon o waith** a'i i'r sêl fory, gen i ormod o waith.'

Catyn (lluosog **catiad**) – gair Môn am **ddynewid** (llu. **dynewaid**), sef lloi wedi'u dyfnu rhwng 5/6 mis i flwydd oed. Defnyddid fel hyn: 'Dyna **gatiad** ddigon del' neu '**catiad** bach del iawn'. Hefyd defnyddid y term hwn i ddisgrifio pobl – e.e. **catyn bach o ddyn** sef dyn bychan llydan a chryf, yn wahanol i ewin bach sef dyn ysgafn ac eiddil. Sonnid hefyd am **gatyn o raff** sef darn byr o raff.

Magnu – sathru o dan draed, neu sathru troed rhywun arall yn giaidd. Mae **magnu** yn cyfleu rhywbeth gwaeth na sathru, yn aml iawn yn fwriadol a maleisus, er weithiau caiff ei ddefnyddio yn gyfnewidiol â sathru: 'Be haru ti a dy draed mawr! Rwyt ti'n **magnu** fy modiau i bob tro ti'n mynd heibio.' Cofiaf bod John Jones a Wil Jones Rhos-goch (dau frawd) yn defnyddio **magnu** wrth sôn am landlordiaid: 'Ma'r landlordiaid a'r byddigions yn **magnu**'r werin dlawd dan draed.' Hefyd Robat Williams Crydd yn adrodd ei hanes yn gorfod mynd yn ôl i weithio ar y tir am fod ei **lifin** fel crydd wedi ei ddifetha gan esgidiau rhad o'r ffatrïoedd, ac wedi cael bachiad ar fferm leol, yn gosod y drefn i lawr i hwsmon awdurdodol ac anghyfiawn drwy ddweud, 'Yli di rŵan ar y dechrau, frawd, mi geith y mistar werth ei bres o fy ngwaith i, ond i mi gael llonydd i'w neud o. Paid â meddwl am funud y cei di fy **magnu** i dan draed fatha'r lleill.' Clywais sôn hefyd am wartheg wedi **magnu**'r gwlydd tatws dan draed ar ôl torri trwodd i'r ardd, a mochyn bach yn cael ei **fagnu** i farwolaeth gan yr hwch.

Gogrwn – yr ystyr cyntaf yw **gogrwn** neu hidlo rhywbeth drwy ogr (*sieve*). Yr ail ystyr yw pobl yn **gogrwn** – hynny ydi, tin-droi, mynd o dan draed, talu sylw manwl i rywun, troi o gwmpas rhywun fel arfer i drio plesio, crafu tin, neu i ofyn ffafr. Fel, 'Paid â **gogrwn**!' (wrth blentyn bach aflonydd). 'Roedd o'n gwbod bod gen i bres ym mhocad, dyna pam oedd o'n **gogrwn** o nghwmpas i.'

Dawnsio tendans – ceisio plesio rhywun drwy grafu tin a gwneud y peth lleiaf drosto, dim byd yn ormod o drafferth. Gwneir hyn fel arfer er mwyn elwa mewn rhyw ffordd, fel

'Maen nhw eu dau yn **dawnsio tendans** ar yr hen ŵr ers dalwm edrach adewith o rwbath iddyn nhw yn ei 'wyllys.'

Ben set – y munud (eiliad) olaf un, neu ar yr union amser: 'Mi alwodd Dic Owen a 'nghadw i siarad, **roedd hi ben set arna'i** yn cychwyn am y gwasanaeth.' Neu 'Gafal yn'i i newid, **mae'n ben set arna chdi** yn cal dy hun yn barod bob amsar.'

Swampia – cyffiniau, ardal, bro cynefin. Fel 'Tydi o ddim yn un o Llan, un o **swampia** Carreg-lefn ydi o.'

Wedi mynd yn west – wedi mynd yn fethdalwr, wedi methu mewn busnes, neu gelf neu beiriant wedi torri tu hwnt i'w drwsio, neu hyd yn oed pryd o fwyd wedi llosgi. Fel 'Welsoch chi'r papur bore ma? Ma boi garej Llanseiriol **wedi mynd yn west**.' Neu wraig wrth ei gŵr, 'Fydd rhaid i ti ddisgwl am dy fwyd mae arna'i ofn. Mi oedd o jyst yn barod ond mi **a'th yn west** wrth i Margiad alw yma i siarad.' O'r môr y daeth **mynd yn west**, ac o ddyddiau'r llongau hwylio. Mae'r rhan fwyaf o arfordir gorllewinol Prydain o Gernyw bron hyd at Ynysoedd yr Alban heb fath o ochel rhag y gwyntoedd enbyd sydd yn dod o'r de-orllewin ac yn gyrru llongau hwylio yn erbyn y **rîffs** – y creigiau tanddwr neu'r bariau tywod sydd yn frith hyd yr arfordiroedd yma. Y rhan waethaf oll i longau hwyliau gael eu gyrru i'r lan yn y gwyntoedd grymus hyn oedd o Aberdaugleddau i Gaergybi, ac eithrio angorfa Ynys Tudwal (*St Tudwal's Rocks*). Sarn Badrig (*The Devil's Causeway* – nid yr un yng Ngogledd Iwerddon) rhwng Bermo ac Aberystwyth oedd y rîffs mwyaf enbyd o'r cyfan, a achosodd i longau di-rif ddryllio. Lle arall hynod o beryg oedd Bar Mawr Caernarfon yng ngheg Abermenai oedd yn gwneud ceisio gochel yn y Fenai yn arswydus o enbyd.

Baich dyn diog (neu **siwrna dyn diog**) – rhywun yn cludo **llond ei haffla** (llond ei freichiau) er mwyn osgoi ail siwrna debyg. Baich blêr a thrwsgl yw **baich dyn diog**. Fel y dywedodd fy nhad wrtha'i pan oeddwn i'n cario ysgubau ceirch i fwydo'r lloi, dan wneud bwndel anferth ohonynt, 'Elwodd **baich dyn diog** erioed mohono fo, llawer gwell i chdi gario baich ddwy waith, gwell blino'r traed na blino'r cefn.' Roedd yn dweud y gwir.

Darfod fel gwêr cannwyll – rhywun sy'n dioddef o waeledd cynyddol ac sy'n dirywio. Fel 'Mae hi'n wael iawn y graduras bach, ac yn **darfod fel gwêr cannwyll** o flaen rhywun.'

Gneud Ned neu **gneud John Jones** – actio'n llancaidd neu'n wirion iawn, gwneud sioe, dangos ei hun, gwneud ei hun yn ffŵl. Fel 'Tydi hwnna'n **gneud Ned** ohono'i hun wrth wisgo'n ifanc a swancio o gwmpas y lle.' Clywais fy nhad yn sôn am amaethwr yn **gneud Ned** ohono'i hun wrth gael ei weld yn y cae gosa at lôn hefo pladur yn cymryd arno slafio pan oedd hi'n ŵyl ar bawb arall.

Llathan o'r un brethyn – am rhywun efo tueddiadau annerbyniol ei deulu neu yn gyd-gynllwyniwr ar berwyl drwg gydag eraill. Yn fy mhrofiad i, doedd **llathan o'r un brethyn** byth yn beth canmoliaethus, fel *'run iau â'i dad, does dim tynnu dyn oddi ar ei dylwyth*. Hefyd: 'Mae o 'di cymysgu efo'r tacla na mor hir nes mae o'n **llathan o'r un brethyn**.'

Digri – ym Môn, defnyddir hwn i gyfleu difyr, comig, doniol, smala a ffraeth – ond hefyd rhyfedd, od, amheus ac anghyffredin. Fel 'Mae 'na **rywbeth yn ddigri** yn yr injan ma.' (rhywbeth o'i le); 'Mae o 'di **mynd yn ddigon digri** ar ôl colli'r wraig.' (wedi mynd yn rhyfedd yn feddyliol).

Tanllwyth neu eirias – llond grât o dân poeth hyfryd, bron i fyny'r simdde. Defnyddir **eirias** hefyd – fel 'Tydi hi'n **eirias** braf yma ar noson mor fawr.'

Crepach, grepach – adeg tywydd oer pan mae'r dwylo a'r bysedd yn mynd yn ddideimlad a diffrwyth – 'Mae **grepach** ar fy nwylo i.' Hefyd dywedid **glipach** am yr un peth.

Teulu'r ogof – disgrifiad llongwyr Moelfre o'r peirianwyr, y staff, a'r **stôcars** a oedd yn treulio eu holl amser yn yr **injan rŵm**. Cofiaf yn blentyn glywed y dywediad, **mor fudur â theulu'r ogof**.

Broc – buwch, llo, heffar, bustach, tarw neu geffyl sydd bron yn frith a chyda choch a gwyn bob yn ail flewyn. *Shorthorns* oedd y rhain fel arfer. Roedd **broc** yn llysenw poblogaidd yng ngogledd-orllewin Môn ar un adeg am rywun gyda gwallt coch neu gringoch, ac yn dechrau gwynnu. Cofiaf gymeriad o'r Rhiwiad, Rhos-goch o'r enw **Harri Broc**.

Magu traed – mae dau ystyr i hwn. Y cyntaf sy'n fwy cyffredin ar ochor orllewinol yr Ynys, sef dianc yn gyflym rhag cael ei ddal, e.e. fel plant yn dwyn 'fala ac yn **magu traed** wedi iddyn nhw gael eu gweld. Roedd yr ail ystyr fwy yng ngogledd a dwyrain yr Ynys, fel yn Rhosyr, a golygai gelf neu unrhyw eiddo digon ysgafn i'w gludo'n hawdd wedi cael ei ddwyn neu ei fenthyg hab ganiatâd – fel 'Mi adewis i'r bicwach wrth ddrws y sied, a mae hi **wedi magu traed**,' neu 'Wel dwi ddim yn deud fod o'n lleidar ond wir Dduw ma petha wedi mynd i **fagu traed** ers iddo fo ddod yma.'

Gneud pâr – oedolyn yn syllu'n flin ar blentyn i'w rybuddio'n ddieiriau bod yn amser iddo ymddwyn yn well neu bod yn dawel. Neu gallai olygu edrych yn fygythiol ar rywun, neu'n ddirmygus hefyd (*dirty look*). Mae **gneud llgada** yn golygu rhywbeth ychydig yn wahanol. Gellid gwneud hynny mewn edmygedd o ferch ddeniadol. Dyma rai enghreifftiau: 'Pan oedd Mam yn **gneud pâr** ers dalwm, doedd fiw mynd dim pellach.' (rhybudd bygythiol). 'Roedd o rêl **cocyn erw** tua'r George neithiwr yn sgwario a **gneud pâr** ar bawb.' (edrych yn fygythiol). '**Wneis i bâr** arno rhag iddo fo roid ei droed ynddi.' (syllu i rybuddio rhywun).

Riachod – yn *Iaith Sir Fôn*, dywedir mai ystyr **riachod** yw **tacla gwael** (am bobl). Ond mae ystyr arall o'm profiad i, sef pobol hynod o weithgar a dawnus, pobl fusnes, ond rhai a oedd yn hynod o gwerylgar a chenfigennus o'i gilydd. Dywed yr Athro Bedwyr Lewis Jones mai gwraidd y gair yw **eurach** neu **eurych** (lluosog **eurachod**), a aeth yn **riachod** yn hawdd ar lafar. Ond ni soniodd am **riachod sefydlog** oedd yn wneuthurwyr dawnus, cynhyrchwyr llestri a chelfi cegin fel y tegell pres, sosbenni, llestri piwtar, llestri copr ac ati. Roedd Llannerch-y-medd yn ganolfan y diwydiant hwn. Yn ôl Jac Sachins y Llan, roedd tri theulu o **riachod** yn dal i fod yn y pentref efo gefelau bach y tu ôl i'w tai pan oedd o'n blentyn, ac roedd y tri theulu yn draddodiadol allan â'i gilydd.

Soniodd y diweddar Idwal Roberts, Prifathro Ysgol Gynradd Llannerch-y-medd, lawer am y **riachod** yn ei chwedlau lleol difyr, a'u portreadu fel crefftwyr gloyw a hynod o weithgar, yn amrywio o rai sefydlog mewn gefail a gweithdy a oedd yn cymryd archebion am bethau neilltuol, i **riachod** tlotach a llai dawnus a oedd yn teithio o fferm i fferm, neu ardal i ardal, yn trwsio metal. Roedd **riachod sefydlog** byth a beunydd yn ffraeo â'i gilydd, llawer mwy na chrefftwyr eraill, a cheid dywediad **ffraeo fel riachod Llannerch-y-medd**. Lliwgar iawn a brith oedd y **riachod teithiol**, ac fe gymerodd y gair ystyr ddilornus.

Rhyddid neu **libart** – yn y dyddiau cyn i'r Bwrdd Dŵr osod pibelli a phan nad oedd powliau yfed neu gafnau dŵr yn cael eu llenwi'n awtomatig fel heddiw, rhan o **gowt** fferm (buarth) neu efallai lain gyfagos oedd hon, lle troid y gwartheg allan ddwy waith y dydd i yfed o'r pwll neu o'r pwmp a chafn i sbario'r gwaith diddiwedd o gario dŵr mewn pwcedi iddynt neu lenwi cafnau mewn siediau. Tra'r oeddent yn y **rhyddid**, câi'r porthmyn gyfle i lenwi'r **rheseli** â gwair a rhoi'r **hebran**, y bwyd sach neu fwyd **minshar** iddynt a gosod gwellt gwely yn ei le. Dyna pam mae cowtiau fferm mor fawr heddiw, o achos roedd rhaid cael digon o le i'r **rhyddid** neu **libart** i sicrhau hwsmonaeth dda. Aeth **libart** hefyd i olygu darn bach o dir efo tŷ. Defnyddid y **rhyddid** hefyd i yrru lloi a dynewaid allan i **gledu** cyn eu gollwng i'r caeau ddydd a nos i bori yn y gwanwyn. Roedd y **rhyddid** yn fuddiol iawn i gadw llygaid ar fuwch neu ddafad a oedd yn **clafychu** a dod â hi yn nes at y tŷ.

Dan 'i bwn (**ei phwn**) – clywais fy nain yn dweud hyn sawl tro bod rhywun **dan 'i phwn o fagia negas** neu '**dan 'i phwn** efo'r plentyn dan un fraich a'r llall yn ei llaw.' Dywedodd Jac Sachins wrtha'i mai **pwn** oedd **bag canfas** (nid cywarch neu jiwt) yn cael ei gau efo strapiau fel pac milwr, a'i wnïo wrth **gengal** (*girth strap*) llydan o ledr, a aiff dan fol ceffyl neu fastard mul, a'i fachu wrth fwcwl ochor arall. Pwrpas y **pwn** oedd cludo grawn i'r felin yn gytbwys a chyffyrddus ar draws cefn y ceffyl, a'i gludo adref yn flawd wedi'i felino. Nid oedd o ei hun yn cofio neb yn defnyddio pwn, ond dangosodd ei daid o ardal Burwen un iddo. Mesur **pwn** oedd **pegad**, sef 16 stôn.

Nogio – ceffyl, neu fastard mul, yn torri'i galon wrth dynnu llwyth neu weithio ac yn gwrthod symud yr un fodfedd ychwanegol, nid gymaint am ei fod wedi blino neu ddiffygio ond oherwydd ei fod wedi colli hyder neu bwdu wrth wynebu allt neu lethr. Defnyddid **nogio** hefyd i ddisgrifio dyn diog a oedd yn gyson eisiau seibiant o'i waith.

Peraj/peraij – cil-dwrn a gâi gweision fferm pan gaent eu hanfon gan eu meistr i gynorthwyo cymdogion, fel adeg dyrnu ŷd, cynhaeaf gwair ac ŷd, ac adeg cneifio defaid. Roedd achlysuron eraill lle rhoddid **peraj** hefyd e.e. os oedd gwas yn danfon caseg neu fuwch i gwsmer, câi **beraj**, a châi plant **beraj** am yrru gwartheg, defaid neu foch i'r farchnad gyda'u perchennog neu am ddal pennau ceffylau mewn marchnad. Arferai fy nhaid John Jones weithio allan ymlaen llaw gost dyrnu ei ŷd, sef ffi i berchen y dyrnwr mawr ac wedyn y **peraj** i'r rhai oedd yn canlyn y dyrnwr. Hefyd y **peraj** oedd yn ddyledus i weision ffermydd cyfagos a oedd yn dod i gynorthwyo. Yn yr 1920au, hanner coron y pen oedd y **peraj**, a gyfatebai i un rhan o wyth o gyflog wythnosol gwas.

Tynnu llwch – defnyddid hwn yn fygythiol, fel **mi dynna'i lwch oddi ar 'i gefn o**. Meddai Twm Jones y Tyddyn, 'Mae isio **tynnu llwch** oddi ar 'i gefn o efo pastwn 'run oed â fo'i hun' wrth gyfeirio at ryw **gini hyntar** digywilydd. Byddai pastwn draenen ddu neu gelyn fel haearn ar ôl cael blynyddoedd o galedu.

Cyfri – lliaws, llawer, sbel ac yn y blaen. **Cyfri da** neu **nifer fawr** yn hytrach na nifer bendant, e.e. 'Mi gafodd Dic gyfri da o gwningod neithiwr.' Neu 'Mae gynno chi gyfri da o ddefaid 'leni.'

Ffilltith – yn *Iaith Sir Fôn*, dywedir *'mynd ffilltith'* ond **mynd ar ffilltith** ddylai fod. Sef mynd yn sydyn ond nid sbrintio neu garlamu. **Mynd ar ffilltith** yw *trotian yn gyflym* neu *dithio yn gyflym, fel stalwyn cob mewn tresi car ysgafn* chwadal Twm Jones y Tyddyn, a'i atgofion am amaethwyr yn cadw coban (caseg cob Cymreig *Section D*) fel ceffyl rhwng-dau-waith yn ogystad â cheffylau gwedd, i wneud dipyn o waith ysgafn ar y tir, yn ogystad â chludo llwythi ysgafn ac at ddefnydd cludiant personol. Does 'run ceffyl yn y byd mor ddygn na harddach na Chob yn tynnu car ysgafn *ar ffilltith.*

Tithian (**tuthian** – *trotting, at a trot*) – mae dau ystyr i **tithian** ym Môn. Y cyntaf yw ceffyl neu ddyn yn symud ychydig yn gyflymach na cherdded yn frysiog. Wrth i gaseg neu geffyl fynd tuag adref, clywir amdanynt yn **tithian mynd ohonynt eu hunain** wrth anelu tuag at y stabal a phorthiant. Neu am **ewin o ddyn bach gweithgar bob amsar ar dith** – sef dynion fel Twm Jones y Tyddyn, John Williams Ynys Groes a Jac Williams Pylla', yn llawn ynni a phrysurdeb. Yr ail ystyr yw rhywun oedrannus yn **tithian mynd yn fân ac yn fuan**, sef gyda chamau buan a brysiog, sydd ddim cyn gyflymed efallai â cham araf rhywun fengach. Mae gen i atgofion plentyn am hen wragedd oedrannus yn Llannerch-y-medd efo'u sioliau, ffedogau hirion a hetiau Jim Cro – y **jiman** – yn **tithian mynd o dŷ i dŷ**. Cofiaf fy nhad yn dweud wrth ei fam-yng-nghyfraith, 'Cymerwch bwyll Kate Owen bach, tyda chi'n **tithian fel marlan** o fora gwyn tan nos, mi wnewch chi ddrwg i'ch calon.'

Laddar – clywid yn aml lawer i was fferm, fel Jim Francis Huws, hen was fy nhad, yn cael clod uchel gan fy nhad, sef **mae o'n ddyn sy'n gweld gwaith** (dyn na wnaiff sefyllian o gwmpas yn gwneud dim): 'Taswn i yma ne beidio, fedri di fod yn siŵr y bydd yr hen Jim yn **laddar o chwys**, yn **lardio** o'i hochor hi.' **Laddar** neu **laddar o chwys** ydi bod yn chwys diferol neu'n diferu o chwys, fel ceffyl wedi carlamu adra **yn chwys laddar**.

Lardio ydi gweithio yn hynod o galed ac egnïol, slafio, slogio, wrthi fel lladd nadroedd, ac yn y blaen. Dywed Bedwyr Lewis Jones mai o'r Saesneg *lard* y daw lardio, yn golygu chwys. Clywais hen deulu Hafodllin Fawr, Amlwch yn sôn am **glardio fel tyrcs i gal y gwair i mewn cyn i'r tywydd dorri**, ac yn dweud am Huw Owen, Rhosengan ei fod yn **glardiwr dygn**.

Sowtio neu siwtio – gwneud ei hun yn barod, ar gychwyn, paratoi at rywbeth, fel, e.e. 'Well i mi **sowtio** hi am y capal 'na cyn bo hir,' neu 'Well i ti **sowtio** dy hun am yr ysgol 'na.' **Rownd y rîl** – yn barhaol, drwy'r amser, dydd a nos, haf a gaeaf. 'Tydi hi'n gneud dim byd ond hewian arno fo **rownd y rîl**.' (yn barhaol). 'Dim ond gweithio rhan-amser oedd Bob yna, ond mae o wedi cal bachiad i fod yna **rownd y rîl**.'

Ripio – gadael stribyn o dir llafur heb ei hadu drwy flerwch, neu stribyn o dir pori heb ei wrteithio gyda gwrtaith cemegol (**giwana** ym Môn). Sylwir ar y diffyg, ymhen wythnosau, pan nad oes egin ar y stribyn llafur, neu borfa fwy llwm ar y tir pori.

Stillio – ffurf lafar o *bistyllio*, chwistrellu, sbyrtio, tywallt yn drwm, pwmpio. e.e. 'Mae hi'n **stillio bwrw glaw**,' neu 'Mae o 'di agor ei ben a rŵan mae o'n **stillio gwaedu**.'

Talu – heblaw am dalu am rywbeth gydag arian, mae hwn yn cyfeirio at **dalu'r pwyth yn ôl** (dial), **talu diolch** neu **dalu teyrnged**. Ond ym Môn, ceir ystyron eraill hefyd – fel 'Tydi hwnnw ddim ffit i fod yn borthor, mae o'n **talu'n giaidd** i'r buchod,' (h.y. eu curo yn ddidrugaredd a diamynedd). Neu wrth fwrdd bwyd, 'Dewch hogia, **talwch iddo**,' wrth eu hannog i fwyta lond eu boliau.

Crymffast (*crymffastia*) – bachgen ar ei dyfiant gydag arwyddion corfforol cadarn y tyfith i fod yn ddyn mawr cryf, fel 'Dew! Da chi'n cael hwyl dda ar ei magu nhw. Fydd hwn ddim yn hir nes fydd o'n **grymffast** mawr go abal.' Dyn o daldra mwy na'r cyffredin efo datblygiad anferthol o asgwrn a chyhyrau yw **crymffast** – rhywun sy'n abl i wneud diwrnod caled o waith. Clywais y diweddar Caradog Jones, Cemaes yn disgrifio tri mab teulu Huws, Borth-wen, Cemaes fel *crymffastia fel cewri cadarn, mor ddiarth i ddiogi â chath i ddŵr môr.* Tystiodd ffariar Bodrwnsiwn Tŷ Croes eu gweld yn cludo buwch oddeutu 12 cant o bwysau (610 kg) ar giât haearn fel stretcher pan oedd hi'n wael â chlwy'r llaeth, 400 llath ar draws caeau at y tŷ i gael cysgod. Cofiaf hefyd fynd yn gyson gyda fy nhad at ei chwaer a'i frawd yng nghyfraith, Tomi a Wini Ifas, Tan Lan, Bodorgan, lle'r oeddynt yn bridio merlod Cymreig ac yn eistedd i lawr wrth y bwrdd bwyd gyda'r pedwar cefnder a oedd flynyddoedd hynach na mi. 'Dew Wini!' medda fy nhad, 'does gin ti ddim balchder at lond bwrdd o **grymffastia** nobl fel rhain?' Roeddwn yn teimlo'n falch iawn fel plentyn o gael eistedd yng nghwmni **crymffastia** o'r fath!

Lartsh – dyma a ddywedir ym Môn am **gocyn erw**. **Lartsh** ydi rhywun hunan-bwysig, llancaidd, a digywilydd, sydd yn annioddefol o ymhongar a chegog. Mae gan rywun **lartsh** agwedd ymffrostgar – e.e. 'mae o rêl **ceiliog dandi bach lartsh**.' Ar ffurf berf, defnyddir **lartshio** – e.e. 'Paid â dechra dy **lartshian** efo fi, y cocyn diawl.'

Lordio – rhywun yn actio'n fawreddog, awdurdodol a hunan-bwysig, ac yn rhoi gorchmynion i bawb o'i gwmpas.

Cnyta (*cynuta*) – hel coed tân i sbario glo. Gwaith merched, plant a gweision bach ar fferm oedd hel coed tân, sef **cnyta**

efo sach neu nithlen a chasglu pricia yma ac acw. Y ffefryn bob amser oedd bonion eithin ar gyfer y **diwrnod pobi** wythnosol am fod eithin wrth losgi, yn rhoi oglau da ar y bara. Soniai'r hen do am **dorth wedi ei chrasu dan eithin.** Yn ôl fy nain Kate Owen, nid oedd waeth gan ei thad yng nghyfraith gael torth oni bai ei bod wedi ei chrasu dan eithin. Brigau main glas yr onnen oedd y gorau un am gynnau tân, ac yn peri i'r fflam afael yn syth efo dipyn bach o bapur, ac onnen neu **jacmor** (sycamor) oedd y tanwydd gorau. Tanwydd a losgith yn araf ond cyson yw gwern, a'r llwyfen tra'n wyrdd yn cyflawni dim ond duo a diffodd y tân oni bai ei bod wedi ei sychu am flwyddyn neu ddwy. Hyd at ddiwedd ei hoes roedd fy modryb Kitty Williams yn gwahardd dod â'r ddraenen wen a'r ysgawen i'r tŷ, heb sôn am eu llosgi, oherwydd hen ofergoeliaeth.

Llegach – gwan a di-hwyl pan mae rhywun ar fin mynd i lawr efo salwch ac heb fawr o awydd bwyta na bod o gwmpas ei bethau. Fel 'Roedd y gŵr 'ma yn teimlo **ddigon llegach** trw'r dydd ac mi aeth i'w wely'n gynnar.' Dywedid hefyd am rywun sydd yn mendio, gwella neu'n ymadfer o salwch ei fod yn **lligeuno**, fel 'Mae o'n well nag oedd o ac yn dechra rhyw **ligeuno dow dow**' (fesul dipyn).

Hwylio – nid yr ystyr arferol o fwynhad, rhialtwch, ayb. ond **paratoi, ar fin, bwriadu.** Fel '**hwylio bwyd** i'r dynion' neu '**hwylio fy hun** i fynd i'r capal' neu 'rhaid i mi hwylio fy hun i fynd i odro'r buchod.'

Piso'n groes i'r gwynt dwyran – mae gwynt dwyrain yn rymus iawn, fersiwn Môn o'r mistral yn Ffrainc ond yn gryfach a rhynllyd. Hwn yw gelyn pennaf yr amaethwr, a'i fugail yn enwedig. Mor ofer â **phiso'n groes i'r gwynt dwyran**, sydd yn dwyn dim elw o gwbl, yw dweud neu wneud rhai pethau, e.e. 'Waeth i rywun **biso'n groes i'r gwynt dwyran** ddim na rhoi cyngor i ffŵl.'

Ffansi mul di mulas – hen ddywediad gan fy nain Kate Owen a'i chyfoedion, a llawn mor boblogaidd heddiw. Mae'n golygu 'pawb â'i betha efo dewis cariad' am wn i! Mae hefyd yn golygu rhywbeth fel **tebyg at ei debyg, neu mae brân i bob brân.**

Palu clwydda – maddeuid ambell i gelwydd golau neu **rhoid rhyw stretch bach arni** ond ni ellid dioddef rhywun sy'n **palu clwydda**, sef bod yn hollol ddifater os yw'r gwrandäwr yn ei goelio neu beidio, mor gaeth yw i ddweud anwiredd. Mae rhywun sy'n **palu clwydda** yn ddiflas iawn i wrando arno.

A'th y mwnci i ben catsh – clywais hwn sawl tro, fel 'Mi o'dd o'n ddyn anodd iawn gweithio efo fo a mi ddioddish i ei hwyliau drwg o yn dawal, ond mi a'th o'n rhy bell un dwrnod a **mi a'th y mwnci i ben catsh** gin i.' h.y. fedrwn i ddim dioddef dim mwy arno a mi wylltiais i yn gacwn.

Deintio – gair amlbwrpas, a oedd i'w glywed hyd at yr 1970au ond ni chredaf ei fod ar ddefnydd bellach. Defnyddiai fy modryb, Kitty Williams, y gair hyd at ei marwolaeth yn 1993 yn 87 oed. Gwraig danllyd iawn oedd fy modryb ac yn defnyddio'r gair i olygu mynychu – un ai i beidio meiddio mynychu, neu yn is na'i hurddas i fynychu e.e. '**Ddeintith** y globan ddim o nrws i,' h.y. feiddith hi ddim dod i fy nrws i am ei bod yn gwybod beth fyddai yn ei disgwyl. Neu 'Fyswn i ddim yn **deintio** mynd yn agos ati hi na'i thŷ,' h.y. fuaswn i ddim yn iselhau fy hun i fynd i'w thŷ. Dywedid hefyd 'Yli, paid ti â meiddio **deintio** 'run gair wrth neb am hyn.'

Twca – yn y blynyddoedd a dreuliais yn Arfon a Llŷn, nid oedd neb o'm cyfoedion ar y pryd yn gwybod beth oedd *twca*. Ym Môn, defnyddir *twca* am *gyllell fara*. Hefyd ceir *twca gig*, neu *dwca lladd mochyn*.

Dat – sef *hyd at*. Fel: 'Mae hi *dat* ei chlustiau mewn dylad,' 'Mi ath o *dat* 'i ganol i'r doman,' *Ffraeo dat y dwca*.

Pegla – traed neu goesau dynol (nid anifail). Fel 'Mae o di mynd *reit simsan ar ei begla*,' neu 'Gwatsha di fynd â dy *begla i fyny* ar y rhew 'na.'

Peglu – yn dderbyniol i ddweud am anifail wedi marw, e.e. 'Ma ddrwg gin i roi newydd drwg i chi Mistar ond ma'r ddafad fawr 'na *wedi ei pheglu hi* yn Cae Bonc.' Câi ei ddefnyddio weithiau wrth sôn am bobl nad oeddynt yn uchel yn llygaid y siaradwr, ond yn bennaf wrth drafod anifeiliaid y defnyddid y term.

Fory-wedyn – yn hen iaith Moelfre, dyma y gelwid *trennydd*. Yn lle *heddiw, drannoeth, a thrennydd* byddai pobl Moelfre yn dweud *heddiw, drannoeth, a fory-wedyn*.

Llacio'r gengal – term amaethyddol o fyd y ceffylau ydi hwn (*girth strap*), sef y strap lledr sy'n mynd dan fol y ceffyl ac yn bachu i fwcwl yr ochr arall. Arferid llacio *gengal* ceffyl gwaith amser cinio neu amser *cnwswd* neu banad. Yn ôl yr hen do, *ca'l llacio'r gengal* oedd mynychu ffair neu ddiwrnod gŵyl, fel y Ffair Gyflogi, neu fân hanner diwrnodau o wyliau fel *Glanma, Gwilihengal, Ffair Borth* ac ati.

Stent – roedd hwn yn cael ei ddefnyddio fel *stint* yn Saesneg. Fel dweud fod rhywun *wedi gneud stent yn Lerpwl*, sef treulio dipyn o amser yng ngharchar Lerpwl. Gellid hefyd holi gwas fferm, 'Da chi wedi rhoi dipyn go lew o **stent** yn Bryn Eithin bellach, ers faint yda chi yno rŵan?'

Ar dasg – neu **ar bris**. Cymryd a chyflawni tasg o waith am bris penodol, neu ar **ddarn dal** (*piece work*). Dyma fyddai trefniant **dyn caled** bob amser, un ai **ar bris** e.e. agor ffos gamlas ar bris contract fel £15 am y gwaith, neu **ar dasg** sef trefniant tebyg. Prif waith dyn caled oedd agor ffosydd, cloddiau, waliau cerrig sych, draenio tir ac agor afonydd yn ystod y gaeaf, ar bris. Byddai llawer i ddyn caled yn medru cneifio gyda **gwialla** (*hand shears*).

Gweryd, pry' gweryd (*warble fly*) – y pryf hwn sy'n gyfrifol am y cyflwr yma. Wedi iddo ddodwy ei wyau dan groen cefn gwartheg, datblygith lwmp o faint cneuen fawr a daw cynrhonyn mawr o'r lwmp, sef pryf newydd, os caiff lonydd. Mae **gweryd** yn felltith i wneuthurwyr lledr o achos ei fod yn gadael mân dyllau yn y lledr. Disgrifid rhywun sydd yn farn ac yn niwsans fel **rêl gweryd ar gefn rhywun.**

Mishi neu **misin** – rhywun sy'n anodd ei blesio efo bwyd, a ddim yn lecio hyn neu ddim yn lecio'r llall. Fel 'Mae o'n ddyn **mishi** efo'i fwyd.'

Brath – **toriad cyllell a brath lli**, meddai'r hen seiri coed. Y pellter rhwng dannedd ydi'r **brath**, a cheir un ai **brath mân** neu **frath bras. Gosod brath lli** ydi **setio** neu **osod** dannedd ar yr ongl gywir a wedyn eu hogi.

Llawer sgil ca'l Wil i'w wely – yn pwysleisio yr angen i fod yn graff a chyfrwys wrth fynd ati i gyflawni rhyw dasg neilltuol.

Ffyl – o'r Saesneg *full*, ond nid i fynegi llawnder na digon, yn hytrach 'cael a chael'. Fel 'Mi ath hi'n *ffyl gafal* arna'i orffan mewn pryd,' neu 'roedd hi'n *ffyl gafal* arna'i i ddal pen y stalwyn a'i stopio rhag mynd i'r lôn.'

Plaendra – yn yr ystyr yma, *deud yn strêt* neu *heb flewyn ar ei dafod*. Fel 'Mi rois i'r **plaendra** iddo wynab yn wynab.'

Stwna – tin-droi, gogor-droi neu ogrwn o gwmpas, fel e.e.: 'Yli, paid â meddwl gei di **stwna ddiawl** heddiw fel nes di wsnos dwytha,' (meistr wrth was). Neu, 'Wel dwi di deud digon, i drwbwl eith o os dio'n **stwna** efo'r criw yna,' neu 'Does gen i ddim mynadd nag amsar i wrando arni'n **stwna** ar gownt y ddynas drws nesa 'na.'

Gafod (*rash*) – Mae hwn yn hen air am '*rash*' fel '**gafod yr haul**' ar fochyn (*sunburn*), neu **gafod wlyb** ar dethi buchod godro.

Mynegai

Pobl